LINGÜÍSTICA ROMÁNICA

TOMO II

BIBLIOTECA ROMÁNICA HISPÁNICA

Dirigida por DÁMASO ALONSO

III. MANUALES

HEINRICH LAUSBERG

LINGÜÍSTICA
ROMÁNICA

BIBLIOTECA ROMÁNICA HISPÁNICA
EDITORIAL GREDOS, S. A.
MADRID

© Editorial Gredos, S. A. Sánchez Pacheco, 83. Madrid, 1966.

Título del original alemán: *Romanische Sprachwissenschaft.* Walter de Gruyter. Berlin, 1962.

Traducción española de J. Pérez Riesco y E. Pascual Rodríguez.

N.º de Registro: 7085-64.
Depósito Legal: 19423-1964

Gráficas Cóndor, S. A.—Sánchez Pacheco, 8.—Madrid-2   2636-66

SEGUNDA PARTE

MORFOLOGÍA (§§ 583-948)

OBSERVACIÓN PREVIA

En la presente exposición de la morfología téngase en cuenta: 1. Para señalar el sitio del acento tónico se marcarán los acentos (agudo y circunflejo), aun cuando éstos no sean de uso en la ortografía de las respectivas lenguas escritas. Cuando se trate del emplazamiento del acento, se escribirá así: it. *sapére,* esp. port. *sabêr* (aunque no todas las lenguas escritas utilicen en su ortografía dichos acentos).—2. Cuando resulta difícil, por razones técnicas, marcar los acentos, se indicará su emplazamiento, si se juzga necesario, mediante otros recursos tipográficos: rum. *cîntăm* (con acento en la -ă-).—3. La primera, segunda y tercera persona plural de los verbos se indicarán con los números 4, 5 y 6, respectivamente.—4. En los c u a d r o s   s i n ó p t i c o s, las formas analógicas (§§ 136-140) van entre paréntesis redondos ( ).—5. En las s e-r i e s d e f o r m a s van a veces incluidas v a r i a s lenguas en una serie. En este caso, la lengua aludida va entre parénte-sis redondos tras la primera de las lenguas incluidas. Las formas presentadas valen para todas las lenguas incluidas, a menos que se mencione entre paréntesis redondos alguna discrepancia. Así, en § 797, esp. (port.) *cánto* significa que la forma indicada vale para ambas lenguas (en la grafía, no ne-cesariamente en la pronunciación); en cambio, la indicación del § 795 esp. (port.) *cántan (cántam),* significa que la primera forma es española y la segunda (entre paréntesis redondos) portuguesa. Cuando en tales series el paréntesis redondo aparece usado en la forma antedicha, las formas analógicas o las variantes (regionales o cronológicas) de una lengua van separadas por una rayita inclinada; así, por ej., en § 797 sard. *kantant / kantan*.—6. La t r a n s c r i p c i ó n f o- n é t i c a (cf. tomo I, 2) va entre corchetes [ ].—7. El g é n e- r o de los nombres (cuando se considera necesaria su indicación) se indica por m. = masculino, f. = femenino y n. = neutro.—8. Una r a y i t a horizontal (—) señala (especialmente en los cuadros sinópticos) la falta de una continuación de la respectiva forma básica latina.—9. Un a s t e r i s c o (*) antepuesto a una forma o significación indica que una u otra (por ej., en § 612, para lat. f o l i a) no se encuentran atestiguadas (en la lengua respectiva) y son sólo deducción etimológica.

[PRELIMINAR]

583. Como todas las lenguas indoeur. en su origen, el lat. forma parte del tipo de lenguas 'f l e x i v a s'[1]: la función de la palabra en la oración se expresa mediante la llamada f l e x i ó n (declinación) de la palabra, y la forma fonética de ésta (tanto en su radical como, sobre todo, en su terminación) caracteriza ya su función (como sujeto, objeto, etc.) en la frase.

La flexión de las palabras se hace conforme a un sistema holgado, pero homogéneo en sus líneas generales: hay, por ej., en lat. determinadas formas de flexión, mediante las que se expresa la relación de propiedad. El sistema de los hábitos flexivos de una lengua se llama 'estructura morfológica'.

El c a r á c t e r s i s t e m á t i c o de la lengua no es, por cierto, un fenómeno absolutamente radical (cf. también § 757), sino un fenómeno de naturaleza dinámica. Donde más claramente se echa de ver el efecto del dinamismo del sistema es

---

[1] Desde A. W. v. Schlegel se suelen distinguir tres tipos de lenguas: 1. aislantes (por ej., el chino), 2. aglutinantes (por ej., el turco), 3. flexivas. Esta tripartición (completada con un cuarto tipo, el de las lenguas polisintéticas [de los indios americanos]) puede aun hoy reclamar el valor de una cómoda convención. Cf. ED. SAPIR, *Le Langage*, París, 1953, pp. 115-139.—Las lenguas indoeuropeas son lenguas flexivas.

en el sistema fonológico (§ 125) de cada lengua respectiva (con lo que surge la posibilidad, raras veces aprovechada, de una ortografía sistemática [como en español]). Esta tendencia sistematizadora hay que calificarla de analogía fonemática. Así, por ej., el vocalismo fr. (§ 127) muestra la creación, basándose en la antigua *ü* (§ 184), de otros dos grados de abertura *ọ̈, ọ̈* (§ 127) correspondientes a los grados de abertura *ẹ, ẹ* y *ọ, ọ*.—Pero el carácter de sistema fonológico de la lengua pierde ya su acción en el aprovechamiento del sistema fonológico en la estructura de la palabra: ni se utilizan todas las posibilidades de oposición ni las oposiciones efectivas están semánticamente motivadas. A este respecto, muestra el francés, por la economía de su estructura morfológica, un aprovechamiento relativamente exhaustivo de las posibilidades de oposición (por ej., en el tipo estructural *g* + vocal únicamente falta la utilización del tipo [*gü*]), al paso que otras lenguas de estructura de palabras menos parca (como el alemán y el italiano) dejan ampliamente desaprovechadas sus posibilidades de oposición (faltan en italiano para el tipo estructural consonante + *oko* las posibilidades *boco, cioco, doco, goco, ioco, moco, noco, soco, scioco, toco, zoco*). Lo poco motivadas que están semánticamente las oposiciones efectivas se ve bien por la confrontación de fr. *teint, daim, nain, sein* (§ 127): la oposición fonológica es semánticamente un fenómeno caótico. Si pese a estos rasgos caóticos la lengua cumple la misión social de la comunicación (§ 128), tiene que agradecérselo a la *memoria* humana, que fija lo fáctico como 'tradición' y lo utiliza como norma. Así como un código no tiene por qué ser un sistema cerrado, sino que mediante la suma de sus leyes singulares influye normativamente sobre la vida social, así la lengua fáctica se utiliza para el fin de la comunicación, aun cuando a causa del lastre de la tradición no representa un sistema cerrado. Pero en la lengua (como en los códigos) no se puede ignorar un dinamismo sistematizador: es la analogía (§§ 136-140) en su sentido más lato. Sin embargo, la analogía sólo domina en cada caso una pequeña porción (cf. § 609) del caudal lingüístico fáctico y tradicional.—La estructura morfológica del latín sólo en zonas reducidas ha recibido una configuración sistemática. Así, por ej., el genitivo expresa la relación de propiedad (cf. más abajo); sin embargo, el genitivo se formó de manera distinta según la clase de declinación (f e - m i n a, d o m i n u s, p a t e r, m a n u s, r e s). Además, la adscripción de una palabra a una u otra clase de declinación no está motivada semánticamente. Por tanto, la sistematización se llevó a cabo en el estrecho marco de una clase de declinación, mientras que la relación de las clases de declinación entre sí no está ordenada sistemáticamente, sino que se halla a merced de la facticidad de la tradición. Por esto, la morfología ha de proceder por enumeración, incluso cuando dentro del marco de los hechos dedica su atención a las relaciones y conexiones sistemáticas.

El latín poseía una rica estructura de formas. Las lenguas románicas, como son continuadoras del latín, plantean el problema de la s u e r t e d e l a e s t r u c t u r a d e l a s f o r - m a s l a t i n a s en el lat. v. tardío y en cada una de las lenguas románicas. Ahora bien, es completamente natural que las formas latinas, en su evolución hacia el románico, hayan sufrido los cambios fonéticos normales (§§ 149-582). Hay que añadir —precisamente en el desarrollo de las formas ordenadas en un sistema— los influjos de la analogía (§§ 136-140). Además, surge la cuestión de si el conjunto de la estructura formal en cuanto tal no habrá experimentado alteraciones más o menos profundas.

Como el cambio fonético es capaz de transformar el sistema fonológico de una lengua (cf. §§ 128-130), así también el cambio de formas flexivas (producido por cambios fonéticos o por otros procesos) puede modificar el sistema de flexión. El cambio de una parte del sistema puede, pues, tener como resultado el cambio del sistema. Como la lengua en cuanto instrumento de comunicación necesita del orden del sistema (§ 128), cualquier cambio de una parte del sistema es un ataque al orden del sistema. Éste reacciona generalizando el cambio (que en el cambio fonético aparece como 'ley fonética' [§ 129] y en el cambio morfológico como 'analogía' [§ 137]) y reorganizando la totalidad del mismo sistema.

La generalización como ley fonética o como analogía es sólo un caso particular del fenómeno más amplio de la m e- c a n i z a c i ó n. Por mecanización hay que entender la posibilidad de poder ser reproducida a voluntad una 'invención o innovación' ocasional. Mecanización vale tanto como socialización, pues aquélla asegura a la comunidad la utilizabilidad de una invención ocasional (y a las veces individual). El carácter social del lenguaje, especialmente su función como instrumento del contacto social, es lo que hace de la mecanización el 'fenómeno típico en el manejo de la lengua': la *langue* como sistema de signos es un depósito del que puede la *parole* surtirse a voluntad. Como el número de los elementos disponibles en la *langue* no es ilimitado ni puede serlo por el carácter sistemático, la repetibilidad de los elementos es un fenómeno necesario de la lengua. Y la repetibilidad le abre el camino a la mecanización, que es un principio de economía.—La mecanización ahorra gasto de fuerza espiritual. La invención del motor Diesel costó un considerable gasto de fuerza intelectual, mientras que la fabricación mecanizada de motores Diesel hoy en día exige menos gasto de energía espiritual, pues no hay que reinventar en cada caso un nuevo motor Diesel. El primer motor Diesel del inventor es sólo el tipo etimológico de los motores Diesel reproducidos a voluntad.—El hablante que al sustentáculo de una mesa le dio por vez primera el nombre de 'pata' realizó el consumo de fuerza espiritual de una metáfora más o menos mágica, pues vio en la mesa una especie de sustentador vivo de cuatro patas. La *voluntas* semántica puesta en la expresión 'pata de mesa' por el primero que la utilizó fue sin duda grande. La mecanización de esta invención ahorra este gasto de fuerza inicial: se puede hablar ya de 'pata de mesa' sin necesidad de vincular la palabra con la representación de una metáfora. La mecanización empobrece, pues, la plenitud semántica en favor de una utilizabilidad *passe-partout*.—Cf. §§ 700, 743.

La hipercaracterización lingüística (§ 584) está especialmente expuesta al proceso de depauperación semántica mediante la mecanización. Así, la metáfora hipercaracterizadora *testa* 'casco' por 'cabeza' en fr. *tête* 'cabeza' (§ 834) se halla totalmente desustanciada por la mecanización. En la estructura morfológica de la lengua la hipercaracterización es posible mediante el empleo de una forma sintética (§ 584) semánticamente más fuerte (*cantaveram* como hipercaracterización de *cantavi:* § 828) y mediante el empleo de una perífrasis analítica (§ 584) (*cantare habeo* por *cantabo:* § 839). La mecanización de la forma empleada como hipercaracterística consiste en el empleo de esa forma sin intención y sin función hipercaracterizadoras (fr. ant. *firet* 'hizo'; fr. *je chanterai* 'cantaré': §§ 828, 839).

Un compromiso especial entre el dinamismo sistematizador y el caudal fáctico y tradicional conservado por la *me-*

moria, consiste en el sistema de formas supletorias, esto es, en la unificación de los restos de varios sistemas de formas para formar con ellos un nuevo sistema morfológico completo, pero heterogéneo. El caudal lingüístico fáctico y tradicional puede estar representado por el léxico: así, en las formas francesas *je vais, nous allons, j'irai* se han asociado las palabras latinas *vadere, ambulare, ire* en un sistema de formas supletorias.

En el sistema de formas supletorias en que varios radicales con una significación se reparten entre las formas del sistema, el sistema morfológico se mantiene como tal sistema. En cambio, la especialización semántica de formas implica una ruina para el sistema morfológico mismo, cuyos restos singulares fragmentados prolongan su existencia en una significación especializada en cada caso (§§ 632, 3; 636, 3; 652; 672; 740-741).

A la disgregación del sistema morfológico las formas particulares del sistema pueden también especializarse dialectalmente, ya que un dialecto puede conservar unas formas y otros otras (§§ 632, 3; 636, 3; 666, 6; 675; 679; 740-741; 806).

584. Dentro del tipo de lenguas flexivas se distingue una variante (más) s i n t é t i c a y otra (más) a n a l í t i c a. El tipo de lenguas sintéticas muestra fusión íntima del radical con los signos de flexión (por ej., el futuro lat. *cantabo*), mientras que el tipo analítico separa el radical y el signo de flexión (por ej., el primitivo futuro en románico *cantare habeo:* § 839). El tipo de lenguas totalmente analíticas sería idéntico al tipo de lenguas 'aislantes' (§ 583). El latín de que se originó el románico presenta sólo un tipo analítico templado; esto es, tiene formas analíticas cuyos elementos esenciales son formas flexionadas sintéticamente: el futuro ro-

mánico *cantare habeo* se compone de un infinitivo presente sintético y una forma sintética del verbo *habere*. Cf. también § 834.—El desarrollo de la morfología románica revela, especialmente en la época del románico común, fuertes tendencias analíticas, como ocurre también con otros idiomas modernos (alemán, holandés, inglés). Pero ocurre también el fenómeno de la coagulación de formas analíticas, que quedan así convertidas en sintéticas. El futuro francés *je chanterai* vuelve a ser de esa manera forma sintética (§ 846).

La flexión (§ 583) caracteriza la función de la palabra en la oración; aquélla es, por tanto, un elemento de signo sintáctico y, por ello mismo, un elemento semántico, ya que la significación de la frase necesita para su expresión una flexión de los elementos que la integran. Por otra parte, la univocidad funcional de la flexión queda frecuentemente quebrantada. Así, por ej., el genitivo latino puede expresar el poseedor (*domus patris, amor patris* como 'genetivus subiectivus'), pero es capaz de expresar también el fin (*amor patris* 'amor al padre') y asimismo lo poseído (*particeps rationis, mentis compos*) y el objeto a que se extiende la acción (*me piget stultitiae*). El ablativo latino expresa separación, pero puede indicar también función instrumental. Al mismo tiempo la oración, en cuanto contexto semántico, es a su vez un índice de la clase de función atribuida por el hablante a una forma flexiva. De esta suerte, la oración no sólo queda determinada semánticamente por las formas flexivas, sino que éstas quedan a su vez determinadas semánticamente por aquélla. El conjunto de la oración implica interdependencia de sus partes, pues no sólo las partes constituyen el todo, sino que éste actualiza también aquéllas. Por tanto, un principio de economía lingüística permite renunciar a una clara distinción de formas cuando el contexto es capaz de garanti-

zar la comprensión. Y así, el latín renunció a diferenciar
el separativo del instrumental, pues el contexto garantiza
la elección entre ambas funciones del ablativo. De la misma
manera la oración en fr. ant. *Deus la moillier donat fecun-
ditét* 'Dios dio fecundidad a la mujer', puede renunciar a
una más clara caracterización del dativo, porque el verbo
doner 'dar' lleva en el contexto, conforme a su régimen
usual, un acusativo-objeto de cosa y un dativo-objeto de persona (§ 586, 2). Si posteriormente el fr. ant. (y el francés moderno) caracterizó el dativo con *doner* mediante la preposición *à* (§ 587), ello constituye propiamente un lujo, que tiene,
por otra parte, la función de restablecer una mayor claridad
sintáctica.—La interdependencia entre diferenciación de formas y contexto permite, pues, un m a r g e n d e l i c e n c i a :
hay una variante de realización más pobre de forma (*la moillier* como dativo) y otra más rica (*à la moillier*). Además, la
pobreza de formas se limita a lo necesario por el contexto,
mientras que la riqueza de formas hipercaracteriza la función de las palabras en la oración, cuando el contexto basta-
ría para expresar la función. El margen de licencia que se
extiende entre lo imprescindible y la hipercaracterización
constituye el campo del cambio flexivo lingüístico. Cuando
el margen de licencia se ha agotado, la forma hipercaracterizadora se mecaniza como forma normal ('caracterización
supletoria': cf., por ej., § 583 [*tête*]; 587 [preposiciones para
la caracterización de los casos]).

Capítulo primero

SUSTANTIVO (§§ 585-667)

585. La pluralidad de los casos latinos se redujo en latín vulgar. La reducción en la mayor parte de la Romania fue tal que sólo quedaron el nominativo como c a s u s   r e c t u s (con sus funciones antiguas) y el acusativo como c a s u s o b l i q u u s (con las funciones de genitivo, dativo, acusativo y ablativo). Esta 'flexión bicasual' se mantiene todavía viva en francés y provenzal antiguos; pero desaparece de estas lenguas a lo largo de la Edad Media, de suerte que en el francés y provenzal modernos no queda ya más que un único caso, generalmente el oblicuo, y como flexión la distinción de números. En catalán, español, portugués, sardo, italiano y retorromano, la flexión bicasual desapareció antes ya de la época literaria, pero dejó también en estas lenguas huellas manifiestas de su existencia (§§ 274; 597; 598; 603; 626-628; 631-632; 634-638; 643; 670).

586. Vamos a ejemplificar en el francés antiguo la función sintáctica de la flexión bicasual.

El n o m i n a t i v o tiene las tradicionales funciones sintácticas del nominativo latino: *Carles li reis, nostre empe-
rere Magnes, set anz toz pleins ad estéd en Espaigne* 'El rey
Carlos, nuestro gran emperador, estuvo siete años enteros
en España'.

La forma del a c u s a t i v o representa sintácticamente
como casus obliquus los siguientes casos latinos: 1. El g e -
n i t i v o (*la chambre son père* 'la habitación de su padre');—
2. El d a t i v o (*li noms Joiose l'espée fut donez* 'le fue dado
a la espada el nombre Joiose');—3. El a c u s a t i v o de objeto directo (*enfant nos done* 'danos un niño') y el de extensión, etc. (*set anz toz pleins ad estéd en Espaigne* 'siete años
enteros estuvo en España');—4. El acusativo postpreposi-
cional (*puis ad escole le mist* 'después lo envió a la escuela');—
5. El a b l a t i v o de lugar, de tiempo, de modo, etc. (*qu'alez
vos ceste part querant?* '¿qué buscáis por aqui?'; *cest an*
'(en) este año'; *nu pié* 'descalzo');—6. El ablativo postpre-
posicional (*en icest siecle nen at parfit amor* 'en este mundo no hay amor perfecto').

587.   La pluralidad de funciones asumidas por el oblicuo
lo convierte en un caso muy poco claro: el margen de licencia de la diferenciación de formas (§ 584) queda agotado.
Por ello, se puede comprobar ya en el románico común la
tendencia a explicitar las funciones sintácticas con la ayuda
de las preposiciones ('hipercaracterización': § 584). Esta tendencia llega a perfilarse claramente en cada una de las lenguas románicas.

La f u n c i ó n d e l g e n i t i v o queda subrayada ya en románico común mediante la preposición d e (fr. *la chambre
de son père;* rum. *calul fiului de crai* 'el caballo del hijo del
rey', *o parte de grădină* 'una parte del jardín'; cf. tam-

bién § 832) y para la relación de propiedad también mediante la preposición a d (fr. ant. *la chambre à son père;* prov.
ant. *filha es al rei;* sudit. *a chi è la figlia? è figlia a Tizio*);
la f u n c i ó n d e d a t i v o se explicitó igualmente en románico común mediante la preposición a d (fr. *donner quelque
chose à quelqu'un* [§ 584]; también en rumano antiguo, pero
el rumano moderno emplea la preposición *la* < i l l ā c); obsérvese cómo en el giro a d m i h i > esp. *a mí* (§ 710) aparece la
hipercaracterización (§ 583). Cf. también § 834. Pero las innovaciones hipercaracterizadoras d e y a d del románico común no lograron imponerse todavía en aquella fecha como
sustitución normal (sin competencia) de los casos (cf. §§ 586;
588).—El caso oblicuo se mantiene con la función de mero
ablativo en numerosos giros adverbiales (*quelque part* 'en alguna parte', *cette année* '(en) este año'). Por lo demás, el
oblicuo mantiene la función principal de designar el objeto
directo y de extensión (§ 586, 3), así como el caso postpre-
posicional.

Entra plenamente en la tendencia de la explicitación preposicional de las funciones casuales el hecho de que, en
aquellas lenguas que perdieron en fecha temprana la distinción fonética entre nominativo y acusativo, también se subra-
yase el mero acusativo de objeto mediante una preposición
(a d >*a* en esp., port., sudit. y engad., p e r > *pe* en rum.), y
ello precisamente en aquellas circunstancias de contexto
(§ 584) que reclamaban especialmente una distinción entre
nominativo y acusativo, es a saber, cuando el acusativo de
objeto era una persona [1] (que podría entenderse también
como sujeto agente): esp. *la madre quiere mucho a su niño,*
rum. *mama iubeşte prea pe pruncul său.*—El pleno aprove-

---

[1] Sobre la distinción entre nominativo y acusativo, precisamente
tratándose de personas, cf. además §§ 591, 616, 626.

chamiento semántico y estilístico del acusativo preposicional en esp. y port. no se hace hasta época posterior; pero las raíces de esta utilización arrancan ya de la antigua desaparición de la distinción entre las formas del nominativo y del acusativo.

Con la coincidencia fonética entre acusativo y ablativo se borra en románico la diferencia, tan clara en latín, entre la idea de reposo (ablativo: _in horto_) y de movimiento (acusativo: _in hortum_), pues solamente se mantiene la forma oblicua (_in hortu_) para ambas significaciones ('en el jardín' y 'al jardín'). La indicación del reposo o del movimiento queda, pues, confiada enteramente al verbo. Esto acarreó la consecuencia de que los adverbios de lugar indicadores de reposo (_hic, ibi, ubi_) extendiesen en románico su significación también al movimiento (fr. _où_ 'donde' y 'adonde').

588. En rumano (§§ 542, 597, 625) se confunden nominativo y acusativo (lográndose una distinción entre ambos casos, necesaria tratándose de objetos personales, mediante la preposición _pe_: § 587). En cambio, el rumano mantiene la forma de otro caso, que desempeña la función de genitivo y de dativo y que procede formalmente del d a t i v o (§§ 595, 625, 630-638)[2]: _gramatica limbii romậne_ 'gramática de la lengua rumana' (con función de genitivo), _am dat o carte fetei_ 'he dado un libro a la muchacha' (en función de dativo).

589. En amplias zonas de la Romania se encuentran formas de genitivo petrificadas (§§ 595, 718). También el ablativo dejó huellas residuales (§ 149). El locativo pervive en

---

[2] En la declinación en _-a_ (§ 592) puede adicionalmente la forma del genitivo ser también la forma-base. En las formas plurales del pronombre tenemos indudablemente como base el genitivo (§ 718).

topónimos (§§ 593, 594, 600, 626). El nominativo asume normalmente la función del vocativo.

A) LA DECLINACIÓN LATINA EN -A (§§ 590-596)

590.   De los masculinos de la declinación en *-a* únicamente subsiste s c r i b a, que se declinó según el tipo de flexión '*-a*, -á n i s (§ 591). La forma oblicua s c r i b a n e es la base de las formas románicas: fr. *écrivain*[3], prov. cat. *escrivá*, (con paso a la declinación en *-o*) it. *scrivano*, esp. *escribano*.—En lo que sigue (§§ 591-596) se tratará únicamente de los femeninos de la declinación en *-a*.

1. *Singular* (§§ 591-593)

591.   En singular el acusativo -a (m) coincidió, al caer la -m (§ 530), con el nominativo -a. Así se le minó de antemano el terreno en el singular a la flexión bicasual de nominativo / oblicuo (§ 585).

Como se ve frecuentemente (§ 587, nota), desde el punto de vista sintáctico es deseable y cómoda una distinción entre nominativo y oblicuo en nombres de persona. Así se comprende que en francés (y en las zonas limítrofes en que la flexión bicasual se mantenía viva) se haya creado de nuevo por analogía, en los nombres de persona de la declinación en *-a,* una diferenciación entre nominativo / oblicuo. Siguien-

---

[3] El nominativo s c r i b a tampoco tuvo continuación en fr. ant. y prov. (§ 585); más bien la oposición s c r í b a / s c r i b á n e se transformó en la oposición parisilábica (§ 618) s c r i b a n i s / s c r i b a n e (fr. ant. *escrivains* / *escrivain*).—El lat. n a u t a se enroló de lleno en el tipo del § 637: fr. ant. (oblicuo) *noton* y *noon* 'marinero' (para la fonética cf. § 361); de ahí deriva el fr. mod. *nautonier* 'marinero'.

do el modelo de los masculinos (nominativo / oblicuo) '-o /
ó n e (§ 637), se le creó al femenino la declinación '-a /
-á n e [4]: fr. ant. *ante / antain* '*tía* (a m i t a)', *pute / putain*
'*puta* (p u t i d a)', *niece / necien* '*sobrina* (n e p t i a)', *Berte /
Bertain* (Berta, nombre franco). Las formas se declinan así:

	SINGULAR		PLURAL	
	nom.	*obl.*	*nom.*	*obl.*
lat. v.	ámita	*amitáne	*amitánes	*amitánes
fr. ant.	*ante*	*antain*	*antains*	*antains*

En fr. mod. pervive generalmente la forma del nominativo singular (*tante, nièce, Berthe*) y en casos aislados (por
la mayor frecuencia del plural) la forma con acento en la
terminación (*putain*) [5].—El prov. conoce también esta clase
de declinación (*púta, pután*).—Este tipo de declinación se
mantenía asimismo vivo en grisón en la época de la declinación bicasual. Después de la desaparición general de la flexión bicasual (§ 585) se mantuvo en singular el antiguo nominativo (como también es frecuente en los nombres de personas: §§ 628-638), que terminaba en '-a. En cambio, la forma

---

[4] La formación se remonta a la época en que -o del latín vulgar
se pronunciaba todavía en francés (§ 272), pues sólo en ese caso tenía
una base la analogía. La extensión de esa formación en fr., prov. y
gris. muestra el rebasamiento de la cuña alemánica (§ 36, 1), observado
también en los §§ 35, 163, 317, 326, 398, 400, 494, y donde hay una indicación cronológica: la formación -á n e es cronológicamente anterior a
la irrupción alemánica.—También el masculino s c r i b a sigue el esquema (§ 590).

[5] El plural es la forma de expresión del lenguaje jurídico para indicar categorías sociales.

del plural conservó la forma con acento en la terminación, tal, por ej., en lat. d o m i n a [6]:

	SINGULAR		PLURAL	
	nom.	*obl.*	*nom.*	*obl.*
gris. prim. sobres.	*dómna* *dúnna*	**domnáne* *(dúnna)*	**domnánes* *dunnáuns*	**domnánes* *dunnáuns*

592. En rumano se conserva -a e del genitivo-dativo. La continuación normal es rum. -*e*: m e n s a e *mese*, s t e l l a e *stele*, a q u a e *ape*, c a p r a e *capre*, c a s a e *case*, e q u a e *iepe*, p e t r a e *pietre*.—Tras palatal (i̯, c, g) -*e* se inflexionó en -*i* [7] (que en la pronunciación actual es totalmente muda después de *ć* y *ǵ*: cf. análogamente § 214): f a m i l i a e *feméi*, f o l i a e *foi*, v i n e a e *vii*, (c a l d -) -a r i a e -*ări*, (s c r i p s -) -o r i a e -*ori*, v a c c a e *vaci*, b u c c a e *buci*, f u r c a e *furci*, e s c a e *ieşti* (§ 425), v i r g a e *vergi*.

La terminación -*i* —sin duda basándose en estos casos— se extendió también a otras palabras y tipos de palabras [8]: s c a l a e *scări*, t e r r a e *ţări*, l i n g u a e *limbi*, h e r b a e *ierbi*, r o t a e *roţi* y muchas más.

---

[6] Para la disposición técnica de los cuadros sinópticos, cf. la observación previa al § 583.

[7] De la misma manera que en idénticas condiciones -a se inflexiona en -*e* (§§ 281, 593). Para -e detrás de c cf. *h i c e *ici*, c i n q u e *cinci*.

[8] La identidad de la forma del genitivo-dativo singular con la del nominativo-acusativo y genitivo-dativo plural (§ 595) se debe a un proceso de nivelación cuyo resultado fue una mezcla de las terminaciones. Posiblemente la base frecuente de la terminación -*i* (*ierbi*, *roţi*, etc.) es el genitivo-dativo plural -*īs* (§ 595).

Lat. -a tras palatal (-i̯-) pasó en rumano a -e (§ 281): v i-
n e a *vie*, f o l i a *foaie*, f a m i l i a *femeie*. Como en idénticas
condiciones lat. -a e deviene -*i* (§ 592), el genitivo-dativo singular y el plural sonaban *vii, foi, femei*. Para el sistema morfológico intrarrumano, tales palabras pertenecen, pues, al grupo de la tercera declinación latina (§ 625): este desplazamiento del sistema es un resultado casual del cambio fonético.

593.   El locativo (§ 589) del singular se conserva fosiliza-
do en topónimos como *Firenze* < F l o r e n t i a e (cf. también
§ 594, nota).—Sobre restos del ablativo cf. § 149 (*cenā purā,
hā hōrā*).

2. Plural (§§ 594-595)

594.   En plural se oponían entre sí en latín clásico el nominativo -a e y el acusativo -a s. En cambio, en latín vulgar el
nominativo podía formarse también en -a s, según testifican
las lenguas románicas y ejemplos esporádicos de la litera-
tura y de las inscripciones[9]. Probablemente se trata de un
temprano osco-umbrismo del latín hablado[10], que habría que
añadir a los osco-umbrismos del vocalismo (§ 156) y del consonantismo (§ 430).—Para el plural del tipo -á n e s, cf. § 591.

---

[9] Ejemplos: a) En el poeta Pomponio (100 a. C.), autor de atela-
nas, se lee: *quot laetitias insperatas modo mi inrepsere in sinum;* b)
Inscripción de Pompeya: *tu mortuus es, tu nugas es;* c) Inscripción
Corp. Inscr. Lat. 8, 3783: *filias fecerunt.*
[10] Hay que pensar que lat. clás. -ae (< lat. ant. -ai) se formó por
analogía con lat. ant. -oi (> lat. clás. -i) de la declinación en -*o* (§ 598);
y este -oi a su vez es una innovación analógica según la desinencia pronominal. En osco-umbro se había mantenido la antigua terminación
indoeur. del nominativo plural -ōs, y no había, por tanto, motivo para
renunciar a la primitiva desinencia indoeur. del nominativo plural femenino -ās.

Por lo que se refiere a las lenguas que conservan fundamentalmente la flexión bicasual (§ 585), el antiguo francés y antiguo provenzal presentan el nominativo en -a s, (fr. ant. -es[11], prov. ant. -as).

En cuanto a las lenguas que no distinguen entre nominativo y acusativo (§ 585), encontramos invariablemente -as en retorromano (sobres. -as), catalán (-es: § 277), español, portugués y sardo (-as).

En cambio, en italiano y rumano no resulta nada fácil señalar de manera inequívoca la base latinovulgar (-a e, o bien -a s) de la terminación -e (it. *capre, vacche;* rum. *capre, vaci:* § 595).—En italiano la omisión de la palatalización de una precedente *c, g (vacche, forche, bocche, pesche, verghe)* parece abogar por la base en -a s (v a c c a s, f u r c a s, b u c c a s, p e r s i c a s, v i r g a s), y el contraste con la frecuente palatalización de *c, g* por la -i de la declinación en -o (§ 598) confirma esta suposición. La final -e habría evolucionado así: -ā s > *-a i > -e (§ 542). Esta hipótesis se ve confirmada por el hecho de que en Lunigiana (La Spezia) el plural terminaba en -a ([*la bęla kráva*] 'las hermosas cabras'), que habría nacido de -ā s y pasado por *-a i (cf. t r e s it. *tre:* § 542)[12].—Para el rumano, cf. § 595.

Restos fosilizados de ablativo en función de locativo (§ 589) aparecen en topónimos como A q u i s (fr. *Aix,* it. *Acqui*), C a p r e i s (it. *Capri*).

595. En rumano, la forma del nominativo-acusativo plural es idéntica a la del genitivo-dativo singular (§ 592); por

---

[11] Para el enmudecimiento de la -s en fr. mod. cf. § 540.

[12] Inversamente, el antiguo veronés *blançe* (con palatalización) 'bianche' (cf. § 312) procede seguramente de -a e. El topónimo suditaliano *Baselice* (provincia de Benevento) es, sin duda, un locativo singular (§ 593).

tanto, *capre* '(las) cabras' y '(la) cabra'. En especial, la terminación del nominativo-acusativo plural tiene sobre *c, g* precedentes un efecto palatalizador igual que la del genitivo-dativo singular: *vaci* '(las) vacas' y '(la) vaca' (§ 592) [13]. La identidad de ambas formas (genitivo-dativo singular y nominativo-acusativo plural) da la impresión de que continúan la identidad latina de las formas c a p r a e 'de la cabra' y 'las cabras'.

Pero el hecho de la palatalización de *c, g* precedentes *(vaci)* no permite zanjar la cuestión de la base latinovulgar -a e o bien -a s, pues la segunda persona (l i g a s, m a n d u c a s) muestra el mismo desarrollo *(legi, mănînci)*. Si la evolución de las formas verbales del tipo *legi* se considera fonética (-a s > *-a i > -e; y después, tras palatal -e > -i; cf. §§ 542, 800), entonces habrá también que explicar *capre, vaci* partiendo de -a s. Si, por el contrario, consideramos el tipo l i g a s *legi* como debido a influjo analógico (de -ē s > -i; -i s > -i; -ī s > -i; cf. § 542), en este caso habrá que explicar *capre, vaci* partiendo de -a e.

En rumano habría que contar también (análogamente al singular: § 592) con la pervivencia del dativo plural c a p r i s, v a c c i s. Sin embargo, las formas rumanas del genitivo-dativo plural *capre, vaci* muestran una nivelación analógica: el hecho de que v a c c ī s dé la forma *vaci*, que coincide con el resultado de v a c c a e, dio pie para sustituir, mediante la forma del nominativo-acusativo *capre*, la forma **capri*, que es la que cabía esperar como resultado de c a p r ī s; y así se estableció en plural una identidad de la forma del genitivo-dativo con la del nominativo-acusativo, que a su vez coincide con la del genitivo-dativo singular (§ 592).

---

[13] Las formas rumanas que damos aquí carecen de artículo. Para el artículo cf. § 745.

	SINGULAR		PLURAL	
	nom.-acus.	*gen.-dat.*	*nom.-acus.*	*gen.-dat.*
lat. v.	capra vacca rota	caprae vaccae rotae	capras vaccas rotas	capris vaccis rotis
rum.	*capră* *vacă* *roată*	*capre* *vaci* *(roți)*	*capre* *vaci* *(roți)*	*(capre)* *vaci* *roți*
it.	*capra* *vacca* *ruota*	— — —	*capre* *vacche* *ruote*	— — —
sar.	*[kraβa]* *[bakka]* *[rrǫδa]*	— - ..	*[kraβas]* *[bakkas]* *[rrǫδas]*	— — —
sobres. . . .	*caura* *vacca* *roda*	— — —	*cauras* *vaccas* *rodas*	— — —
fr. ant. . . .	*chievre* *vache* *roe*	— — —	*chievres* *vaches* *roes*	— — —
prov. * . . .	*cabra* *vaca* *roda*	— — —	*cabras* *vacas* *rodas*	— — —
cat.	*cabra* *vaca* *roda*	— — —	*cabres* *vaques* *rodes*	— — —
esp.	*cabra* *vaca* *rueda*	— — —	*cabras* *vacas* *ruedas*	— — —
port.	*cabra* *vaca* *roda*	— — —	*cabras* *vacas* *rodas*	— — —

* Con la abreviatura prov. nos referimos generalmente al prov. antiguo.

Vale la pena considerar si la terminación que encontramos frecuentemente, sin razón aparente, en el nominativo-acusativo plural (así como en el genitivo-dativo singular: § 592), a saber, -*i* (en vez de -*e*) no provendrá en última instancia del dativo (ablativo) plural -i s (r o t ī s *roṭi*).

Mientras el latín vulgar poseyó un genitivo plural propio (§ 585), éste terminaba en -ō r u m en la declinación en -*a*, como se ve por los restos petrificados que se conservan (*c a n d e-l ō r u m fr. *chandeleur* 'la Candelaria [2 de febrero]'). La unificación en -ō r u m (propio de la declinación en -*o*) de los genitivos plurales de las declinaciones en -*a* y en -*o* tiene su punto de arranque en el pronombre (§ 746). Cf. también lat. *mulierorum* (CIL IV 5213).—Sobre una formación plural en -o r a cf. § 642, 3.

3. *Paradigmas* (§ 596)

596. Los paradigmas, en la pág. 29. Para el nominativo plural del latín vulgar sólo se consignó la desinencia -ā s. Sobre la posibilidad de la base latinovulgar -a e, cf. §§ 594, 595.

B) LA DECLINACIÓN LATINA EN -O (§§ 597-615)

1. *Masculinos* (§§ 597-600)

A) SINGULAR (§ 597)

597. En singular el nominativo -u s se distingue claramente del acusativo -u (m) gracias al signo de nominativo -s.

Esta distinción se mantiene claramente en francés y provenzal antiguos (-u s > -s, -u > —); pero en épocas posteriores (fr. mod. y prov. mod.) esa distinción desapareció (generalmente a favor de la conservación del oblicuo) (§ 585).

En los otros idiomas (§ 585), por regla general, aparece en época histórica como caso único el oblicuo. Sin embargo, determinadas condiciones fonéticas permiten deducir la existencia preliteraria del nominativo -u s (§ 274). Para el sardo, cf. además § 643.

En rumano, que no distingue por lo demás el nominativo del acusativo (§§ 542, 588), la terminación del genitivodativo (§ 588) -o hubo de pasar también a -*u* (§ 274): la forma coincidió así con la del acusativo.

B) PLURAL (§ 598)

598. En plural, al nominativo -ī se opone el acusativo -ō s. Esta distinción se conserva claramente (§ 585) en francés y provenzal antiguos (-ī > —, -ō s > -*s*) [14]; pero en fechas posteriores (fr. mod. y prov. mod.) la distinción desapareció en favor del oblicuo (§ 585).

En cuanto a las lenguas que carecen de flexión bicasual (§ 585), -ō s se conserva en retorromano (sobres. -*s*), catalán (-*s*), español, portugués y sardo (-*os*). En rumano e italiano se impuso el nominativo -*i;* sin embargo, se puede demostrar indirectamente la presencia anterior del acusativo -ō s en dialectos del centro y sur de Italia (§ 274) [15].

En rumano, la -*i* palataliza *c, g* precedentes (p o r c ī *porci*, f a g i *fagi*). En italiano ora se mantiene la primitiva palatalización (*porci, amici*), ora deja de funcionar por influjo analógico del singular o de otras formas no palatalizadoras (f a g i *faghi*). Cf. también §§ 656; 661, 3.

En rumano, el genitivo-dativo -ī s devenía -*i* (§ 542), viniendo así la forma a confundirse con la del nominativo -ī.

Hay en románico nombres masculinos de cosas que proceden de plurales neutros en -a (§§ 605, 606) y -o r a (§ 642).

---

[14] Sin embargo, la -ī (prescindiendo de restos esporádicos: § 199) no inflexiona la vocal del radical: la forma está, pues, nivelada ya analógicamente en la forma radical.

[15] Mi discípulo Helmut Lüdtke me contaba que todavía había comprobado en Lucania formas de plural en -o (< ō s).

c) PARADIGMA (§ 599)

SINGULAR

	nom.	_gen.-dat._	_acus._
lat. v.	caballus	caballō	caballu
rum.	_cal_	_cal_	_cal_
it.	_cavallo_	—	_cavallo_
sar.	—	—	_[kaḍḍu]_
sobres.	—	—	_cavagl_
fr. ant.	_chevaus_	—	_cheval_
fr. mod.	—	—	_cheval_
prov.	_cavals_	—	_caval_
cat.	—	—	_cavall_
esp.	—	—	_caballo_
port.	—	—	_cavalo_

PLURAL

	nom.	_gen.-dat._	_acus._
lat. v.	caballī	caballīs	caballōs
rum.	_cai_	_cai_	_(cai)_
it.	_cavalli_	—	_(cavalli)_
sar.	—	—	_[kaḍḍos]_
sobres.	—	—	_cavals_
fr. ant.	_cheval_	—	_chevaus_
fr. mod.	—	—	_chevaux_
prov.	_caval_	—	_cavals_
cat.	—	—	_cavalls_
esp.	—	—	_caballos_
port.	—	—	_cavalos_

d) PARTICULARIDADES (§ 600)

600. Los sustantivos latinos en -e r carecen en nominativo singular de -u s y, por tanto, de -s (§ 597) en la época primitiva del francés y provenzal antiguos (g e n e r, l i b e r): fr. ant. *gendre, livre;* prov. ant. *genre, libre* [16]. Hay, empero desde muy antiguo formas analógicas con -s: fr. ant. *gendres, libres.*—Cf. § 622.

Los sustantivos que por la desaparición de la vocal final (§ 272) terminan en francés y provenzal antiguos en -s o -z [-*ts*] radical, son indeclinables, pues la desinencia casual -s (en nominativo singular y acusativo plural: §§ 597, 598) se funde con la final del radical: s p o n s u s (-u, -i, -o s) fr. ant. *espous,* prov. ant. *espos;* u r s u s (-u, -i, -o s) fr. ant. y prov. ant. *ors* (fr. mod. *ours*); l a q u e u s (-u, -i, -o s) fr. ant. *laz,* prov. ant. *latz* (§ 479).—En estos tipos de palabras el catalán conserva la terminación de plural plena -o s (en vez de -s: §§ 272, 598): s p o n s o s *esposos,* u r s o s *óssos,* b r a cc h i o s *braços.*—Cf. también § 643.

El desplazamiento acentual p r é s b y t e r / p r e s b ý t er u m pervive en la declinación del francés y provenzal antiguos (fr. ant. *préstre / provóire;* prov. ant. *préire / prevéire*). El francés moderno *prêtre* continúa la forma del nominativo singular, lo mismo que el rumano *préot,* italiano *prete,* español y portugués *preste,* catalán *prévere* (junto a *prebère* < p r e s b y t e r u m).

---

[16] La palabra fr. *livre,* prov. ant. *libre,* al mantener la vocal *i* como continuadora de la i breve latina (§ 171), demuestra ser un (temprano) cultismo (§ 143).

2. *Femeninos* (§ 601)

601. De los femeninos de la declinación en -*o* se han extinguido: h u m u s, a l v u s, c o l u s (que todavía deja traslucir su género femenino en c o l u c u l a it. *conocchia*, fr. *quenouille*). El femenino v a n n u s se hizo, donde subsiste, masculino (it. *vanni* [plural] 'remeras, penas').

Los nombres de árboles, por tanto también los de la declinación en -*o*, eran en latín clásico femeninos por razones mitológicas (los árboles eran morada de las ninfas). Esta razón se aplicó también al nombre genérico del árbol a r b o r (§ 624). En románico se puede comprobar una desmitologización de los árboles en su masculinización casi general, masculinización que alcanza asimismo a la denominación genérica a r b o r (excepto en sar. y port.): cf. § 624.—Para otros casos de género basado en motivos mitológicos cf. §§ 624, 649.

La masculinización de los árboles frutales crea dificultades al sistema de la repartición tradicional de significaciones en esta zona. Cuando los nombres de árboles frutales eran todavía femeninos en -u s, había una triple oposición del tipo: p i r u s (f.) 'peral' / p i r u m 'cada pera' / p i r a (plural) 'conjunto de peras'. La masculinización del nombre del árbol hizo que éste resultase formalmente idéntico al singular del nombre del fruto (p i r u 'peral, cada pera'), ya que la sola oposición mediante la forma del nominativo (p i r u s 'peral', p i r u 'cada pera') no bastaba para distinguir nombres de cosas (§ 587) en regiones que todavía conservaban viva por entonces la flexión bicasual (§ 585). De todos modos, la relativamente antigua y débil oposición trimembre del tipo -u (masc.) 'árbol frutal' / -u (neut.) 'cada fruto' / -a (plur.) 'conjunto de frutos' se conserva en la continuación rumana del lat. m e l u 'manzano, manzana': *măr* (m.) 'manzano' (plur.

meri 'manzanos') / *măr* (n.) 'manzana' / *mere* (n. plur.) 'manzanas'.—Pero en general se procuró aclarar la distinción entre los nombres de 'árbol frutal' y 'cada fruto'. Se vio un medio para ello en el hecho de que el neutro plural del tipo p i r a 'conjunto de peras' era sintácticamente susceptible de oficiar también de femenino singular (§ 608). En su empeño por distinguir mejor entre 'árbol frutal' y 'cada fruto' la oposición trimembre -u (m.) 'árbol frutal' / -u (n.) 'cada fruto' / -a (f. sing.) 'conjunto de frutos' utiliza los siguientes recursos:

1. D e s a p a r e c e u n o d e a m b o s c o m p e t i d o-
r e s (tipo p i r u 'peral', tipo p i r u 'pera'). En particular.

a) D e s a p a r e c e e l n o m b r e d e l f r u t o del tipo p i r u 'pera', y es sustituido por el colectivo femenino del tipo p i r a 'pera' (§ 612), que puede designar también ahora cada fruto individual. En adelante, p i r u (m.) 'peral' puede oponerse a p i r a (f.) 'pera'. Este estado de cosas es el que aparece en rumano e italiano: p e r s i c u (melocotonero / melocotón) rum. *piersic / piersică*, it. *pesco / pesca;* p i r u (peral / pera) rum. *păr / pară*, it. *pero / pera;* p o m u (frutal / fruto) rum. *pom / poamă*, it. (dialectal) *pomo / poma.*— También el español llega a conocer esta distinción en (m a t-
t i a n u) *manzano / manzana.*—La significación colectiva del singular p i r a se pierde. Se crea un plural p i r a s 'peras' (rum. it. *pere*) para el nombre femenino de frutos, que es un plural normal (determinado y concreto) y no un colectivo. La oposición trimembre presenta, pues, ahora el esquema: -u 'árbol' / -a 'fruto' / (-a s 'varios frutos').

b) D e s a p a r e c e e l n o m b r e d e l á r b o l del tipo p i r u 'peral', y es sustituido por una derivación sufijal del tipo (a r b o r) p i r a r i u s 'peral'. De esta manera puede mantenerse el tipo p i r u 'cada pera', cuya oposición al tipo

p i r a 'conjunto, cantidad de peras' se mantiene igualmente.
La oposición trimembre puede además quedar enriquecida
por la creación de un "plural concreto" (-ō s) para designar
cada fruto individual, de donde resulta el siguiente sistema:
-a r i u 'árbol frutal' / -u 'cada fruto' (-ō s 'varios frutos singulares') / -a 'cantidad de frutos'. Este es el sistema que encontramos en grisón (§ 609). Ejemplos en sobres. (p i r u)
pirer 'peral' / *pér* 'cada pera' (*pérs* 'número determinado de
peras') / *péra* 'cantidad indeterminada de peras'; (p o m u)
pumer 'árbol frutal' / *pum* 'cada fruto' (*pums* 'número determinado de frutos') / *puma* 'fruta'.

2. **D e s a p a r e c e n a m b o s c o m p e t i d o r e s** (tipo
p i r u 'peral' y tipo p i r u 'pera'). En este caso, el conflicto
costó la vida a ambos competidores: la coexistencia, en la
única forma del tipo p i r u, de las dos significaciones llevó
a éstas a elegir otra forma que garantizase una más clara
diferenciación entre 'árbol' y 'fruto'. Pues bien, para el 'fruto' se elige el colectivo del tipo p i r a, que ahora indica tam-
bien el fruto individual, mientras que se crea una nueva denominación del árbol, basada en la derivación sufijal (o en
la composición sintáctica). Así, pues, se recurre a los dos
expedientes del tipo mentado más arriba (números 1 *a* y 1 *b*)
con el fin de agrandar lo más posible la distancia entre las
significaciones amenazadas. El tipo rumano-italiano aporta
la denominación del fruto individual en -a, mientras que el
tipo grisón presenta el nombre del árbol formado por derivación sufijal. Esta combinación de tipos muestra, pues, una
superposición de los espacios románicos parciales, que sólo
se han conservado en estado puro en rumano e italiano, por
un lado, y por otro, en grisón.—El nuevo tipo mixto -a r i u
'frutal' / -a 'fruto' / (-a s 'pluralidad de frutos') aparece:

a) Con el sufijo -a r i u s (-a r i a: § 624) para designar el árbol frutal en francés, provenzal, catalán y portugués: (p i r u) fr. *poirier* 'peral' (cat. *perer, perera;* port. *pereira*) / *poire* 'pera' (cat. *pera,* port. *pêra*) / (*poires* 'varias peras' [cat. *peres,* port. *peiras*]); (p o m u) fr. *pommier* 'manzano' (cat. *pomer, pomera*) / *pomme* 'manzana' (cat. *póma*) / (*pommes* 'varias manzanas' [cat. *pomes*]);

b) Con el sufijo -a r i s (-a l i s) para designar el árbol frutal en español: (p i r u) *peral* / *pera* / (*peras*);

c) Además cabe la posibilidad de la composición sintáctica, como en dialectos suditalianos que nombran el árbol frutal con la ayuda de *pede* (propiamente 'pie', después 'tronco', 'frutal'): *pede de pere* 'peral', *pede de mele* 'manzano'.—Para el mantenimiento de la duplicidad 'cantidad de peras' y 'cada pera' del tipo p i r a en el sur de Italia cf. § 612.

3. En sardo y portugués a r b o r conservó su género femenino (§ 624).—Sin embargo, el portugués fué afectado por la fluctuación del género o, en todo caso, por las repercusiones de esta fluctuación, como se ve por la feminización de los nombres de fruto (*pêra* 'pera'; cf. arriba, número 2 *a*). El género femenino de los frutales en -a r i a (cf. arriba, número 2 *a*) es la correspondencia del género femenino de a r b o r.— La vacilación entre masculino -a r i u y femenino -a r i a en catalán constituye todavía una prueba de la vacilación en el género de a r b o r (que hoy es masculino en catalán).—En sardo el género femenino de a r b o r acarrea también el femenino en los nombres de frutales, que pasan a la declinación en -a: *pira* 'peral'. El nombre del fruto es asimismo femenino, *pira,* nacido del colectivo neutro plural (§ 612). Así, pues, en sardo fue inoperante la necesidad de distinguir entre árbol y fruto.

3. *Neutros* (§§ 602-615)

602. Los neutros en -u s (v i r u s, v u l g u s) no se mantienen en la lengua popular.

Los neutros latinos en -u m se distinguen de los masculinos (§§ 7, 8) mediante la forma homogénea -u (m) en singular, y en plural mediante la forma homogénea -a, para nominativo y acusativo en cada número, respectivamente.—El neutro conserva en rumano toda su vitalidad (§ 605). En el resto de la Romania se asimiló ampliamente al masculino (conforme al paradigma del § 599). En particular (§§ 603-615):

A) SINGULAR (§ 603)

603. En singular son de esperar, en todo caso, restos del neutro en las lenguas con declinación bicasual viva (§ 585). Efectivamente, el nominativo singular de los sustantivos neutros en -a t i c u m se forma en provenzal antiguo sin -s: -a t i c u m -*atge* (*estatge, paratge*). Sin embargo, coexisten también los neutros con nominativo singular en -*atges* por asimilación a los masculinos.—En antiguo provenzal los demás neutros, y en francés antiguo todos los neutros, reciben en singular el mismo tratamiento que los masculinos. Suenan, pues, en nominativo singular c a s t e l l u, p r a t u, f e r r u, v i n u prov. ant. *castels, pratz, fers, vis;* fr. ant. *chasteaus, prés, fers, vins.*

En una zona arcaica del centro de Italia se produce una diferenciación del neutro respecto al masculino por el hecho de que éste termina en -*u* (*lu ventu*), al paso que aquél presenta la final -*o* (*lo ferro*). La explicación de ello radica en la primitiva flexión bicasual de los masculinos. Cf. § 274.

B) PLURAL (§§ 604-614)

604. En plural, la desinencia característica -a y también
la característica significación colectiva nos permiten señalar
restos del neutro, más evidentes y en mayor número en este
número que en singular (§§ 605-615).—Para el plural analógico en -o r a cf. § 642.—Cf. además § 663.

α) Tipo *illaec bracchia* 'los brazos' (§§ 605-607)

605. El plural del neutro mantiene plenamente su vitalidad en rumano. Por lo demás, la desinencia primitiva -a,
por analogía con el artículo del neutro plural i l l a e c (§ 745),
se transformó [17] en *-a e c > rum. -e: b r a c c h i u *braţ*,
b r a c c h i a *braţe;* l i g n u *lemn,* -a *lemne;* p e c c a t u *păcat,*
-a *păcate;* h o s p i t i u *ospăţ,* -a *ospeţe;* -m e n t u m (sufijo)
-mînt, -m e n t a *-minte.*—Después de -u- (< -v-) tenemos fonéticamente *-ă* en vez de *-e* (cf. n o v e m *nouă*): o v u *ou,*
o v a *ouă.*

Algunos nombres masculinos de cosas en -u s pasaron a la
declinación de los neutros (sing. -u m, plur. -a) [18]: c u b i t u
cot, -a *coate;* d i g i t u *deget,* -a *degete;* n u m e r u *număr,*
-a *numere;* a n e l l u *inel,* -a *inele;* c a r r u *car,* -a *care.*—Asimismo se enroló en este tipo de flexión el femenino a c u s,

---

[17] Por tanto, para la conciencia lingüística rumana estos sustantivos son masculinos aparentes en singular, y femeninos aparentes en
plural. Y así se les llama en la gramática rumana 'sustantivos con dos
géneros'.

[18] El paso de nombres de cosas masculinos de la declinación en
-o a la declinación de los neutros es, según prueba su correspondencia
con el italiano (§ 605), francés (§ 607) y grisón (§ 609), un fenómeno del
románico común (por tanto, del latín vulgar). Cf. § 598.

que pertenecía primitivamente a la declinación en -u (§ 661): sing. *ac,* plur. *ace.*

606.   También en italiano se han conservado [19] numerosos plurales en -*a*: b r a c c h i u *braccio,* -a *braccia;* l i g n u *legno,* -a *legna;* o v u *uovo,* -a *uova;* m e m b r u *membro,* -a *membra;* c i l i u *ciglio,* -a *ciglia,* etc.—En los dialectos y en italiano antiguo esos restos son más numerosos todavía *(ferra, prata,* etc.).

Algunos masculinos de cosas se pasaron también en italiano, como en rumano (§ 605), a la formación de los neutros: d i g i t u *dito,* -a *dita;* c u b i t u *gomito,* -a *gomita;* c a r r u *carro,* -a *carra* (junto al normal *carri).*

En algunos dialectos italianos (norte de Italia, Toscana, sur de Italia, especialmente Terra d'Otranto) encontramos la asimilación de la final -*a* al artículo (-*e),* tal como aparece también en rumano (§ 605) [20]: otrant. *le razze* 'le braccia', *le osse* 'le ossa'.

A veces en italiano al plural antiguo en -*a* se opone otro más reciente (analógico) en -*i* (paradigma: § 599), y precisamente con una clara diferencia semántica: al paso que el plural antiguo comporta la significación colectiva propia del neutro (§ 604), el plural en -*i* implica pluralidad de cosas individuales: *le ossa* 'todos los huesos del cuerpo, osamenta',

---

[19]   Estos se distinguen de los colectivos femeninos (§ 610) por el artículo plural neutro (modificado) *le* < i l l a e c (§ 745). Como la forma del artículo coincide con la del femenino plural (§ 745), estas formas de plural tienen sintácticamente (§ 668, 2) valor de femeninos plurales, al paso que el singular es masculino. Tenemos, pues, duplicidad de género como en rumano (§ 605).

[20]   Podemos encontrarnos ante una interdependencia entre Italia oriental y los Balcanes en el sentido del § 35. En ese caso, habría que retrotraer el empleo del artículo (§ 743) hasta esa fecha de viva interdependencia.

gli ossi 'los huesos de un asado'. Inversamente, a *i muri* 'las paredes, los muros' se le forma un colectivo *le mura* 'la muralla'.

607. Restos del neutro plural -a se encuentran también en francés antiguo (*cinquante charre* < c a r r a [§§ 605, 606]; *deus doie* 'dos dedos [medida]' < *d i g i t a [§§ 605, 606]).

β) Tipo *illa pira* 'la cosecha de pera' (§§ 608-613)

608. La forma plural del neutro subsiste además (§§ 605-607), con una reorganización característica, en toda la Romania, siendo dicha reorganización (por razones de geografía lingüística) contemporánea del latín vulgar.

El conjunto de las peras ('todas las peras de un árbol', 'cosecha de pera') se designó con el neutro plural p i r a, que tiene así la significación colectiva (§ 604) que le es propia. Tras la reducción del sistema de declinación latino (§§ 585, 588), especialmente tras la desaparición de la forma del genitivo plural -o r u m (§ 588), esta forma no se distinguía en nada de un femenino singular (§ 590) y podía, en consecuencia, ser tratada también sintácticamente como tal. Así, pues, se oponían: 1, la forma neutra p i r u m 'cada pera' (que fue sentida como masculino: §§ 603, 605, nota); 2, el colectivo femenino p i r a 'cosecha de peras, cantidad indeterminada de peras'. Cf. también § 601.

Este estado revela dos etapas en el románico: la etapa conservadora, en que se mantiene la significación colectiva (§§ 609-611), y la etapa avanzada, en que se liquida la significación colectiva (§§ 612-613).

1) Mantenimiento de la significación colectiva (§§ 609-611)

609. El estado descrito en § 608 aparece con plena vitalidad en grisón. En efecto, en sobres. (y correspondientemente en engad.), al antiguo singular (masc.) *pér* 'cada pera' se opone el femenino colectivo (tratado sintácticamente como singular) *péra* 'peras' como "plural indeterminado" (*pauca péra* 'pocas peras, poca pera'; *la péra ei grossa* 'las peras [por ej., que están a la venta en una cesta] son gordas'), y al lado de éste surge a su vez un "plural determinado" (formado sobre el singular *pér* posteriormente) *pers*, para designar una pluralidad numerada de peras individuales (*nov pérs* 'nueve peras').—Las bases latinas b r a c c h i u m, f o l i u m, l i g n u m, m e l u m, p i r u m, p o m u m, v e r b u m ofrecen, pues, en sobres., las siguientes correspondencias:

1. Los nombres del objeto individual, que provienen de -u m (artículo: *il*): *bratsch* 'brazo, vara (de medir)', *fegl* 'hoja', *lenn* 'leño', *meil* 'manzana', *pér* 'pera', *pum* 'fruto', *vierv* 'palabra'.

2. Los nombres colectivos, que provienen de -a (artículo: *la*): *bratscha* 'brazos de un hombre', *feglia* 'follaje', *lenna* 'leña', *meila* 'cantidad de manzanas', *péra* 'cantidad de peras', *puma* 'fruta', *viarva* 'lengua'.

3. La forma plural, creada sobre el nombre de los objetos singulares, que indica una pluralidad numerada de objetos singulares (artículo: *ils*): *bratschs* 'varas', *fegls*, *lenns*, *meils*, *pérs*, *pums*, *viervs*.

Este tipo de formación se aplicó también a masculinos de significación análoga (cf. también § 605): r a m u sobres. *rom* 'rama', *roma* 'ramaje', *nov roms* 'nueve ramas'; d i g i t u (cf. § 606) sobres. *det* 'cada dedo', *detta* 'dedos de una mano o de un hombre', *treis dets* 'tres dedos'.—Para la aplicación de esta formación a los neutros de otros tipos de declinación cf. §§ 648; 663; 666, 6.

610. Vestigios de este estado, que todavía mantiene toda su vitalidad en grisón (§ 609), aparecen también en otros idiomas, precisamente en la duplicidad de un masculino en -u y de un colectivo femenino singular en -a. Como esta formación es sólo residuo de un estado lingüístico más antiguo, ambas formas se han separado con frecuencia también semánticamente, polarizándose el femenino colectivo hacia las concretizaciones colectivas determinadas (cf. también § 609 *viarva* 'lengua'). Entran aquí: l i g n u it. *legno* 'leño', *legna* 'leña' (igualmente esp. *leño, leña;* sard. *linnu, linna*); r a m u it. *ramo* 'ramo', **r a m a* (§ 609) it. *rama* 'ramaje' (it. *albero con poca rama* = sobres. *plonta cun pauca roma;* cf. § 609); o s s u (§ 645) sard. *ossu* 'hueso', o s s a sard. *ossa* 'osamenta' (igualmente prov. *os, osa*); v e l u 'cortina, velo' (fr. *le voile*), v e l a 'velamen de un barco' (fr. *naviguer à la voile, signaler une voile à l'horizon;* para la acepción de 'cada vela' cf. § 612); b r a c c h i u fr. *bras* 'brazo', b r a c c h i a fr. *brasse* 'braza' (< 'dos brazos'); g r a n u fr. *grain* 'grano', g r a n a fr. *graine* 'grana'; d i g i t u fr. ant. *doit* 'dedo', **d i g i t a* (§ 606) fr. ant. *doie* 'dedo (medida)'; p r a t u fr. *pré* 'prado', p r a t a fr. ant. *prée* 'pradera, praderío'; c e r e b e l l u fr. *cerveau* 'cerebro (como órgano)', c e r e b e l l a fr. *cervelle* 'cerebro (como masa)'.—Encaja también aquí g a u d i u fr. ant. *joi* con el colectivo intensivo g a u d i a fr. *joie.*—Para esp. *Castilla* cf. § 614, nota.—Para esp. y port. *grama,* cf. § 646.—Cf. además § 765.

611. Los colectivos femeninos singulares (§§ 609-610) se distinguen claramente de las formaciones neutras plurales

en -a (§§ 605-606), pues aquéllos se tratan sintácticamente (en la forma del artículo y en el número del verbo) como singulares (sobres. *la* [< i l l a] *meila ei* [< e s t] *grossa e biala* 'las manzanas son gordas y hermosas'), mientras que las formaciones neutras plurales también sintácticamente son plurales (en la forma del artículo y en el número del verbo: it. *le* [< *i l l a e c] *uova sono* [< s u n t] *grosse e belle*).—Para el mantenimiento de plurales neutros no colectivos en -a con magnitudes numeradas en grisón cf. § 765.

En algunos casos ambas formaciones (el plural neutro y el femenino colectivo singular) coexisten en italiano: 'leña' it. *le legna, la legna;* 'fruta' *le frutta, la frutta* (§ 656).

Comoquiera que, en general, la formación neutra plural es muy viva en rumano (§ 605) y, por otra parte, también la formación de colectivos femeninos singulares ha dejado huellas (§ 612), habrá que retrotraer la fecha de la duplicidad sintáctica del plural neutro (considerado ya como singular, ya como plural) hasta la época del románico común.

2) Desaparición de la significación colectiva (§§ 612-613)

612. El significado colectivo de la forma p i r a 'cosecha de peras, cantidad de peras' (§ 609) puede desaparecer, precisamente en favor de la significación individual 'cada pera'.

Esta desaparición semántica (lograda como fase final [cf. más abajo]) pasa por la fase intermedia de promiscuidad semántica. Comoquiera que en el comercio una pluralidad de peras (p i r a) desempeña papel más importante que una sola pera (p i r u), la denominación de la pera individual p i r u puede caer en olvido tanto más cuanto que la forma masculina p i r u había pasado entre tanto a designar el peral (§§ 601, 613). Si se quería, pues, nombrar ahora una pera individual, no quedaba más opción que llamarla 'u n a p i r a'.

De aquí se originó después como 'plural determinado' (§ 609) el tipo n o v e m p i r a s 'nueve peras'.

Este estado ocurre corrientemente en dialectos suditalia- nos (colectivo *la pera* 'las peras, cosecha de pera', singular *una pera* 'una pera', plural determinado *nove pere* 'nueve peras'), así como, esporádicamente, en engadino (colectivo *la föglia* 'el follaje', singular *la föglia* 'la hoja', plural deter- minado *nouv föglas* 'nueve hojas')[21].

El estado así alcanzado adolece de la ambigüedad de *la pera*, que tanto puede designar 'las peras' como 'la (una) pera'. En la mayor parte de los idiomas el término de este proceso consiste en arrumbar el colectivo singular ('las pe- ras'), quedando así un singular, que designa cada objeto in- dividual, del tipo p i r a 'cada pera', y un plural (tanto deter- minado como indeterminado) del tipo p i r a s 'varias peras singulares; conjunto de peras'.

Esta fase final la tenemos en p i r a *'cada pera' (< 'con- junto de peras') rum. *pară* (§ 611), vegl. *paira*, sard. *pira*, it., prov., cat., esp., port. *pera*, fr. *poire;* f o l i a *'hoja del follaje' (< 'follaje') rum. *foaie*, vegl. [*fuała*], it. *foglia*, sard. [*fodza*], port., prov. *folha*, esp. *hoja*, cat. *fulla*, fr. *feuille;* p o m a *'cada fruto' (< 'fruta') rum. *poamă*, fr. *pomme;* l a- b r a *'cada labio' (< 'labios') prov. *laura*, fr. *lèvre;* v e l a *'cada vela' (< 'velamen de un barco') vegl. *vaila*, it. prov. cat. esp. *vela*, fr. *voile* (cf. § 610).—A veces se forma de nue- vo un colectivo con ayuda de un sufijo (fr. *feuillage* 'follaje'; cf. § 524).

---

[21] El engadino distingue en otros casos el masculino singular del femenino singular colectivo y del plural determinado del masculino (como el sobres.: cf. § 609).

613. En aquellas lenguas en que el femenino, primitivamente colectivo, designa el objeto individual (p i r a 'cada
pera': § 612), el antiguo masculino (neutro) singular puede
conservarse con una significación que no coincide con la del
femenino singular: f o l i u m it. *foglio* 'hoja de libro', cat.
full 'hoja de libro', prov. *folh* 'hoja de libro'; p o m u fr. ant.
pom 'pomo de la espada'; v e l u 'cortina, velo' it., esp. *velo*,
prov., cat. *vel*, fr. ant. *voil* (escrito *voile* en fr. mod.). Encaja
asimismo aquí la oposición p i r u 'peral' / p i r a 'pera' (§ 601).

γ) Liquidación del plural neutro (§ 614)

614. Prescindiendo del rumano (§ 605) y de las formas
residuales analizadas en los §§ 606-611, el plural neutro en -a
fue sustituido en toda la Romania por el plural masculino -i /
-ō s (§ 598). El sentido colectivo encerrado en el plural neutro
(§ 604) se pierde: este proceso queda ilustrado por la coexistencia en italiano de la forma colectiva heredada *le ossa* y
la creación del plural *gli ossi* (§ 606).

El tipo masculino plural -i / -ō s ha prevalecido totalmente en c a s t e l l a it. *icastelli*, fr. *les châteaux* (fr. ant. nominativo *li chastel*, acusativo *les chasteaus;* cf. § 599), esp. *los
castillos* [22]; p r a t a it. *prati*, fr. *les prés* (fr. ant. nominativo
li pré, acusativo *les prés;* cf. § 599), esp. *los prados;* b r a c-
c h i a 'brazos' fr. *les bras*, esp. *los brazos*, etc.

---

[22] En cambio, el nombre de región *Castilla* < c a s t e l l a muestra
que el plural en -a (§ 608) pasó a femenino singular.

c) PARADIGMAS (§ 615)

	SINGULAR		PLURAL	
	nom.-acus.	*gen.-dat.*	*nom.-acus.*	*gen.-dat.*
lat. v. .	bracchiu	bracchio	braccia	bracchiis
rum. . .	*braţ*	*braţ*	*braţe*	*(braţe)*
it.	*braccio*	—	*braccia* ('brazos del hombre') *(bracci* 'brazos de río')	—
sard. . .		—	*(rattos)*	—
sobres.	*rattu* 'rama' *bratsch*	—	*bratscha* (fem. sin.) *(bratschs)*	—
fr. a. . .	*braz*	—	*(braz* 'brazos') *brace* (fem. sing.) 'braza'	—
fr. m. .	*bras*	—	*(bras* 'brazos') *brasse* (fem. sing.) 'braza'	—
prov. . .	*bratz*	—	*(bratz* 'brazos') *brasa* (fem. sing.) 'braza'	—
cat. . . .	*braç*	—	*(braços* 'brazos') *brassa* (fem. sing.) 'braza'	—
esp. . . .	*brazo*	—	*(brazos)* *braza* (fem. sin.)	—
port. . .	*braço*	—	*(braços* 'brazos') *braça* (fem. sing.) 'braza'	—

616. En la declinación consonántica incluimos **también**
la llamada declinación en -i, que como tal ha dejado asimismo huellas (§ 618).

La declinación consonántica abarca masculinos, femeninos y neutros. Los neutros forman de por sí un grupo claramente definido (§§ 639-653). Cuanto a los masculinos y femeninos, es aconsejable, al estudiar su paso al románico, agru-
parlos en nombres de personas (§§ 626-638) y nombres de cosas, incluyendo entre estos últimos también los nombres de
animales (§§ 617-625).

La razón de esta agrupación o clasificación radica en que
en los nombres de persona la diferencia entre nominativo y
acusativo (oblicuo) es más importante que en los de animales y cosas. En último análisis, ello se explica porque las personas pueden de igual modo ser sujeto y objeto de la acción
y porque el oficio de sujeto les va bien como seres personales. En cambio, el papel de sujeto no les va bien de por sí a
cosas y animales [23]. Esta diferencia, basada en la naturaleza,
entre personas, por un lado, y, por otro, animales y cosas,
recibe confirmación por los hallazgos y comprobaciones de
los estudios lingüísticos, ya que en nombres de persona el
nominativo es mucho más firme que en los de animales y
cosas. Estos últimos revelan un fuerte influjo del oblicuo
sobre el nominativo y, en definitiva, muestran la tendencia,
propia del neutro, a identificar nominativo y acusativo.

---

[23] El papel de sujeto en animales y cosas es en su origen una personificación que, en verdad, se ha gramaticalizado totalmente ('el
perro ladra', 'la rosa florece').

*1. Nombres masculinos y femeninos de animales
   y cosas* (§§ 617-625)

A) FORMA MATERIAL DE LA PALABRA (§§ 617-621)

617. El latín clásico distingue parisílabos (palabras cuyo nominativo singular tiene el mismo número de sílabas que el genitivo singular [*vallis, canis*]: § 618) e imparisílabos (palabras cuyo nominativo singular tiene una sílaba menos que el genitivo singular [*flos, fons, mons, sanguis*]: §§ 619-621).

α) Parisílabos (§ 618)

618. Cf. los paradigmas de los parisílabos en § 625 a α (*canis*), b α (*navis*).—Encontramos un testimonio de la declinación latina en -i en la continuación en sardo de s i t i m 'sed' Bitti (dialecto sardo central) *siti*, logud. *siδi*.

β) Imparisílabos (§§ 619-621)

619. Los imparisílabos tienen unos acento fijo (*flós, flóris*: § 620) y otros móvil (*cárbo, carbónis*: § 621).

1) Imparisílabos con acento fijo (§ 620)

620. Los imparisílabos con acento fijo tienen el nominativo singular, en latín clásico, unos monosílabo (*fons, dens, mons*) y otros bisílabo (*sanguis*). El tratamiento de ambos tipos no es el mismo en románico. En particular:

A. Cuando el nominativo singular es, en latín clásico, monosilábico (*mons*), en latín vulgar se forma un nuevo nominativo bisilábico, que fonéticamente coincide con el genitivo singular (*montis*). El imparisílabo queda así transformado en parisílabo paroxítono (§ 115, 2). Los modelos son los antiguos parisílabos del tipo *canis, navis* (§ 618). El hecho de que el nominativo se modifique, muestra la preponderancia de los casos oblicuos sobre aquél (§ 616).—La formación de los nuevos nominativos analógicos (parisilábicos) se halla atestiguada en el latín tardío y aparece censurada por los gramáticos [24]. Ese nominativo analógico es la base de las formas de nominativo románicas en aquellas lenguas que conservan la flexión bicasual (§ 585). Cf. los paradigmas en § 625 a β (*mons*), b β (*nox*).

B. Cuando el nominativo singular es bisilábico (c a e s- p e s) en latín clásico, entonces, si se trata de palabra con acento fijo, el oblicuo es un proparoxítono (c a e s p i t e: §115, 3.) En este caso el modelo c a n i s no actúa la fuerza analógica como sobre el tipo m o n t i s; antes bien, gracias a la proparoxitonalidad del oblicuo c a e s p i t e, el tipo c a e s p e s se mantiene por más tiempo como imparisílabo. Pero, al fin, también este tipo cae en la parisilabicidad, sólo que no cae en ella de manera uniforme en la época del románico común, sino cuando éste se ha fragmentado ya en varios espacios lingüísticos, viniendo a prevalecer el nominativo c a e s p e s en una zona (1), y en otra (2), el oblicuo c a e s p i t e:

---

[24] CONSENCIO (edic. de M. Niedermann, 1937, p. 19): *nam qui dicit nominativo 'hic fontis, hic dentis', ipsum nomen fontis et dentis tale profert, ut sine casus consideratione dici posse videatur.*—Los gramáticos tienen los nuevos nominativos por genitivos incorrectamente empleados, pues coinciden formalmente los nominativos con los genitivos.

1. El radical del nominativo singular aparece en a r b o r (fr. ant. *arbre* [sin -*s* en nominativo sing.], rum. *árbor*), s a n- g u i s (it. *sangue*, fr. *sang*), p u l v i s > *p u l v u s (prov. ant. *pous*, cat. *pols*, esp. *polvo;* § 625), c a e s p e s 'césped' engad. *tschisp*, it. *cespo*.

2. El radical del oblicuo singular aparece en á r b o r e (it. *álbero*, port. *árvore*), p u l v e r e (it. *pólvere*, fr. *poudre*), c i n e r e (it. *cénere*, fr. *cendre*), l e p o r e (it. *lepre*, fr. *lièvre*, esp. *liebre*), c a e s p i t e sobres. *tschéspet*, esp. *césped*, port. *céspede*.

3. El hecho de que el radical de este tipo, tanto el radical del nominativo como el del oblicuo, perviva en románico, muestra que el tipo mantuvo viva su diferenciación durante más tiempo que el tipo de los radicales monosilábicos (cf. arriba, letra A). La vitalidad del tipo bisilábico imparisílabo la demuestra especialmente la circunstancia de que este tipo llega incluso a anexionarse tipos parisilábicos: *v e r m i n e tosc. *vérmine* (frente al normal v e r m e it. *verme*, rum. *vier- me*, fr. *ver*); *f a m i n e sard. *fámine*, esp. *hambre*) [25].

4. La voz s a n g u i s subsiste como parisílabo con el obli- cuo s a n g u e (it. *sangue*, etc.). El sardo muestra claramen- te en *sámbene* la existencia del antiguo neutro s a n g u e n (§ 646). El esp. *sangre* tanto puede proceder de s a n g u e n (e) como del oblicuo s a n g u i n e.

---

[25] El sardo muestra, en la oposición entre *sámbene* (cf. núm. 4) y *fámine*, que la base de esta última voz es el oblicuo del fem. y no un neutro f a m e n. La relación entre esp. *hambre* y port. *fome* corres- ponde a la que existe entre esp. *sangre, nombre, lumbre* y port. *sangue, nome, lume* (§§ 625, 646), de suerte que esta correlación esp.-port. no arroja ninguna luz sobre la forma de que arrancan las voces espa- ñolas (-e n e o -i n e): § 646.

2) Imparisílabos con acento móvil (§ 621)

621. El hecho de que el nominativo sing. analógico del tipo *carbónis* no aparezca atestiguado en latín (en contraste con el tipo *dentis*: § 620, nota), parece indicar una fijeza todavía deficiente de este tipo, sobre todo si se piensa que también el nominativo no analógico ha dejado huellas. Así, rum. *şarpe*, it. *serpe*, esp. *sierpe* derivan del nominativo singular s e r p e (n) s [26], mientras que it. *serpente*, fr. *serpent* son continuación del oblicuo s e r p e n t e (con el nominativo analógico s e r p e n t i s).—En latín clásico había ya ciertos abstractos en -t a (i u v e n t a fr. ant. *jovente;* s e n e c t a norteit. *seneta*). Estos (sobre todo la coexistencia de i u v e n t a s y i u v e n t a) ofrecieron el modelo para el paso de algunos abstractos terminados en -t a s a la declinación en -a: s í c c i- t a (s) rum. *séceta*, engad. *sédschda*, sudit. *sécceta;* t e m p é s- t a (s) it. prov. cat. *tempesta*, sobres. *tempiasta*, fr. *tempê- te;* p a u p é r t a (s) fr. ant. *povérte* (junto a p a u p e r t á t e fr. ant. *povreté*, fr. mod. *pauvreté*), p o t é s t a (s) fr. ant. *poés- te*, prov. ant. *podésta* (junto a p o t e s t a t e fr. ant. *poesté*). El adjetivo *s a n i t o s u s 'sano' (rum. *sănătos*, sudit. *sani- tusu*) presupone s á n i t a (s) 'salud', al paso que sólo se conserva el oblicuo s a n i t a t e (rum. *sănătate*, it. *sanità*, fr. *santé*).

B) SOBRE LAS DESINENCIAS CASUALES (§§ 622-625)

622. En las lenguas que conservan viva la flexión bicasual (fr. ant. y prov. ant.: § 585) algunas desinencias casuales muestran fenómenos de nivelación analógica.

---

[26] El lat. vulg. *serpes* aparece literarizado en el artificioso nominativo sing. *serps* de Ven. Fort. 8, 3, 195.—Cf. en el *Appendix Probi: nubes non nubs.*

En los masculinos, el nominativo plural se forma, por analogía con la declinación en -o (§ 598), con la desinencia -ī (en sustitución de -ē s): c a n ē s > *c a n ī fr. ant. *li chien,* prov. ant. *li can* [27].—Inversamente los nominativos singulares, primitivamente acabados en -r e, de los radicales acabados en -e r (> -r e: § 561) toman desde muy pronto (como en el tipo g e n e r: § 600) una -s analógica: fr. ant. *li ventres* (junto al más antiguo *li ventre*).—El nominativo singular de los femeninos pierde en algunos dialectos antiguos franceses (como el normando) su -s por analogía con los nominativos singulares sin -s de la declinación en -a (§ 591), al paso que otros antiguos dialectos franceses y el provenzal antiguo conservan la -s: n a v i s norman. *nef,* champ. *nés,* prov. ant. *naus.*

En francés antiguo y provenzal antiguo, los radicales (m. y f.) acabados en -s o -z [-ts] son indeclinables (conforme al § 600): m e n s i s (-e, -e s) fr. ant. *mois,* prov. ant. *mes;* *f a l c i s (-e, -e s: § 620 A) fr. ant. *fauz,* prov. ant. *faus.*—En catalán cuando estos radicales son femeninos permanecen igualmente indeclinables (o bien toman una -s plural gráfica: sing. *la falç,* plur. *les falçs*), mientras que los radicales masculinos forman un plural híbrido (análogo al de la declinación en -o: § 600) en -os (sing. *el mes,* plur. *els mesos*).

623. En rumano, el gen.-dat. sing. se forma en los masculinos de manera distinta que en los femeninos: en los primeros la analogía con los de la declinación en -o (§ 599) marca la pauta, en los segundos es la analogía con la declinación en -a (§ 596) la que decide. En los masculinos la desinencia del latín clásico -ī (m o n t ī) fue reemplazada por la final -e del

---

[27] En it. y rum. no se puede dilucidar si la base es -es o bien -ī, pues en ambos casos el resultado es en ambos idiomas -i (§ 542): it. *cani,* rum. *câni.*

acusativo (m o n t e > *munte*), pues en la declinación en -o el gen.-dat. (-ō > -*u*) coincidía igualmente con el acusativo (-*u*: § 597). En los femeninos el dativo clásico -ī evolucionó normalmente (n a v i *năi*) y vino a confundirse fonéticamente con la forma del nom.-acus. plur. (n a v e s *năi*, lo que, en definitiva, coincide con el estado de la declinación en -a (§ 595). El gen.-dat. plur. (de m. y f.) en vez de acabar en -i b u s, como en latín clásico, acaba en *-ī s [28], de suerte que la forma en rumano (*-i s > -*i*: § 542) coincide con el nom.-acus. plur., lo que también concuerda con el estado de la declinación en -o (§ 598) y de la declinación en -a (§ 595).

c) CAMBIO DE GÉNERO (§ 624)

624. Mientras que la declinación en -*a* abraza preponderantemente femeninos (§ 590) y la declinación en -*o* (§ 601) masculinos (y neutros), la tercera declinación no está caracterizada de antemano por el género. Y así, en la tradición literaria del latín clásico, algunas palabras de la tercera declinación ofrecen ya vacilaciones entre el género masculino y femenino.—Tales vacilaciones de palabras aisladas dejaron con frecuencia huellas en románico. Además, la fluctuación del género en la tercera declinación se acrecienta en románico con relación al latín clásico. La fijación en un género determinado permite a veces reconocer las fronteras entre ciertos espacios lingüísticos intrarrománicos.

El lat. a r b o r se mantiene fem. únicamente en sard. *árβore* y port. *árvore*, pasando al género masculino en el res-

[28] Esto mismo se aplica a la cuarta declinación (§ 659).

to de las lenguas [29] (fr. cat. *arbre*, esp. *árbol*, it. *àlbero* [30], rumano *árbor*).

C i n i s y p u l v i s fluctúan ya en latín clásico entre el género masculino y el femenino (menos frecuente). C i n i s prevaleció en todas partes como femenino (c i n e r e fr. *cendre*, it. *cénere*). La voz p u l v i s pervive en dos formas flexivas: una p u l v e r e (oblicuo), que aparece en todas partes como femenino (it. *pólvere*, fr. *poudre*, rum. *púlbere*), y otra p u l- v i s (nominativo), que se mantiene ya como femenino (cat. *pols*), ya como masculino (esp. *polvo* < *p u l v u s : § 644). La continuación provenzal (prov. ant. *pols*) se emplea (según las diversas regiones) como masculino o femenino.

Al masculino clásico p u l i c e corresponden las formas masculinas rum. *púrece*, sobres. *pélisch*. En cambio, la palabra es femenina en it. *pulce*, fr. *puce*, esp. *pulga* [31].

Al masculino clásico f l o r e responde el masculino it. *fiore*, pero son femeninos fr. *fleur*, sobres. *flur*, cat. esp. port. *flor*, rum. *floare*.

El sufijo de abstractos -o r e (masculino en lat. clás.) pasa en galorromano (y, en casos limitados del léxico, también en otros idiomas) a ser femenino: c a l o r e fr. *la chaleur*, prov. ant. *la calor* (pero es masculino en it. *il calore*, esp. *el calor* [esp. ant. y aún hoy popular *la calor*]); c o l o r e fr. *la couleur*, prov. ant. *la color* (port. *a côr*, esp. ant. y aún hoy rural y poético *la color*; frente a it. *il colore*, esp. *el color*). La razón

---

[29] Una huella de la femeninidad de a r b o r la constituye también el género femenino (potestativo) de los nombres de árboles frutales en -aria en cat. (§ 601, 2 *a*), así como el género invariablemente femenino de los frutales en port. (§ 601, 2 *a*), que corresponde a la femeninidad de port. *árvore*.

[30] Aquí, con paso a la declinación en -o (mediante metátesis facilitada por el plur. -i [*a l b o r e > *albero*]), más acomodada a los hábitos de la estructura de las palabras italianas (§ 290).

[31] Aquí con paso a la declinación en -a.

de este paso al femenino hay que buscarla en el hecho de
que muchos abstractos son femeninos (i u v e n t a, v i r t u s)
y el sufijo -o r e estaba en estrecha relación de intercambiabilidad con el sufijo -u r a (*c a l u r a 'calor' it. prov. cat. esp.
calura, sobres. *calira).*

La labilidad del género de la tercera declinación en general explica que incluso la semejanza de estructura material
de la palabra pueda dar ocasión a que se asimilen en género
voces que originariamente lo tenían distinto. El cuadro sinóptico que insertamos a continuación ofrece una visión de
conjunto sobre los avatares del género del tipo -o n t e. La poli-
cromía del cuadro (m. = masculino, f. = femenino) podría
recargarse todavía más poniendo a contribución los dialectos y las vacilaciones históricas de cada lengua. El género
femenino de *fonte* pudiera ser mitológico (§ 601).

lat.	monte (m.)	ponte (m.)	fonte (m., lat. tardío también f.)	fronte (f., más tarde también m.)
rum.	*munte* (m.)	*punte* (f.)	—	*frunte* (f.)
sard.	*monte* (m.)	*ponte* (m.)	—	*fronte* (m.)
it.	*monte* (m.)	*ponte* (m.)	*fonte* (f.)	*fronte* (f., m.)
sobres.	*munt* (m.)	*punt* (f.)	—	*frunt* (m.)
fr.	*mont* (m.)	*pont* (m.)	—	*front* (m.)
prov.	*mon* (m.)	*pon* (m.)	*fon* (f.)	*fron* (m.)
cat.	*munt* (m.)	*pont* (m.)	*font* (f.)	*front* (m.)
esp.	*monte* (m.)	*puente* (m.)	*fuente* (f.)	*frente* (f., m.)
port.	*monte* (m.)	*ponte* (f.)	*fonte* (f.)	*fronte* (f.)

Se ve que m o n t e conserva su género masculino latino y
f o n t e el femenino, atestiguado en latín tardío (en lengua
vulgar). P o n t e y f r o n t e fluctúan bajo una constante pre-

sión opuesta del género.—D e n t e es igualmente masculino
(it. port. *dente,* rum. *dinte,* esp. *diente,* sobres. *dent),* pero
en algunos idiomas pasó al femenino (fr. cat. *dent,* prov. *den,*
sard. *dente),* sin duda presionado por el tipo -e n t e, representado por los femeninos g e n t e y m e n t e.

Al cambio de género basado en la estructura material de
la palabra corresponde en el campo de la semántica el cambio de género condicionado por la polaridad semántica. Así,
el femenino latino v a l l e 'valle' se hace (en fr. *val,* esp. y
port. *valle)* masculino por influjo de su opuesto masculino
m o n t e (fr. *mont,* esp. port. *monte).* La ocasión y el impulso
para el cambio de género reside también en la frecuente secuencia fraseológica de los antónimos (fr. *par monts et par
vaux),* influyendo en este caso el primer miembro *(mont)* sobre el segundo *(val).* Cf. también §§ 139; 649; 659.

D) PARADIGMAS (§ 625)

a) **Masculinos**

α) Parisílabos *(canis :* § 618)

SINGULAR

	nom.	*gen.-dat.*	*acus.*
lat. v.	canis	canī	cane
rum.	—	*(câne)*	*câne*
it.	—	—	*cane*
sard.	—	—	*cane*
sobres.	—	—	*tgaun*
fr. a.	*chiens*	—	*chien*
fr. m.	—	—	*chien*
prov.	*cans*	—	*can*
cat.	—	—	*cà*
esp.	—	—	*can*
port.	—	—	*cão*

PLURAL

	nom.	gen.-dat.	acus.
lat. v.	canēs, *-ī	*canīs	canēs
rum.	câni	câni	câni
it.	cani	—	cani
sard.	canes	—	canes
sobres.	tgauns	—	tgauns
fr. a.	chien	—	chiens
fr. m.	—	—	chiens
prov.	can	—	cans
cat.	cans	—	cans
esp.	canes	—	canes
port.	cães	—	câes

β) Imparisílabos

1) *Imparisílabos con acento fijo*
A) Radicales monosílabos (*mons*: § 620 A)

SINGULAR

	nom.	gen.-dat.	acus.
lat. v.	*montis	montī	monte
rum.	—	(munte)	munte
it.	—	—	monte
sard.	—	—	monte
sobres.	—	—	munt
fr. a.	monz	—	mont
fr. m.	—	—	mont
prov.	mons	—	mon
cat.	—	—	munt
esp. port.	—	—	monte

PLURAL

	nom.	*gen.-dat.*	*acus.*
lat. v.	montēs, *-ī	*montīs	montēs
rum.	*munţi*	*munţi*	*munţi*
it.	*monti*	—	*monti*
sard.	*montes*	—	*montes*
sobres.	*munts*	—	*munts*
fr. a.	*mont*	—	*monz*
fr. m.	—	—	*monts*
prov.	*mon*	—	*mons*
cat.	*munts*	—	*munts*
esp. port.	*montes*	—	*montes*

B) Radicales bisílabos (*caespes, sanguis*: § 620 B)

SINGULAR

	nom.	*acus.*
lat. v.	caespes	*caespe
it.	—	(*cespo*)
engad.	—	*tschisp*
lat. v.	*caespitis	caespite
sobres.	—	*tschéspet*
esp.	—	*césped*
port.	—	*céspede*

PLURAL

	nom.	acus.	nom.-acus.
lat. v.	*caespes	*caespes	*caespa
it.	cespi	cespi	—
engad.	tschisps	tschisps	tschispa (§609)
lat. v.	caespites	caespites	
sobres.	tschespets	tschespets	
esp.	céspedes	céspedes	
port.	céspedes	céspedes	

SINGULAR

	nom.	gen.-dat.	acus.
lat. v.	sanguis (m.)	*languī	*sangue
		(sînge)	
rum.	—	(sînge)	sînge (m.)
it.	—	—	sangue (m.)
sobres.	—	—	saung (m.)
fr. a.	sans	—	sanc (m.)
fr. m.	—	—	sang
prov.	sancs	—	sanc (m.)
cat.	—	—	sanc (f.)
port.	—	—	sangue (m.)

SINGULAR

	nom.	acus.
lat. v.	sanguen(e) (n.)	sanguen(e)
sard.	sámbene (m.)	sámbene
esp.	sangre (f.)	sangre

2) *Imparisílabos con acento móvil* (*carbo*: § 621)

SINGULAR

	nom.	*gen.-dat.*	*acus.*
lat. v.	*carbonis	carbonī	carbone
rum.	—	(*cărbune*)	*cărbune*
it.	—	—	*carbone*
sard.	—	—	[*karβone*]
sobres.	—	—	*scarvun*
fr. a.	*charbons*	—	*charbon*
fr. m.	—	—	*charbon*
prov.	*carbons*	—	*carbon*
cat.	—	—	*carbó*
esp.	—	—	*carbón*
port.	—	—	*carvão*

PLURAL

	nom.	*gen.-dat.*	*acus.*
lat. v.	carbones, *-ī	*carbonīs	carbonēs
rum.	*cărbuni*	*cărbuni*	*cărbuni*
it.	*carboni*	—	*carboni*
sard.	[*karβones*]	—	[*karβones*]
sobres.	*scarvuns*	—	*scarvuns*
fr. a.	*charbon*	—	*charbons*
fr. m.	—	—	*charbons*
prov.	*carbon*	—	*carbons*
cat.	*carbons*	—	*carbons*
esp.	*carbones*	—	*carbones*
port.	*carvões*	—	*carvões*

b) Femeninos

α) Parisílabos *(navis:* § 618)

SINGULAR

	nom.	*gen.-dat.*	*acus.*
lat. v.	navis	navī	nave
rum.	—	*năi*	*nae* [*naye*]
it.	—	—	*nave*
sard.	—	—	*nae*
sobres.	—	—	*nav*
fr. a.	*nés (nef)*	—	*nef*
fr. m.	*(nef)*	—	*nef*
prov.	*naus*	—	*nau*
cat.	—	—	*nau*
esp. port.	—	—	*nave*

PLURAL

	nom.-acus.	*gen.-dat.*
lat. v.	naves	*navis
rum.	*năi*	*năi*
it.	*navi*	—
sard.	*naes*	—
sobres.	*navs*	—
fr. a.	*nés*	—
fr. m.	*(nefs)*	—
prov.	*naus*	—
cat.	*naus*	—
esp. port.	*naves*	—

β) Imparisílabos

1) *Imparisílabos con acento fijo*

A) Radicales monosílabos (*nox*: § 620 A)

	SINGULAR			PLURAL	
	nom.	*gen.-dat.*	*acus.*	*nom.-acus.*	*gen.-dat.*
lat. v.	*noctis	nocti	nocte	noctēs	*noctīs
rum.	—	*nopţi*	*noapte*	*nopţi*	*nopţi*
it.	—	—	*notte*	*notti*	—
sard.	—	—	*notte*	*nottes*	—
sobres.	—	—	*notg*	*notgs*	—
fr. a.	*nuiz (nuit)*	—	*nuit*	*nuiz*	—
fr. m.	—	—	*nuit*	*nuits*	—
prov.	*noitz*	—	*noit*	*noitz*	—
cat.	—	—	*nit*	*nits*	—
esp.	—	—	*noche*	*noches*	—
port.	—	—	*noite*	*noites*	—

B) Radicales bisílabos (*pulvis*: § 620 B)

SINGULAR

	nom.	*gen.-dat.*	*acus.*
lat. v.	*pulveris	pulverī	pulvere (m., f.)
rum.	—	*púlberi*	*púlbere* (f.)
it.	—	—	*pólvere* (f.)
sard.	—	—	*prúere* (m.)
sobres.	—	—	*puorl* (m.) 'partícula de
			polvo'
fr.	—	—	*poudre* (f.)

	SINGULAR nom.-acus.	PLURAL nom.-acus.
lat. v.	pulvus (n.)	pulvora (n.)
sobres.	—	puoria (f. sing.) 'polvo' (§ 609)
prov.	pols (m., f.)	porba (f. sing.)
cat.	pols (f.)	—
esp.	(polvo) (m.)	—
port.	(pó) (m.)	—

2) *Imparisílabos con acento móvil* (*virtus*: §620 B)

	SINGULAR			PLURAL	
	nom.	*gen.-dat.*	*acus.*	*nom.-acus.*	*gen.-dat.*
lat. v.	virtutis	virtutī	virtute	virtutes	*virtutīs
rum.	—	*vărtuţi*	*vărtute*	*vărtuţi*	*vărtuţi*
it.	—	—	*virtù*	(*virtù*)	—
sard.	—	—	*virtude*	*virtudes*	—
sobres.	—	—	*vertid*	*vertids*	—
fr. a.	*vertuz* (*vertu*)	—	*vertu*	*vertuz*	—
fr. m.	—	—	*vertu*	*vertus*	—
prov.	*vertutz*	—	*vertut*	*vertutz*	—
cat.	—	—	*virtut*	*virtuts*	—
esp.	—	—	*virtud*	*virtudes*	—
port.	—	—	*virtude*	*virtudes*	—

2. Nombres de persona (§§ 626-638)

626. En los nombres de persona la distinción sintáctica entre nominativo y acusativo desempeña un papel incomparablemente más importante que en los nombres de cosas (§ 616). La frecuencia del nominativo se acrecienta también

por su uso en función de vocativo (§ 589). Así se comprende
que con nombres de persona no se haya transformado, por
regla general, el nominativo singular según el tipo latinovulgar *dentis* (§ 620 A), en el que vemos un predominio fuertemente motivado de los casos oblicuos sobre el nominativo
cuando se trata de nombres de cosas; antes bien, el nominativo de nombres de persona se mantuvo, por regla general,
con su forma clásica y, en las lenguas con flexión bicasual
(§ 585), conservó también su antigua función. En aquellos
idiomas en que la flexión de dos casos desapareció (§ 585),
la forma del nominativo singular subsistió con frecuencia
como forma única del singular, y hasta llegó a veces a pro-
porcionar la base de una nueva forma plural analógica.

La forma del nominativo singular fue así la forma única
del singular para las palabras *homo* en rum., it., sobres.
(§ 628), *hospes* en sobres. (§ 628), *piscator* en cat., engad.
(§ 630), *imperator* en rum. (§ 630), *soror* en todas las lenguas
(§ 634). Además, sobre la base del antiguo nominativo singular se formaron nuevos plurales analógicos en las voces *hospes* (en sobres.: § 628), *piscator* (en cat. y engad.: § 630),
imperator (en rum. § 630), *soror* (en it., sard., sobres., fr. m. y
cat.: § 634). Cf. también l a t r o, c o m p a n i o, n e p o s, m u-
l i e r, h e r e s (§§ 635-638).

Como en los nombres de cosas (§§ 617-621), también se
pueden distinguir aquí según los tipos estructurales de las
palabras: 1, parisílabos (§ 627); 2, imparisílabos (§§ 628-638),
y éstos: a) imparisílabos con acento fijo (§ 628) y b) imparisílabos con acento móvil (§§ 629-638).

A) PARISÍLABOS (§ 627)

627. El nominativo pervive claramente en las formas
port. *frade*, it. *frate*, it. (dialectal) *pate* (< f r a t e r, p a t e r),
que aparecen con apócope de la -r (como en p i p e r it. *pe-*

pe) [32]. En el resto el nominativo del tipo f r a t e r se confundió por metátesis (> *f r a t r e: § 561) con el oblicuo f r a t r e.

SINGULAR

	nom.	*gen.-dat.*	*acus.*
lat. v.	pater frater mater	patrī fratrī matrī	patre fratre matre
rum.	frate	(frate)	(frate)
it.	pate (dial.) padre frate madre	— — — —	(pate) padre (frate) madre
sard.	frade	—	(frade)
sobres.	frar (madra 'matriz') [33]	— —	frar (madra)
fr. a.	pere frere mere	— — —	pere frere mere
prov.	paire fraire maire	— — —	paire fraire maire
cat.	pare frare mare	— — —	pare frare mare
esp.	padre madre	— —	padre madre
port.	frade	—	(frade)

[32] En *frate* puede haber además disimilación de las dos *r*, pudiendo, por tanto, f r a t r e m -e s pasar a *frate, *frates. Para la pérdida de la *-r*, cf. también §§ 561; 632, 1; 634.

[33] La forma muestra paso a la declinación en *-a* (§ 596).

PLURAL

	nom.	*gen.-dat.*	*acus.*
lat. v.	patrēs, *-ī fratrēs, *-ī matrēs	*patrīs *fratrīs *matrīs	patres fratres matres
rum.	*(fraţi)*	*(fraţi)*	*(fraţi)*
it.	*padri* *(frati)* *madri*	— — —	*padri* *(frati)* *madri*
sard.	*(frades)*	—	*(frades)*
sobres.	*frars* *(madras)*	— —	*frars* *(madras)*
fr. a.	*pere* (fr. m. *pères)* *frere* (fr. m. *frères)* *meres*	— — —	*peres* *freres* *meres*
prov.	*paire* *fraire* *maires*	— — —	*paires* *fraires* *maires*
cat.	*pares* *frares* *mares*	— — —	*pares* *frares* *mares*
esp.	*padres* *madres*	— —	*padres* *madres*
port.	*(frades)*	—	*(frades)*

En italiano, catalán y portugués (y también en esp. _frai·_
_le_ < prov. ant. _fraire_) f r a t e r se especializó en la acepción
de 'hermano de hábito, monje' (cf. análogamente § 634). El
'hermano de sangre' se indica en italiano con el diminutivo
fratello; en cat., esp. y port., con el heredero de g e r m a n u s
(§ 324).

B) IMPARISÍLABOS (§ 628-638)

α) Imparisílabos con acento fijo (§ 628)

628. El siguiente cuadro sinóptico muestra que _homo_
conservó su nominativo singular en rum., it., sobres., fr. ant.
y prov. ant.; el oblicuo, en sard., fr. ant., prov. ant., fr. m.,
cat., esp. y port., y el plural _homines_ (*-ī) en todas partes.—
Por el cuadro vamos que _hospes_ subsiste en la forma del nominativo singular en rum., sobres., y en la forma del oblicuo
en rum., it., fr. ant., prov. ant., fr. m., cat., esp. y port. Además, en sobres. (que conserva -_s_: cf. § 537) del nominativo
singular *_hosps_ (< h o s p e s) se formó por analogía con la
declinación en -_o_ (§ 599) un oblicuo _hosp_, y esta forma oblicua quedó como única forma singular al desaparecer la declinación bicasual (§ 585) y desembocó en la formación del
plural analógico _hosps_ según el modelo de la declinación en
-_o_ (§ 599). La declinación del tipo no puede explicarse más
que sobre la base de la existencia antigua de una declinación
con dos casos (§ 585). En fr. ant. y prov. ant. se formó un
nuevo nominativo singular (tipo *h o s p i t i s), pues el resultado de la forma del nominativo (h o s p e s > fr. ant. y prov.
ant. *_os_) era demasiado borroso (y se confundía con o s s u
> _os_).—El cuadro revela la supervivencia del nominativo sin-
gular de _comes_ sólo en fr. ant. y prov. ant.—En cuanto a _mi-_

les, vemos por el cuadro que sólo se salvó el nominativo singular.—Por lo que atañe a *iudex*, comprobamos en el cuadro sinóptico la pervivencia del nominativo singular en rumano, mientras que el fr., prov. y cat. acusan ya en el consonantismo (i u d i c e debería dar en fr. **juze*: § 522) el influjo de i u d i c a r e y suponen una base *i u d i c u. En sard., esp. y port., el acento se desplaza al segundo elemento del diptongo (§ 151) formado al desaparecer la -d-.

SINGULAR

	nom.	*gen.-dat.*	*acus.*
lat. v.	hómo hóspes iúdex	hómini hóspiti iúdici	hómine hóspite iúdice
rum.	*om* *oaspe* *(oáspete)* *jude*	*(om)* *(oaspe)* *(oáspete)* *(jude)*	*(om)* *(oaspe)* *oáspete* *(jude)*
it.	*uomo* — —	— — —	— *ospite* *giudice*
sard.	— —	— —	*ómine* [*dzuiɣe*]
sobres.	*um* *(hosp)*	— —	*(um)* *(hosp)*
fr. a.	*uem* *(ostes)* *(juges)*	— — —	*omme* *oste* *(juge)*
fr. m.	— — —	— — —	*homme* *hôte* *(juge)*

SINGULAR

	nom.	gen.-dat.	acus.
prov.	om (ostes)	— —	ome oste
cat.	— — —	— — —	home hoste (jutge)
esp.	— — —	— — —	hombre huésped juez
port.	— — —	— — —	hómem hóspede juiz

PLURAL

	nom.	gen.-dat.	acus.
lat. v.	hómines *(-ī) hóspites *(-ī) iúdices *(-ī)	*hóminīs *hóspitīs *iúdicīs	hómines hóspites iúdices
rum.	oámeni oáspeţi (juzi) judeci (rum. a.)	oámeni oáspeţi (juzi) judeci	oámeni oáspeţi (juzi) judeci
it.	uomini ospiti giudici	— — —	uomini ospiti giudici
sard.	ómines [dzuíɣes]	— —	ómines [dzuíɣes]

PLURAL

	nom.	gen.-dat.	acus.
sobres.	{ *umens* *(hosps)*	— —	*úmens* *(hosps)*
fr. a.	{ *omme* *oste* *(juge)*	— — —	*ommes* *ostes* *(juges)*
fr. m.	{ — — —	— — —	*hommes* *hôtes* *(juges)*
prov.	{ *ome* *oste*	— —	*omes* *ostes*
cat.	{ *(homes)* *(hostes)* *(jutges)*	— — —	*homes* *hostes* *(jutges)*
esp.	{ *hombres* *huéspedes* *jueces*	— — —	*hombres* *huéspedes* *jueces*
port.	{ *hómems* *hóspedes* *juizes*	— — —	*hómems* *hóspedes* *juizes*

	SINGULAR		PLURAL	
	nom.	acus.	nom.	acus.
lat. v.	*comes*	*comite*	*comitēs* *(-ī)	*comitēs*
it.	—	*conte*	*conti*	*conti*
sobres.	—	*cont*	—	*conts*

	SINGULAR		PLURAL	
	nom.	*acus.*	*nom.*	*acus.*
fr. a.	**cuens**	conte	conte	contes
fr. m.	—	comte	—	comtes
prov.	**coms**	comte	comte	comtes
cat.	—	comte	comtes	comtes
esp. port.	—	conde	condes	condes

SINGULAR

	nom.	*gen.-dat.*	*acus.*
lat. v.	miles	militī	milite
rum.	*mire* 'novio' [34]	(*mire*)	(*mire*)

PLURAL

	nom.	*gen.-dat.*	*acus.*
lat. v.	militēs (*-ī)	*militīs	militēs
rum.	(*miri*)	(*miri*)	(*miri*)

β) Imparisílabos con acento móvil (§§ 629-638)

629. Tienen acento móvil los tipos de palabras en -o r (§§ 630-634) y -o (§§ 635-637), así como otras voces que no se pueden reducir a tipos determinados (§ 638).

---

[34] Para las condiciones sociales que hicieron posible que *miles* tomase esta acepción cf. *Thesaurus linguae Latinae* s. v. *hospes*, página 3025, 45.

1) *Tipos en* -or (§§ 630-634)

A) Nomina agentis (§§ 630-633)

630. Los siguientes cuadros presentan como ejemplos de nombres de agente en -o r las palabras p i s c a t o r, p a s- t o r, i m p e r a t o r.

SINGULAR

	nom.	*acus.*
lat. v.	piscátor	piscatóre
it.	—	*pescatóre*
sard.	—	*piscadóre*
sobres.	*(pescadúr)*	*pescadúr*
engad.	*pes-cháder*	*(pes-cháder)*
fr. a.	*peschiére*	*peschëéur*
fr. m.	—	*pêcheur*
prov.	*pescáire*	*pescadór*
cat.	*pescáire* *(pescadór)*	*(pescáire)* *pescadór*
esp.	—	*pescadór*
port.	—	*pescadôr*

PLURAL

	nom.	*acus.*
lat. v.	piscatórēs (*-ī)	piscatórēs
it.	*pescatóri*	*pescatóri*
sard.	*piscadóres*	*piscadóres*
sobres.	*pescadúrs*	*pescadúrs*
engad.	*(pes-cháders)*	*(pes-cháders)*
fr. a.	*peschëéur*	*peschëéurs*
fr. m.	—	*pêcheurs*
prov.	*pescadór*	*pescadórs*
cat.	*(pescáires)* *pescadórs*	*(pescáires)* *pescadórs*
esp.	*pescadóres*	*pescadóres*
port.	*pescadôres*	*pescadôres*

SINGULAR

	nom.	gen.-dat.	acus.
lat. v.	pástor	pastórī	pastóre
rum.	(păstór)	(păstór)	(păstór)
it.	—	—	pastóre
sard.	—	—	pastóre
sobres.	(pastúr) 'vaquerizo'	—	pastúr
	páster 'p. alpino'		
fr. a.	pástre	—	pastéur
fr. m.	pâtre	—	(pâtre) [34 bis]
prov.	pástre	—	pastór
cat.	—	—	pastór
esp.	—	—	pastór
port.	—	—	pastôr
lat. v.	imperátor	imperatórī	imperatóre
rum.	împărát	(împărát)	(împărát)
it.	—	—	imperatóre
fr. a.	emperére	—	empereéur
fr. m.	—	—	empereur
prov.	emperáire	—	emperadór
cat.	emperaire	—	(emperáire)
	(emperadór)	—	emperadór
esp.	—	—	emperadór

[34 bis] El fr. m. *pasteur* es, por su significación (§ 144) y forma fonética (§ 424), un cultismo (§ 142).

PLURAL

	nom.	gen.-dat.	acus.
lat. v.	pastórēs (*-ī)	*pastórīs	pastórēs
rum.	*păstóri*	*păstóri*	*păstóri*
it.	*pastóri*	—	*pastóri*
sard.	*pastóres*	—	*pastóres*
sobres.	*pastúrs* *(pásters)*	—	*pastúrs* *(pásters)*
fr. a.	*pastéur*	—	*pastéurs*
fr. m.	*(pâtres)*	—	*(pâtres)*
prov.	*pastór*	—	*pastórs*
cat.	*pastórs*	—	*pastórs*
esp.	*pastóres*	—	*pastóres*
port.	*pastôres*	—	*pastôres*
lat. v.	imperatórēs (*-ī)	*imperatórīs	imperatórēs
rum.	*(împărátĭ)*	*(împărátĭ)*	*(împărátĭ)*
it.	*imperatóri*	—	*imperatóri*
fr. a.	*empereéur*	—	*empereéurs*
fr. m.	—	—	*empereurs*
prov.	*emperadór*	—	*emperadórs*
cat.	*(emperáires)* *emperadórs*	—	*(emperáires)* *emperadórs*
esp.	*emperadóres*	—	*emperadóres*

631. Los idiomas con flexión bicasual viva (§ 585) muestran una continuación regular del antiguo cambio acentual (§ 630). En las lenguas que perdieron la flexión bicasual (§ 585) se conserva, por regla general, el oblicuo singular (a veces el nominativo singular) como única base.

632. La distribución del nominativo singular y del oblicuo singular como formas básicas adopta las siguientes variantes (cf. también § 636):

1. Se conserva solamente la forma del nominativo singular en engad. *pesch* *áder* (cf. abajo, número 3), fr. m. *pâtre*, rum. *împărát*, que pasó a la declinación en *-o;* para la caída de la *-r,* cf. § 627.

2. Se conserva solamente la forma del oblicuo singular en las correspondencias it., sard., sobres., fr. m., esp. y port. de p i s c a t o r e, en las correspondencias rum. (§ 633), it., sard., cat., esp. y port. de p a s t o r e, y en las correspondencias it., fr. m. y esp. de i m p e r a t o r e.

3. Tanto la forma del nominativo como también la del oblicuo singular subsisten en las correspondencias cat. de p i s c a t o r, -o r e, i m p e r a t o r, -o r e; pero estas formas no tienen ya las funciones sintácticas, que etimológicamente les corresponden, del nominativo y oblicuo respectivamente, sino que se emplean indistintamente con ambas funciones. La vitalidad de las formas varía según los dialectos. Igualmente en los tipos de palabras en -a t o r e el prov. m. muestra una especialización, distinta en cada palabra, decidiéndose los dialectos bien por la forma del nominativo singular (*pescáire*), bien por la del oblicuo sing. (*pescadour*). También en grisón hallamos la especialización distribuida en los dialectos; así, el engad. mantiene el nominativo sing. (*pes-cháder*) y el sobres. conserva el oblicuo sing. (*pescadúr*). Cf. también engad. *müráder* 'cantero' (<*m u r á t o r), frente a sobres. *miradúr* 'cantero' (< *m u r a t ó r e).—Tenemos otra clase de especialización de formas (la especialización semántica de formas: cf. § 583, final) en la continuación de p a s t o r en sobres.,

en el que el nomin. sing. pervive con la acepción de 'pastor alpino' y el oblicuo sing. con la de 'vaquerizo'.

4. La pervivencia del nominativo singular en rumano (número 1) y grisón (números 1, 3) permite deducir la existencia primitiva de una flexión bicasual (§ 585) en estos espacios.

633. En rum. la terminación de *păstor* (§ 630) muestra que no proviene de -ō r e, pues tendríamos entonces *-*oare* (§§ 197, 272). Se trata más bien de un nuevo nominativo sing. *păstor* formado sobre el plural *păstori* (p a s t o r e s : § 542) por analogía con la declinación en -*o* (§ 599) y que encontró un apoyo analógico en los adjetivos verbales del tipo *dormitor* (§ 815) < -o r i u s.

B) Soror (§ 634)

634. En fr. ant. y prov. ant. se conserva la declinación s ó r o r / s o r ó r e. Esta declinación se redujo en rumano, pues el acusativo singular adoptó la forma del nominativo singular por analogía (quizá según el esquema de § 596). La forma del nominativo singular fue la base en it., sard., sobres., fr. m., cat., esp. y port., siendo de notar que en gran parte es responsable de ello el empleo de aquella forma en función de vocativo (§ 589). Desde el punto de vista semántico, la palabra quedó circunscrita en it. (pero no en todos los dialectos), cat., esp. y port. a la acepción de 'hermana de hábito' (en cat., esp. y port. casi exclusivamente como título antepuesto al nombre). La 'hermana de sangre' se designa en it. con el diminutivo *sorella*, y en cat., esp. y port., con la

78   Lingüística románica: Morfología

continuación de g e r m a n a (cf. § 627).—Para el desarrollo
fonético, cf. § 561.

SINGULAR

	nom.	gen.-dat.	acus.
lat. v.	sóror	soróri	soróre
rum.	sóră	surori	(soră)
it.	suora	—	(suora)
sard.	sórre	—	(sórre)
sobres.	sora	—	(sora)
fr. a.	suer	—	sereur
fr. m.	soeur	—	(soeurs)
prov.	sor, sorre	—	seror
cat.	sor	—	(sor)
esp.	sor	—	(sor)
port.	sór	—	(sór)

PLURAL

	nom.-acus.	gen.-dat.
lat. v.	soróres	*soróris
rum.	suróri	suróri
it.	(suore)	—
sard.	(sorrés)	—
sobres.	(soras)	—
fr. a.	sereurs	—
fr. m.	(soeurs)	—
prov.	serors	—
cat.	(sors)	—
esp.	—	—
port.	—	—

2) *Tipos en -o* (§§ 635-637)

635. Los siguientes cuadros sinópticos ofrecen como ejemplos de los tipos de palabras en -o (-o n i s) las palabras l a t r o y *c o m p a n i o:

SINGULAR

	nom.	*acus.*
lat. v.	látro	latróne
it.	*ladro*	*(ladro)*
sard.	*(ladróne)*	*ladróne*
sobres.	*láder*	*(láder)*
fr. a.	*lere*	*larón*
fr. m.	*(larron)*	*larron*
prov.	*láire*	*lairón*
cat.	{ *lladre* { *(lladró)*	*(lladre)* *lladró*
esp.	*(ladrón)*	*ladrón*
port.	*(ladrão)*	*ladrão*
lat. v.	**compánio*	**companióne*
it.	*compágno*	*(compágno)*
sobres.	*cumpógn*	*(cumpógn)*
fr. a.	*compáing*	*compaignón*
fr. m.	{ *copain* 'camarada' (*(compagnon)*'compañero'	*(copain)* *compagnon*
prov.	*compánh*	*companhón*
cat.	{ *compány* (*(companyó)*	*(compány)* *companyó*

PLURAL

	nom.	acus.
lat. v.	latrónes (*-ī)	latrónēs
it.	(ladri)	(ladri)
sard.	ladrónes	ladrónes
sobres.	(láders)	(láders)
fr. a.	larón	laróns
fr. m.	—	larrons
prov.	lairón	lairóns
cat.	(lladres)	(lladres)
	lladróns	lladróns
esp.	ladrones	ladrones
port.	ladrões	ladrões
lat. v.	*companiónēs (*-ī)	*companiónes
it.	(compágni)	(compágni)
sobres.	(cumpógns)	(cumpógns)
fr. a.	compaignón	compaignóns
	(copains)	(copains)
fr. m.	(compagnons)	compagnons
prov	companhón	companhóns
cat.	(compánys)	(compánys)
	companyóns	companyóns

636. Las observaciones hechas en el § 631 valen análogamente aquí.—En los idiomas que perdieron la flexión bicasual (§ 585), la distribución del nominativo sing. y del oblicuo
sing. adopta como formas básicas las siguientes variantes
(cf. también § 632):

1. Para l a t r o y c o m p a n i o se conserva solamente la
forma del nominativo sing. en it. y sobres.

2. Sólo pervive la forma del oblicuo sing. de l a t r o en
sard., fr. m., esp. y port.

3. Tanto la forma del nominativo sing. como la del oblicuo singular se mantienen en las correspondencias catalanas de l a t r o y c o m p a n i o, y en las correspondencias de c o m p a n i o en fr. m. Y obsérvese que la vitalidad de las formas varía dialectalmente en cat. (cf. § 632, 3), al paso que el fr. m. acusa un especialización semántica (§ 583).

4. Tiene también aplicación la observación de § 632, 4.

5. En rumano, el nominativo d r a c o pasó como *drac* 'demonio' a la declinación en *-o* (§ 599): cf. § 632, 1. El sufijo productivo *-o*, *-o n i s* fue sustituido por *-o n i u*: rum. *omóiu* 'hombrón' (< *om* + *-o n i u*). Cf. *-o r i u* en vez de *-o r e* (§ 815).

637. El esquema de flexión '*-o* / *-ó n e* mantiene una gran vitalidad en fr. ant. y prov. ant. (g l ú t t o / g l u t t ó n e > fr. ant. y prov. ant. *glót* / *glotón*). Y como el franco resultaba que tenía una flexión débil del tipo nominativo *Húgo* /acusativo *Húgon*, nominativo *Sáhso* / acusativo *Sáhson*, ésta se sintió como equivalente de la declinación latinovulgar '*-o* / *-ó n e*.

Esta equivalencia sólo podía sentirse como tal en una época en que la *-o* latinovulgar todavía sonaba en fr. La penetración de los francos y su impacto adstratístico sobre el galorromano habrá que situarlos en el siglo VI (§ 37), de suerte que en esas fechas la *-o* latinovulgar todavía habría sonado plenamente en todo el espacio galorrománico, lo que está de perfecto acuerdo con la conservación de la *-o* de los proparoxítonos en francoprovenzal (§ 287). Así se explica también que sobre el modelo de los masculinos en *-o* / *-o n e* pudiera formarse la declinación femenina *-a* / *-a n e* (§ 591).—Palabras y nombres de origen franco son fr. ant. *fel* / *felon* (fr. m. *felon*), *ber* / *baron* (fr. m. *baron*), *garz* / *garçon* (fr. m. *gars, garçon*), *Hue(s)* / *Huon* (< franco *Hugo*), *Charle(s)* / *Charlon, Borgoin* / *Borguignon*. A este tipo se adhirieron también nombres no francos como P e t r u s *Pierre(s)* / *Perron*.

3) *Otras palabras* (§ 638)

638. En el cuadro que sigue aparecen contrapuestas las maneras de declinarse de varias palabras:

SINGULAR

	nom.	*gen.-dat.*	*acus.*
lat. v.	népos múlier	nepóti muliéri	nepóte muliére
rum.	*(nepót)* *(muiére)*	*(nepót)* *muiéri*	*(nepót)* *muiére*
it.	*(nipóte)* *móglie*	— —	*nipóte* *(móglie)*
sard.	*([neβóðe])* *([mudzére])*	— —	*[neβóðe]* *[mudzére]*
engad.	*(neiv)* *(mugliér)*	— —	*(neiv)* *mugliér*
sobres.	*nevs* *(mugliér)*	— —	*(nevs)* *mugliér*
fr. a.	*niés* *(moilliér)*	— —	*neveu* *moilliér*
fr. m.	*(neveu)*	—	*neveu*
prov.	*néps* *mólher*	— —	*nebót* *molhér*
cat.	*(nebót)* *(mullér)*	— —	*nebót* *mullér*
esp.	*(mujer)*	—	*mujer*
port.	*(mulher)*	—	*mulher*

PLURAL

	nom.	gen.-dat.	acus.
lat. v.	nepótēs (*-ī) muliéres	*nepótīs *muliérīs	nepótēs muliéres
rum.	*nepóṭi* *muiéri*	*nepóṭi* *muiéri*	*nepóti* *muiéri*
it.	*nipóti* *(mógli)*	— —	*nipóti* *(mógli)*
sard.	[neβóδes] [mudzéres]	— —	[neβóδes] [mudzéres]
engad.	*(neivs)* *mugliérs*	— —	*(neivs)* *mugliérs*
sobres.	*(nevs)* *mugliérs*	— —	*(nevs)* *mugliérs*
fr. a.	*neveu* *moilliérs*	— —	*neveus* *moilliérs*
fr. m.	*(neveux)*	—	*neveux*
prov.	*nebót* *molhérs*	— —	*nebóts* *molhérs*
cat.	*nebóts* *mullérs*	— —	*nebóts* *mullérs*
esp.	*mujeres*	—	*mujeres*
port.	*mulheres*	—	*mulheres*

	SINGULAR		PLURAL	
	nom.	*acus.*	*nom.*	*acus.*
lat. v.	ínfans / héres	infánte heréde	infántēs (*-ī) herédēs (*-ī)	infántes herédes
it.	(*fante*)	*fante*	*fanti*	*fanti*
sobres.	(*affon*)	*affon*	*affons*	*affons*
fr. a.	énfes / oirs	enfárít (oir)	enfánt (oir)	enfanz (oirs)
fr. m.	(*enfant*)	*enfant*	(*enfants*)	*enfants*
prov.	énfas / ers / (erés)	enfán (er) eré	enfán (er) eré	enfáns (ers) erés
cat.	(infant) / (heréu)	infant heréu	infants heréus	infants heréus
esp. port.	(*infante*)	*infante*	*infantes*	*infantes*

En los idiomas que mantienen viva la declinación bicasual (§ 585) n e p o s e i n f a n s muestran la continuación regular de las formas latinovulgares.—En cuanto a m u l i e r, el prov. ant. es el único que presenta la correspondencia esperada de todas las formas, al paso que el fr. ant. igualó el nominativo singular con el oblicuo singular (pues también en otros femeninos el nominativo es igual al oblicuo: § 591).— Al toscano (e it. liter.) *móglie* del nominativo singular se opone el oblicuo *moglière*, generalizado en dialectos suditalianos.—El lat. h e r e s perdió en todas partes su primitiva repartición de formas, pues en fr. ant. el nominativo singular

pasó a ser la forma básica, al paso que en prov. ant. tanto
el nominativo singular como el acusativo singular funcionan
de forma básica (perdiéndose las funciones flexivas), con lo
que la vitalidad de las formas básicas es distinta según los
dialectos (cf. § 632, 3).

En las lenguas que perdieron la flexión de dos casos
(§ 585) podemos observar la siguiente distribución de formas:

1. El nominativo singular se impuso como base para
n e p o s en engad. y sobres., y para m u l i e r en it.—Además,
sobres. *nevs* muestra mantenimiento de la -s del nominativo
singular (de suerte que la palabra, una vez perdida la flexión
bicasual, vino a quedar indeclinable: cf. § 600), mientras que
el engad. rehizo el oblicuo singular analógico *neiv* sobre el nominativo singular.—El nominativo singular pervive asimismo
en dialectos norteitalianos (*nievo*).

2. En la mayor parte de las lenguas (cf. el cuadro sinóptico) el oblicuo singular prevaleció como forma básica.—
Para la acentuación m u l i é r e cf. § 149, 2.—En rum., el singular *nepót* está rehecho sobre el plural; la palabra pasó así
al grupo de la declinación en -*o* (§ 599).

3. *Neutros* (§§ 639-653)

A) TEMAS EN -S (§§ 639-645)

639. Los temas en -s están representados por varias palabras que perviven en románico, tales las voces del románico
común c o r p u s, p e c t u s, t e m p u s:

	SINGULAR		PLURAL	
	nom.-acus.	*gen.-dat.*	*nom.-acus.*	*gen.-dat.*
lat. v.	corpus (n.) tempus (n.) pectus (n.)	corporī temporī pectorī	corpora tempora pectora	*corporīs *temporīs *pectorīs
rum.	*corp* (m.) *timp* (m.) *piept* (m.)	*(corp)* *(timp)* *(piept)*	*(corpuri)* (f.) *(timpuri)* (f.) *(piepturi)* (f.)	*corpuri* *timpuri* *piepturi*
it.	*corpo* (m.) *tempo* (m.) *petto* (m.)	— — —	*(corpi)* *(tempi)* *(petti)*	— — —
sard.	*corpus* (m.) *tempus* (m.) *pettus* (m.)	— — —	*(corpos)* *(tempos)* *(pettos)*	— — —
sobres.	*(tgierp)* (m.) *temps* (m.) *pez* (m.)	— — —	*(corps)* *(temps)* *(pez)*	— — —
fr. a.	*cors* (m.) *tens* (m.) *piz* (m.)	— — —	*(cors)* *(tens)* *(piz)*	— — —
fr. m.	*corps* (m.) *temps* (m.) *pis* (m.)	— — —	*(corps)* *(temps)* *(pis)*	— — —
prov.	*cors* (m.) *temps* (m.) *pietz* (m.)	— — —	*(cors)* *(temps)* *(pietz)*	— — —
cat.	*còs* (m.) *temps* (m.) *(pit)* (m.)	— — —	*(còssos)* *(temps)* *(pits)*	— — —

	SINGULAR		PLURAL	
	nom.-acus.	*gen.-dat.*	*nom.-acus.*	*gen.-dat.*
esp.	(*cuerpo*) (m.) (*tiempo*) (m.) (*pecho*) (m.)	— — —	(*cuerpos*) (*tiempos*) (*pechos*)	— — —
port.	(*côrpo*) (m.) (*tempo*) (m.) (*peito*) (m.)	— — —	(*córpos*) (*tempos*) (*peitos*)	— — —

α) Singular (§§ 640-641)

640. La forma desarrollada fonéticamente a partir del nom.-acus. en -u s aparece en rum., it,. sard., fr., prov. ant. y cat.

Nótese además que en las lenguas que conservan fonéticamente la -s (sard., fr., prov. ant. y cat.) la diferencia con los masculinos de la declinación en -o (§ 599) resulta clara gracias a la -s del tema. En aquellos idiomas que perdieron fonéticamente la -s (§ 542: it. y rum.) la estructura de los neutros no se distingue de los masculinos de la declinación en -o (§ 597). Así se comprende que en rum. pudiera formarse el gen.-dat. según el modelo de la declinación en -o (*corp* < **corp* < **c o r p ō* en vez de c o r p o r i).

641. En esp. y port. se da el paso analógico de todo el tipo a los masculinos de la declinación en -o.—Para p e c t u s, cf. también § 643.

La irrupción de los masculinos de la declinación en -o sobre este tipo aparece en catalán con *pit* (frente a *còs, temps*), y en sobres. con *tgierp* (frente a *temps, pez*) por pérdida de la -s.

β) Plural (§§ 642-645)

642. En rum. el plural -o r a, pasando por la pronunciación *-o r a e asimilada a los pronombres (§ 605), continúa en el rum. ant. *-ure*. El actual *-uri* parece ser la generalización de la forma del primitivo gen.-dat. (conforme al § 595).

El plural -o r a se mantiene también con plena vitalidad en dialectos suditalianos (*córpora, témpora*); incluso en la Edad Media estaba mucho más extendido por Italia (así también en Toscana).

Tanto en rum. como en los aludidos dialectos suditalianos (y, en la Edad Media, en otras partes de Italia), la formación plural en -o r a se extendió a los neutros de la declinación en -*o* (§ 604), así como a nombres masculinos de cosas de esa misma declinación en -*o* (§ 598), y ello por la razón de que el singular de los neutros y masculinos de la declinación en -*o* no se distinguía, en estos espacios lingüísticos, del de los antiguos temas en -*s* (§ 640).—Ejemplos (en sing. y plur.):

1. Neutros de la declinación en -*o*: p r a t u m rum. *prat / práturi*, sudit. *pratu / prátora;* i u g u m rum. *jug / júguri;* t e c t u m sudit. *tittu / tettora.*

2. Masculinos de cosas de la declinación en -*o*: f o c u s rum. *foc / fócuri*, sudit. *fuocu / fócora;* c a m p u s rum. *câmp / câmpuri*, sudit. *campu / cámpora.*

3. En casos aislados, esta formación plural se aplicó también a nombres femeninos de cosas de la declinación en -*a* (§ 595): h e r b a rum. *iarbă / iérburi;* c a s a sudit. *cása / cásora.*

643. En las otras lenguas (exceptuados el rum. y una parte del espacio lingüístico it.) el plural -o r a fue sustituido por formaciones analógicas.

En it. y sard. este plural se incorporó a los masculinos (it. *-i*, sard. *-os*).—Y nótese que el hecho de que en sard. al neutro singular en *-us* se oponga un plural en *-os*, es una prueba de que los masculinos de la declinación en *-o* (§ 597) poseyeron alguna vez en sard. también un nominativo singular en *-us*, que vale tanto como decir que también el sard. participó de la declinación de dos casos (§ 595).

En francés y prov. ant. el singular de los temas neutros en *-s* (c o r p u s *cors*: § 640) no se distinguía del de los masculinos en *-s* (tipos: u r s u s, m e n s i s: §§ 600, 622). Así se comprende que también el plural de los temas neutros en *-s* se asimilase al tipo de estos indeclinables (nom.-acus. plural *cors*).

En cat. t e m p u s permanece (como en fr. ant. y prov. ant.) indeclinable, al paso que p e c t u s es tratado como en esp. (cf. abajo). El sing. *cós* < c o r p u s recibió un plural 'híbrido' (conforme al § 622).

En esp. y port. el singular -u s (§ 641) daba fonéticamente *-os*. Así, el esp. ant. *pechos* (*escudo contra pechos* < s c u-t u m c o n t r a p e c t u s) es realmente el continuador directo del singular lat. p e c t u s, sólo que muy pronto se le consideró plural (a causa de los dos lados del pecho), con lo que pudo rehacerse un singular *pecho*. El desarrollo debió de ser parejo, en esp. y port., en la palabra *lado*. El proceso desembocó en la asimilación completa de los temas neutros en *-s* a la declinación en *-o* (§ 599).—La relación del plural cat. *pits* con el singular *pit* corresponde a la de las formas port. y esp.

El sobres. presenta para t e m p u s y p e c t u s las mismas condiciones que el fr. ant. y prov. ant.—En cambio, se le formó a c o r p u s un oblicuo analógico *c o r p u (> _tgierp_), al paso que el plural analógico _corps_ (< *c o r p o s) responde a las condiciones del prov. ant. y fr. ant. Para metafonía de la vocal tónica por el opuesto influjo de -u s, por una parte, y de -o s, por otra, en sard., sobres. y port., cf. §§ 193, 195, 196.

644. El neutro o p u s pervive en la construcción fraseológica e s t o p u s, esp. ant. _es huebos_, fr. ant. _estuet_ (en vez de *_estués_, con sustitución de la -_s_ por la -_t_ como desinencia personal de tercera persona [§ 878]), y también en fr. ant. _à ues de_ 'a favor de, para'.

El plural p e c o r a de p e c u s subsiste como singular en it. _pecora_ (conforme al § 610). Para *p u l v u s, cf. §§ 624, 625.

645. La palabra o s 'hueso' (tema o s s-) pasó ya en románico común a la declinación en -_o_ (*o s s u m) y como tal la tratan las diversas lenguas: sing. rum. _os_, it. _osso_, esp. _hueso_, plur. rum. _oase_, it. _ossa_, esp. _huesos_. Cf. § 610.

B) OTROS TEMAS (§§ 646-653)

α) Temas en -_en_ (§ 646)

646. Pondremos como paradigmas en los siguientes cuadros sinópticos las palabras lat. n o m e n, l u m e n, l i g a m e n, e x a m e n, g r a m e n y s e m e n. La final -e n (§ 531) pervive en románico en tres variantes, dos de las cuales todavía guardan en sard. relación de vivo intercambio. El sard. conoce la forma plena -_en_ (_nómen_) y la forma paragógica -_ene_ (_nómene_). Otras lenguas románicas presentan la forma abreviada -e (*n o m e).

En sard., la vocal medial -_e_- (§ 272) muestra que se trata de la terminación paragógica -_ene_ y no, por ej., de un oblicuo del masculino (y femenino) -i n e (como en h o m i n e *ómi-ne,* *f a m i n e *fámine:* § 620). El esp. con *nombre, lumbre, enjambre,* no autoriza a decidir entre -e n e e -i n e. El port. presenta regularmente la forma abreviada (*nôme, lume, enxame*), y la correspondencia de esp. *hambre* < *f a m i n e con port. *fome* < f a m e (§ 620) permite suponer la base -i n e para todos los ejemplos en esp.

SINGULAR

	nom.	*gen.-dat.*	*acus.*
lat. v.	nomen lumen	nominī luminī	nomen lumen
rum.	*nume* (m.) *lume* (f.)	(*nume*) (*lumi*)	*nume* *lume*
it.	*nome* (m.) *lume* (m.)	— —	*nome* *lume*
sard.	*nómen,* *nómene* (m.)	— …	— *nómen, nómene*
sobres.	*num* (m.)	—	*num*
fr. a.	(*nons*) (m.)	—	*non*
fr. m	—	—	*nom*
prov.	(*noms*) (m.) —	— —	*nom* *lum, lume*
cat.	*nom* (m.) *llum* (m., f.)	— —	*nom* *llum*
esp.	*nombre* (m.) *lumbre* (f.)	— —	*nombre* *lumbre*
port.	*nôme* (m.) *lume* (m.)	— —	*nôme* *lume*

PLURAL

	nom.	gen.-dat.	acus.
lat. v.	nomina lumina	*nominīs *luminīs	nomina lumina
rum.	*(nume)* (f.) *(lumi)*	*(nume)* *(lumi)*	*(nume)* *(lumi)*
it.	*(nomi)* *(lumi)*	— —	*(nomi)* *(lumi)*
sard.	*(nómenes)*	—	*(nómenes)*
sobres.	*(nums)*	—	*(nums)*
fr. a.	*(non)*	—	*(nons)*
fr. m.	—	—	*(noms)*
prov.	*(nom)*	—	*(noms)*
cat.	*noms* *llums*	— —	*noms* *llums*
esp.	*nombres* *lumbres*	— —	*nombres* *lumbres*
port.	*nômes* *lumes*	— —	*nômes* *lumes*

	SINGULAR	PLURAL
lat. v.	ligamen [35] examen gramen semen	ligamina examina gramina semina
it.	*legame* (m.) *sciame* (m.) *seme* (m.)	
sard.	*ligámen, ligámene* (m.) *rámen, rámene*(m.)'grama' *sémen, sémene* (m.)	
sobres.	*ligiom* (m.) —	*schaumna* (f. sg.)
engad.	*liam* (m.) *som* (m.)	
fr.	*lien* (m.) *essaim* (m.)	
prov.	*liam, liame* (m.) *eissam* (m.) *gram* (m.) 'grama'	
cat.	*lligam* (m.) *eixam* (m.) *agram* (m.) 'grama'	
esp.	*enjambre* (m.) *grama* (f.)	
port.	*enxame* (m.) *grama* (f.)	

[35] En las palabras l i g a m e n , e x a m e n y g r a m e n sólo se consignan las correspondencias de las formas flexivas latinas, renunciando a presentar la declinación de cada lengua en particular.

Respecto al género, sólo el rum. ofrece para n o m e n la continuación del antiguo neutro como 'nombre con dos géneros' (§ 605). En el resto del románico el género fluctúa entre el masculino y el femenino.—El sobres. muestra la pervivencia del antiguo plural e x a m i n a como femenino singular (§ 609).—El masculino *g r a m e, que se mantiene en prov. ant. y cat. adoptó en esp. y port. secundariamente la terminación colectiva femenina -*a* (§ 610).

β) Temas en -*r* y -*re* (§§ 647-649)

647. El neutro c o r pierde su declinación latina clásica, basada en el tema c o r d- (cf. § 653), toma tras la forma del nom.-acus. una vocal paragógica (§ 561) y se hace masculino (it. *cuore*, sard. *coro*, fr. ant. *cuer*, prov. y cat. *cor*). Como tal se declina en fr. ant. y prov. ant. (nom. sing. fr. ant. *cuers*, prov. ant. *cors*).

648. Lat. r u b e r 'encina, roble' se mantiene como neutro en sobres. en cuanto que al masculino sing. *il rúver* 'el roble' corresponde un femenino colectivo sing. *la ruvra* 'los robles' y un plural determinado masculino *dus rúvers* 'dos robles'. Cf. § 609.—En it., *róvere* fluctúa entre el masculino y el femenino; en cambio, prov. y cat. *róure*, fr. *rouvre*, esp. y port. *roble*, son masculinos.

649. Lat. m a r e es masculino en it. y sard. *mare* y port. *mar;* es femenino en rum. *mare*, sobres., prov. ant. y cat. *mar* y en fr. *mer*. En esp. *mar* fluctúa entre el uso masculino y el femenino (más raro y, sobre todo, poético).—El género femenino de m a r e se vió favorecido en románico por la frecuente secuencia fraseológica de t e r r a y m a r e (§ 139), y quizá tenga también fundamento mitológico (§ 601).

γ) Temas en -*l* (§§ 650-651)

650. Los neutros f e l y m e l pierden su declinación clásica latina, basada en los temas f e l l- y m e l l- (cf. § 653), añaden a la forma del nom.-acus. una -*e* paragógica (§ 562) y se hacen masculinos (it. *fiele, miele;* sard. *fele, mele;* sobres., port., prov. ant. *fel, mel;* fr. *fiel, miel*) o femeninos (rum. *fiere, mere;* esp. *hiel, miel* [esp. dialectal *el miel*]; cat. *mel*). Cat. *fel* y prov. ant. *mel* vacilan entre masculino y femenino.

651. Lat. s a l fluctuaba ya en lat. clásico entre el neutro y el masculino. La forma del nominativo se amplía en románico a s a l e por paragoge (§ 562). El género es masculino (it. y sard. *sale,* fr. *sel,* sobres. y port. *sal*) o femenino (rum. *sare,* cat. y esp. *sal* [esp. dialectal *el sal*]). El prov. *sal* vacila entre el masculino y el femenino.

δ) Temas en -*t* (§§ 652-653)

652. Lat. c a p u t pervive en románico en dos variantes: como forma plena c a p u t y como forma abreviada *c a p u.

La forma plena tomó en sard. (§ 550) una -*e* paragógica (§ 562). Cf. también logud. *cábude* [*káβuðe*] 'torta de año nuevo' (relacionado semánticamente con *c a p u t a n n i 'año nuevo').

En rum. perviven tanto la forma plena como la forma abreviada con especialización semántica (cf. § 583). La forma *cápăt* 'extremidad' —que, en definitiva, remonta a c a p u t, aunque fonéticamente está rehecha como *c a p i t u del plural c a p i t a (rum. *cápete* 'extremidades')— se contrapone a la forma *cap* 'cabeza', que procede de *c a p u, y cuyo plural suena igualmente *capete* < c a p i t a (para la final *-e* cf. § 605). Tanto *cápăt* como *cap* conservan con su 'duplicidad de género' el antiguo neutro.

En el resto de las lenguas románicas aparece **capu* masculinizado: it. *capo*, sobres. *tgau*, fr. *chef*, prov. y cat. *cap*, esp. y port. *cabo*. La declinación (fr. ant. nominativo sing. *chiés*, acusativo sing. *chief*) y el plural (it. *capi*, esp. y port. *cabos*) se igualaron al masculino. Hay en dialectos it. el fem. *capa*.

653. El neutro l a c toma, basándose en su declinación en lat. clásico, la forma l a c t e.

Al paso que los neutros c o r p u s (§ 639), n o m e n (§ 646), c o r (§ 647), m e l (§ 650), f e l (§ 650) y c a p u t (§ 652) conservan la forma de su nominativo-acusativo y (exceptuado quizá el esp.: § 646) no muestran en singular huella alguna de los casos declinados (c o r p o r e, n o m i n e, c o r d e, etc.), el distinto tratamiento dado a l a c aparece en que la forma de nom.-acus. l a c resistió a tomar una *-e* paragógica que modificaría la palatal (*l a c e), al paso que *c o r e, *m e l e no acarreaban ninguna modificación de la consonante final del tema. Y así, en l a c se partió del radical l a c t e, que vacila entre el masculino (rum. *lapte*, it. sard. *latte*, sobres. *latg*, fr. *lait*, port. *leite*) y el femenino (cat. *llet*, esp. *leche;* prov. *lait* y *lach* es tanto masculino como femenino).

D) LA DECLINACIÓN LATINA EN -U (§§ 654-663)

654. Mientras que las tres primeras declinaciones en latín (y en románico) se aplican también a adjetivos (§§ 668-677), la declinación en *-u* está ya en latín limitada a sustantivos [36]. Se ve, pues, que no conservaba ya en latín toda su vitalidad, y el desarrollo románico es efecto de ese estado.

1. *Masculinos* (§§ 655-656)

655. Los masculinos de la declinación en -*u* pasan ya en románico común a los neutros de la declinación en -*o* (§ 615), y como éstos, forman el plural en -*a* o en -o r a (§§ 604, 642). Este estado de cosas aparece todavía claramente en rum. (§ 656: *frupt / frupte; port / porturi*), pero desapareció en general (§ 602) en las otras lenguas debido a la creciente masculinización del neutro.

656. Lat. c a n t u s, p o r t u s dan en rum. *cânt, port* (plural *cânturi, porturi*), al paso que en el resto de la Romania se impuso la masculinización según el modelo de la declinación en -*o* (§ 602): it. *canto, porto* (plur. *canti, porti*), sard. *cantu, portu* (plur. *cantos, portos*), esp. *canto, puerto* (plur. *cantos, puertos*), port. *canto, pôrto* (plur. *cantos, pórtos*), fr. *chant, port* (plur. *chants, ports*: declinación del fr. ant. [§ 599]: sing. *chanz / chant;* plur. *chant / chanz*).—Lat. t o n i t r u da fr. *tonnerre,* prov. *toneire,* esp. *tronido;* lat. m e t u s esp. *miedo,* port. *mêdo.*

Lat. a r c u s da en singular rum., cat., fr. y prov. *arc,* it., esp. y port. *arco,* sard. *arcu,* sobres. *artg.* De los plurales del lat. vulgar perviven: 1. el plural *a r c o r a rum. *ărcuri,* it. dialectal *árcora*); 2. el plural *a r c a (rum. *árce;* cf. § 605); 3. *a r c a se convirtió en femenino singular (§ 608) (fr. *arche* 'arcada', sobres. *artga* 'pliego de papel'). El plural pro-

---

[36] El indoeuropeo (tal el indio y el griego) tenía aún adjetivos de la declinación en -*u.*

pio se forma, excepto en rum., como el de los masculinos de la declinación en *-o* (§ 599): it. *archi* (donde el mantenimiento del sonido *k* es quizá una huella del carácter secundario de este plural: cf. § 598), esp. *arcos,* fr. *arcs.*

Lat. f r u c t u s (it. *frutto,* sard. *fruttu,* sobres. *fretg,* fr. *fruit,* prov. *fruit* y *fruch,* cat. *fruyt,* esp. y port. *fruto;* rum. *frupt* 'papilla con leche') ofrece los siguientes plurales: 1. *f r u c t a (rum. *frupte* 'papillas con leche', it. *le frutta* 'fruta'); 2. *f r u c t a, convertido en femenino singular (§ 608) (it. *la frutta* 'fruta', esp. y port. *fruta,* prov. *frucha*).

Lat. l a c u s (rum. *lac,* it. *lago*) presenta el plural neutro *l a c o r a en rum. *lácuri* e it. ant. *lágora,* debiendo notarse que el posterior plural it. *laghi* parece conservar aún un vestigio del antiguo plural *lágora* en el mantenimiento del sonido [-g-] (cf. 598).

2. Femeninos (§§ 657-662)

657. Los femeninos mantienen con mayor firmeza los elementos formales característicos de la declinación en *-u.*

A) NOMBRES DE PERSONA (§ 658)

658. Para las formas del lat. clásico n u r u s, s o c r u s se halla atestiguado ya en lat. vulgar (n u r a, s o c r a) el paso a la declinación en *-a,* que está confirmado por las formas románicas: rum. *noră, soacră;* it. *nuora, suocera;* sard. *nura, sogra;* sobres. *sira;* prov., cat. y port. *nora, sogra;* esp. *nuera, suegra.*—Por lo demás, el rum. ant. conservaba n u r u en la forma *noru.* La forma rum. *noră* con *-ă* es reciente, como prueba también la no diptongación de la *-o-* (§ 197).—La vocal tónica de n u r u s se asimiló en rum., it., prov., cat., esp. y port. a la vocal tónica de s o r o (r), pues ambas palabras

coincidían también en la vocal final (§§ 561, 634). El it. *suò-cera* es una forma de moción no sincopada *s o c e r a.

B) NOMBRES DE COSAS (§§ 659-662)

659. Lat. m a n u s conserva, excepto en rum. (y en dialectos it.), su -u final en todas las lenguas. El rum. y algunos dialectos it. sustituyen la -u por la -a de la declinación en *-a* (§ 596).—En grisón la palabra se hace masculina, sin duda porque rima con p a n e (§ 624) y está en oposición semántica polar con p e d e (cf. § 138).

Hay clara pervivencia del plural m a n ū s en it. ant. *mano,* sudit. *manu* (también romano *le mano*) y rum. antiguo *mânu.*

SINGULAR

	nom.	*gen.-dat.*	*acus.*
lat. v.	manus (f.)	?	manu
rum.	*(mână)* (f.)	*(mâne)*	*(mână)*
it.	*mano* (f.)	—	*mano*
it. a.	*mano* (f.)	—	*mano*
sudit.	*manu* (f.)	—	*manu*
sard.	*(manu)* (f.)	—	*manu*
sobres.	*(maun)* (m.)	—	*maun*
fr. a.	\{ *mains* / *(main)* (f.)	—	*main*
fr. m.	*(main)* (f.)	—	*main*
prov.	*mans* (f.)	—	*man*
cat.	*(mà)* (f.)	—	*mà*
esp.	*(mano)* (f.)	—	*mano*
port.	*(mão)* (f.)	—	*mão*

PLURAL

	nom.	gen.-dat.	acus.
lat. v.	manūs	*manīs	manūs
rum.	(mâne)	(mâne)	(mâne)
it.	(mani)	—	(mani)
it. a.	mano	—	mano
sudit.	manu	—	manu
sard.	(manos)	—	(manos)
sobres.	mauns	—	mauns
fr. a.	mains	—	mains
fr. m.	mains	—	mains
prov.	mans	—	mans
cat.	mans	—	mans
esp.	manos	—	manos
port.	mãos	—	mãos

660. Lat. p o r t i c u s pasó en todas las lenguas al masculino (it. *pòrtico*, fr. *porche*, sobres. *pierti*, etc.).

661. Lat. a c u s presenta las siguientes variantes en su pervivencia: 1. Se conserva como femenino en sudit. *acu* con el antiguo plural *acu*. En algunos dialectos del sur y centro de Italia se enroló como femenino en la declinación en -a (§ 596) con el singular *aca* y el plural *ache*.—2. Pasó al neutro (cf. § 655) en dialectos sudit. (sing. *aco*, plur. *ácora*) y en rum. (sing. *ac*, plural. *ace*).—3. En la mayoría de los dialectos it. y en el it. literario, *ago* es masculino, y el plural *aghi* parece aludir, con la conservación de la [-g-], al antiguo plural neutro en -o r a (§ 598).

662. Latín q u e r c u s se hace masculino en sardo *kerku*, mientras que suditaliano *cerqua* pasa como femenino a la de-

clinación en -*a*. Por lo demás, esta palabra fue reemplazada en italiano por la formación adjetival a r b o r q u e r c e a italiano *quercia*.

Latín f i c u s 'higuera, higo' vacila ya en latín clásico entre la declinación en -*o* y en -*u*, y (como nombre de fruto) entre el género masculino y femenino. Su pervivencia ofrece las siguientes variantes: 1. Como femenino se conserva en sardo *figu* y suditaliano *ficu* (con el plural suditaliano *ficu* < f i c ū s) 'higuera, higo'.—2. Pasó al masculino de la declinación en -*o* en italiano *fico* 'higuera' e 'higo', español *higo*, etcétera.—3. Con mantenimiento del género femenino y paso a la declinación en -*a* (§ 596) aparece en suditaliano *fica* 'higo', así como en acepción obscena italiano *fica*, español *higa*, etcétera.

3. *Neutros* (§ 663)

663. Latín g e n u solamente se conserva [37] en el dialectalismo portugués *geio* (m.) 'ladera en forma de terraza', desfigurada su antigua forma de neutro de la declinación en -*u*.

Latín c o r n u no se distingue de los neutros de la declinación en -*o* ni en singular (pues -u y -u m se confunden: § 530) ni en plural (pues c o r n u a se transforma en *c o r n a: § 489). La formación neutra plural se mantiene todavía viva en rumano *corn* (singular), *coarne* (plural); italiano *corno* (singular), *corna* (plural). El masculino singular c o r n u se contrapone al plural c o r n a, convertido en femenino singular (§ 608), en sobreselvano *tgiern* 'cuerno' / *corna* 'cornamenta'; francés *cor* 'cuerno como instrumento de viento; ojo de

---

[37] En románico fue sustituido g e n u (como parte corporal) por el diminutivo g e n u c u l u (it. *ginocchio*, fr. *genou*, esp. *hinojo*).

gallo, callo' / *corne* 'cuerno como parte del cuerpo, sustancia'; provenzal antiguo *cor / corna;* español *cuerno / cuerna.* Al masculino c o r n u se le dota de un 'plural determinado' (§ 609) *c o r n o s: sobreselvano *corns,* francés *cors,* español *cuernos.*

Latín g e l u continúa como masculino en italiano *gelo,* francés, provenzal y catalán *gel,* español *hielo,* portugués *gêlo.* El género neutro se perpetúa en el nombre de dos géneros rumano *ger* (singular), *gere* (plural: cf. § 605).

E) LA DECLINACIÓN LATINA EN -E (§§ 664-667)

664. La declinación en -*e* se halla en latín circunscrita a los sustantivos. La observación apuntada en § 654 tiene también validez aquí.

1. Femeninos (§§ 665-666)

665. La declinación en -*e* tuvo que sufrir ya en latín clásico la competencia de la declinación en -*a,* mucho más pujante y vigorosa *(materies / materia).* Continuando este proceso las palabras de la declinación en -*e* pasaron casi todas en románico a la declinación en -*a,* y aquellas que no lo hicieron (al dejar perderse las terminaciones casuales características: -*ēi, -ēbus,* etc.) dejaron de distinguirse ya de la declinación consonántica (§ 625), de suerte que la declinación en -*e* vino a extinguirse en románico.

666. La fluctuación de las palabras pertenecientes a la declinación en -*e* entre pasar a la declinación en -*a* o bien confundir su antigua forma con la declinación consonántica (§ 665) halló su expresión, dentro de la geografía lingüística,

en la utilización de ambas posibilidades para una misma palabra:

1. El sufijo -i t i e s (t r i s t i t i e s) es intercambiable ya en latín clásico con el sufijo -i t i a (t r i s t i t i a). En español y portugués subsisten ambas variantes del sufijo: -i t i e español -*ez* (*pequeñez*), portugués -*êz* (*pequenêz*); -i t i a español -*eza* (*pobreza*), portugués -*êza* (*pobrêza*). En dialectos sud-italianos pervive -i t i e s en la forma -*ezzi*. En el resto de la Romania sólo subsiste -i t i a: rumano -*eaţă* (*albeaţă* 'blancura'), italiano -*ezza* (*bellezza* 'belleza'), engadino -*ezza* (*bellezza* 'belleza'), sobreselvano -*ezia* (semicultismo, § 143: *bellezia* 'belleza'), francés -*esse* (*jeunesse* 'juventud'), provenzal -*eza* (*beleza* 'belleza'), catalán -*esa* (*certesa* 'certeza'). Para el desarrollo fonético, cf. §§ 453-454.

2. Latín f a c i e s da suditaliano *facci*, provenzal *fatz*, catalán *fas*, español *haz*, portugués *face*. Proceden de *f a c i a rumano *faţă*, italiano *faccia*, francés *face*.

3. Latín a c i e s se conserva en la variante *a c i a sardo *atta* 'cuchilla'.

4. Solamente subsiste en su forma antigua f i d e s en italiano *fede*, sobreselvano *fei*, francés *foi*, provenzal, catalán, español y portugués *fé*.

5. De r a b i e s y s c a b i e s sólo se mantienen las variantes *r a b i a (italiano *rabbia*, español *rabia*, francés *rage*) y s c a b i a (italiano *scabbia* 'sarna', rumano *sgaibă* 'arañazo, rasguño').

6. Latín g l a c i e s se conserva en la variante *g l a c i a (rumano *ghiaţă*, italiano antiguo e italiano dialectal *ghiacchia*, sobreselvano y engadino *glatscha*, francés *glace*, provenzal *glassa*). Por su significación próxima a la idea colectiva ('nevero, ventisquero') la palabra podía muy bien considerarse como femenino colectivo (cf. § 608), lo que ofrecía la posi-

bilidad de rehacer una base masculina *glaciu 'trozo de hielo', que se relaciona directamente (§ 609) con *glacia (sobreselvano y engadino *glatscha*) en sobreselvano y engadino *glatsch* 'hielo', al paso que en italiano la pareja *ghiacchio / ghiacchia* sólo se mantiene con especialización dialectal (§ 583), al decidirse algunos dialectos por *ghiacchia* y otros (tal el italiano literario) por *ghiacchio*.

7. El francés *épice* < s p e c i e es, sin duda, un semicultismo (§ 143), aunque no es desdeñable la hipótesis que lo hace derivar de *s p e c i a.

8. El monosílabo r e s subsiste en el sardo *rese* (femenino) 'género, especie; zorro (primitivamente como palabratabú de los cazadores)' (cf. §§ 189, 537, 561-562) con el plural *reses*.—Ln francés y provenzal el acusativo r e m pasa a *r en e (§§ 189, 530), dando en francés antiguo *rien* (femenino) 'cosa; maritornes (primitivamente palabra-tabú)', provenzal antiguo *ren* (femenino, con las mismas acepciones). Junto con la negación, la palabra significa 'nada', y esta significación puede aplicarse también (primitivamente en respuestas breves) a la palabra no negada (así en francés moderno, donde puede sustantivarse como masculino).—La declinación de la palabra (conforme al § 625 b α) es: francés antiguo singular *riens / rien*, plural *riens / riens;* provenzal antiguo singular *rens /ren*, plural *rens / rens*.

9. El monosílabo s p e s aparece (como semicultismo) en el italiano antiguo *speme, spene*.

2. *Masculino* (§ 667)

667. Latín d i e s vacilaba ya en latín clásico entre el género masculino y femenino. La palabra aparece representada en dos variantes.

1. La estructura formal del latín clásico: nominativo d i e s / acusativo d i e m es la base de: a) los representantes masculinos: italiano *dì*, sobreselvano, engadino, francés antiguo y provenzal antiguo *di* (declinación en francés antiguo y provenzal antiguo: singular *dis / di*, plural *di /dis* [cf. § 599]); b) las correspondencias femeninas: italiano (dialectal) *díe* y *dì*, rumano *zi;* c) sardo *díe,* cuyo género vacila entre masculino y femenino.

2. La estructura formal *d í a, modificada primeramente para el femenino conforme al § 665, es la base de: a) la correspondencia femenina italiana (dialectal) *día;* b) la correspondencia en provenzal antiguo *día,* que fluctúa entre masculino y femenino, fluctuación basada en la primitiva vacilación de la base d i e s; c) la correspondencia de catalán, español y portugués *día,* cuyo género masculino es un resultado de la antigua fluctuación del género de la base d i e s.

Capítulo II

ADJETIVO (§§ 668-687)

A) DECLINACIÓN Y MOCIÓN (§§ 668-677)[1]

1. La declinación latina en -o *y* -a (§§ 668-673)

668. La clase de los adjetivos latinos de la declinación en -o y -a (*bonus, bona, bonum*) se mantiene en románico.

Respecto al número de los casos, conservan su valor las condiciones correspondientes a los sustantivos (§§ 585, 591, 594, 597, 598). Así, pues, permanecen primitivamente el nominativo y el acusativo para terminar la mayoría de las lenguas quedándose sólo con el oblicuo (acusativo) (§ 585), y el rumano además con el genitivo-dativo (§ 588). Para las condiciones especiales del adjetivo predicativo en grisón, cf. § 670.

Por lo que respecta a los géneros, la suerte del neutro en los adjetivos corresponde a la que corre en los sustantivos (§§ 602-615).

1. Si se refiere a antiguos neutros masculinizados (§§ 602, 603, 614, 639-653, 663), el adjetivo aparece en la for-

---

[1] La formación de los géneros de un radical en el adjetivo (*bonus, -a, -um*) y sustantivo (*victor, victrix*) se llama «moción».

ma masculina: c a s t e l l u m   e s t   b e l l u m > italiano *il castello è bello*, francés antiguo *li chasteaus est beaus;* c a s- t e l l a   s u n t   b e l l a > italiano *i castelli sono belli*, francés antiguo *li chastel sont bel.*

2. Si el adjetivo se refiere en rumano e italiano a plurales neutros conservados como femeninos (§§ 605, 606, 639-653, 663), entonces adopta la forma pronominal correspondiente al artículo, que coincide con el femenino plural (§§ 605-606) (esto es, -ae): i l l a   o v a   s u n t   b o n a > *illa e (c) o v a   (o v a e)   s u n t   b o n a e > rumano *ouăle sînt bune*, italiano *le uova sono buone.*

3. Si el adjetivo se refiere a un colectivo femeninizado (§§ 608-611), entonces aparece en el correspondiente femenino singular: sobreselvano *la péra ei buna* 'las peras son buenas'.

4. En aquellas lenguas que en virtud de la declinación bicasual pueden establecer una distinción entre el masculino singular y el neutro singular (§ 603), el neutro se conserva en expresiones impersonales y referido a pronombres neutros (§ 721): francés antiguo *bel m' est* 'me agrada' ('es bello para mí'), provenzal antiguo *bel m' es* (mientras que el nominativo singular en el masculino termina en -s: francés antiguo *beaus*, provenzal antiguo *bels*), sobreselvano *igl ei bi* 'es hermoso (ello)' (frente a *il marcau ei bials*: § 670). Cf. también §§ 675 (provenzal antiguo *greu m' es*), 680.

5. El adjetivo neutro sustantivado se distingue del masculino en español por el artículo *lo: lo bueno, lo hermoso* (pero *el bueno*). Cf. §§ 704, 745.

PARADIGMA «BONUS»

MASCULINO

SINGULAR

	nom.	gen.-dat.	acus.
lat. v.	bonus	bonō	bonu
rum.	(bun)	bun	bun
it.	buono	—	buono
sard.	(bọnu)	—	bọnu
sobres.	buns (pred.)	—	bien (atr.)
	(bien) (atr.)	—	—
fr. a.	bons	—	bon
fr. m.	(bon)	—	bon
prov.	bons	—	bon̦
cat.	(bo)	—	bo
esp.	(bueno)	—	bueno
port.	(bom)	—	bom

PLURAL

	nom.	gen.-dat.	acus.
lat. v.	bonī	bonīs	bonōs
rum.	buni	buni	(buni)
it.	buoni	—	(buoni)
sard.	(bọnos)	—	bọnos
sobres.	(buns)	—	buns
fr. a.	bon	—	bons
fr. m.	(bons)	—	bons
prov.	bon̦	—	bons
cat.	(bons)	—	bons
esp.	(buenos)	—	buenos
port.	(bons)	—	bons

FEMENINO

SINGULAR

	nom.	*gen.-dat.*	*acus.*
lat. v.	bona	bonae	bona
rum.	*bună*	*bune*	*bună*
it.	*buona*	—	*buona*
sard.	*bọna*	—	*bọna*
sobres.	*buna*	—	*buna*
fr. a.	*bone*	—	*bone*
fr. m.	*bonne*	—	*bonne*
prov.	*bona*	—	*bona*
cat.	*bona*	—	*bona*
esp.	*buena*	—	*buena*
port.	*boa*	—	*boa*

PLURAL

	nom.	*gen.-dat.*	*acus.*
lat. v.	bonas	bonis	bonas
rum.	*bune*	*(bune)*	*bune*
it.	*buone*	—	*buone*
sard.	*bọnas*	—	*bọnas*
sobres.	*bunas*	—	*bunas*
fr. a.	*bones*	—	*bones*
fr. m.	*bonnes*	—	*bonnes*
prov.	*bonas*	—	*bonas*
cat.	*bones*	—	*bones*
esp.	*buenas*	—	*buenas*
port.	*boas*	—	*boas*

669. En francés antiguo y provenzal antiguo los adjetivos latinos en -e r carecían primitivamente de -s en el nominativo masculino singular —igual que los correspondientes sustantivos (§ 600)—: p a u p e r (§ 676) francés antiguo *povre*, provenzal antiguo *paubre*. Más tarde se les añade una -s analógica (igual que a los sustantivos: § 600): francés antiguo *povres*, provenzal antiguo *paubres*.

670. Merece mención especial la condición del adjetivo en sobreselvano, que en el nominativo singular del masculino distingue una forma predicativa y otra atributiva. La forma predicativa es la continuación genuina del nominativo singular latino b o n u s > *buns*. Así, pues, se dice: *il bab ei buns* 'el padre es bueno', *il marcau ei bials* (< b e l l u s) 'la ciudad (el mercado) es hermosa', *il clavau ei aults* 'el granero es alto' (< a l t u s).—Como quiera que el nombre en función de predicado está vinculado al nominativo, en ese empleo sintáctico del adjetivo podía precisamente el nominativo latino singular mantenerse con la desinencia característica -s.—El adjetivo en posición atributiva no se halla sintácticamente ligado al nominativo. Así se comprende que en este empleo (igual que pasa con el sustantivo [§ 597]) fuese la forma del oblicuo la que prevaleció (b o n u > *bien*): *in bien bab* 'un buen padre', *in bi marcau* 'una hermosa ciudad', *il clavau ault* 'el alto granero'.

El hecho de que sea precisamente la antigua forma del oblicuo la que presenta la diptongación armonizadora ĕ > *ie*, ŏ > *uo* (b ĕ l l u *bi*, b ŏ n u *bien*, g r ŏ s s u *gries*, m ŏ r t u u *miert:* § 196) y que, en cambio y de manera sorprendente (contra § 274), esta armonización falte en la forma predicativa (b e l l u s *bials* [2], b o n u s *buns*, g r o s s u s *gross*), de suerte que ésta viene a coincidir con el oblicuo del plural (b e l l ō s *bials*, b o n ō s *buns*, g r o s s ō s *gross*), puede tener su explicación en que regionalmente la vocal de la última sílaba desaparecía antes cuando iba seguida de consonante que cuando estaba en final absoluta, y por tanto, b o n u s > *b u o n u s* (§ 274) pasó a **buons* antes que **b u o n u* a **buon*, y así, por la ausencia de la *-u*, que es la que condicionaba la armonización, **buons* se rehizo en **bons*, al paso que *buonu* conservó su diptongación gracias a la presencia de la *-u*, y no se abrevió en **buon* (>*bien*) hasta más tarde, cuando la condición diptongadora no funcionaba ya ni podía, por tanto, rehacerse ya la forma [3].

En plural el adjetivo no tiene en sobreselvano forma predicativa especial (*nos tats ein buns* 'nuestros abuelos son buenos', igual que *nos buns tats* 'nuestros buenos abuelos'): así, pues, también aquí (como en el sustantivo: § 598) se generalizó la antigua forma del oblicuo -ō s.

El participio de perfecto se comporta en el masculino singular como los adjetivos, mientras que el antiguo nominativo singular *-áus* (< -ā t u s : § 379) está limitado a la función de predicado después del verbo auxiliar *esser* 'ser' (*il vitg ei ornáus* 'la aldea está adornada'), mientras que el antiguo acusativo singular *-áu* (< -ā t u) aparece como forma invariable del participio tras el verbo auxiliar *haver* 'haber' (*nus havein*

---

[2] Cfr. § 179.

[3] La región de Tujetsch, por ej., conserva aún la forma predicativa diptongada (*fiers* < f o r t i u s), cuando ésta coincide con la forma atributiva también en el consonantismo (*fiers* < f o r t i u), mientras que el principal territorio lingüístico del sobres. hace coincidir la forma predicativa, por analogía con el esquema *buns / bien*, con la forma plural (*forz*): § 682.

ornau las casas 'hemos adornado las casas') y como forma
atributiva masculina (*il vitg ornau* 'la adornada aldea') sin
tener en cuenta el empleo sintáctico que desempeña. En cambio, en plural ha prevalecido (en razón del más frecuente uso
predicativo) el nominativo plural *-ai* (< -ā t i) como forma
masculina plural general, y ésta se utiliza tanto como predicativa (*ils vitgs ein ornai* 'las aldeas están adornadas') como
también en función atributiva (*ils vitgs ornai* 'las adornadas
aldeas'): cf. §§ 831-833.

PARADIGMAS DEL PARTICIPIO EN «-*Ā T U S*»

MASCULINO

	SINGULAR		PLURAL	
	nom.	*acus.*	*nom.*	*acus.*
lat. v.	ornātus	ornātu	ornātī	ornātōs
sobres.	*ornáus* (pred.) (*ornáu*) (atr.)	*ornáu* (atr.)	*ornái*	(*ornái*)

FEMENINO

	SINGULAR		PLURAL	
	nom.	*acus.*	*nom.*	*acus.*
lat. v.	ornāta	ornāta	ornātās	ornātās
sobres.	*ornáda*	*ornáda*	*ornádas*	*ornádas*

671. En otras lenguas la acentuación más débil (o la
unión más estrecha del adjetivo con el siguiente sustantivo)
de los adjetivos atributivos antepuestos los ha diferenciado [4]
a veces fonéticamente de las formas plenas (que se emplean
tras el sustantivo o en función predicativa): italiano *un bel
giardino* 'un hermoso jardín' frente a *il giardino è bello* 'el
jardín es hermoso'. Tales formas dobles son italiano *buon(o),
san(to);* español *buen(o), gran(de), san(to), primer(o).*

672. La estructura del radical queda diferenciada respecto al vocalismo y consonantismo por el desarrollo fonético (según las condiciones de cada lengua particular).

La armonización vocálica, condicionada por el sonido final (§§ 193-199), provoca la diferenciación vocálica.

Diferenciación consonántica, basada en el distinto desarrollo de los sonidos linguo-dorsales (§§ 314-321; 326-328;
407), aparece en francés (masculino / femenino) b l a n c u /
b l a n c a *blanc / blanche,* s i c c u / s i c c a *sec / sèche,* f r i s-
c u / f r i s c a *frais / fraîche.* Esta misma diferenciación apa-
recía en francés antiguo en l u s c u / l u s c a *lois / losche,*
l a r g u / l a r g a *larc / large,* que el francés moderno ha nivelado en favor de las formas femeninas más plenas *(louche,
large).* De l o n g u / l o n g a resulta en francés antiguo *lonc /
longe,* mientras el femenino del francés moderno *longue*
está rehecho sobre el masculino *lonc (long).* La antigua forma *longe* pervive como sustantivo femenino con la significación de 'cuerda' (cf. § 583, final).

673. En rumano y en algunos dialectos italianos, algunos
adjetivos pasan a la tercera declinación (§§ 674-677): l i m p i-

---

[4] La diferenciación en sobres. *bien / buns* (§ 670) no es un fenómeno fonético y sí morfológico.

d u rumano *límpede* (frente a español *limpio*, portugués *limpo*), l e n t u toscano *lente* (frente a *lento* de los restantes dialectos).

2. La tercera declinación latina (§§ 674-677)

674. Respecto a los géneros y casos, valen las observaciones generales de § 668.

675. La gramática del latín clásico distingue temas en -*i* (ablativo singular -*i*, nominativo plural neutro -*ia*, genitivo plural -*ium*) y temas consonánticos (con las desinencias -*e*, -*a*, -*um* en los casos respectivos). La desaparición de los correspondientes casos y formas en románico hace que esa distinción carezca de interés para estos idiomas.

Respecto a la d i f e r e n c i a c i ó n d e f o r m a s s e g ú n e l g é n e r o , el latín clásico conoce adjetivos de tres terminaciones (*acer* masculino, *acris* femenino, *acre* neutro), de dos terminaciones (*gravis* masculino y femenino, *grave* neutro) y de una sola terminación (*atrox* masculino, femenino y neutro).

Nótese que tres terminaciones las tenían solamente los adjetivos parisílabos (*acer*, gen. *acris*) e imparisílabos en -*er* (*celer*, gen. *celeris*), que en latín vulgar pasaron por analogía al grupo de los adjetivos parisílabos de dos terminaciones (tipo: *fortis*), pues el nominativo singular del masculino se formó en -*ris* (*acris*) conforme al § 620.—Los adjetivos de dos terminaciones son en parte parisílabos (*fortis*, gen. singular *fortis*) y en parte imparisílabos (*mélior*, gen. singular *melióris*: § 680). Los adjetivos parisílabos de dos terminaciones (tipo: *fortis* masculino y femenino, *forte* neutro)

forman en románico el grupo principal de los adjetivos de
la tercera declinación (paradigmas en el § 677).—Los adjetivos de una sola terminación son imparisílabos, y en parte
tienen acento fijo (*vétus*, gen. singular *véteris*), en parte acento móvil (*récens*, gen. singular *recéntis*). Los adjetivos de
una sola terminación o bien pasan por analogía (como § 620)
al tipo *fortis* (p r á e s e n s > *p r a e s é n t i s* > francés antiguo *presenz;* v e t e r e sobreselvano *veder* con femenino analógico *vedra* [§ 676]; r e c e n t e engadino *rischáint nóuv*
'nuevecito, flamante' [< r e c é n t e n ó v u], francés antiguo
roisent 'fresco'), o bien toman su antiguo nominativo singular como nueva base (v é t u s francés antiguo *viéz* [indecli-
nable conforme al § 622], italiano *viéto* [como adjetivo de la
declinación en -*o* y -*a*: § 668]; r é c e n s rumano *réce* 'frío',
sobreselvano *reschniev* 'flamante' [< r é c e n s n ó v u]).

En las lenguas con declinación bicasual (§ 585) el neutro
(reconocible por la ausencia de la -*s*) se mantiene (conforme
al § 668, 4) como predicativo en expresiones impersonales:
provenzal antiguo *greu m' es* 'siento' (< *g r a v e [§ 139]
m i h i e s t).—Para el neutro del comparativo, cf. §§ 680, 704.

676. A los adjetivos de la tercera declinación latina les
falta (ya que los adjetivos de tres terminaciones también se
convierten en adjetivos de dos terminaciones: § 675) una formación característica femenina. Por ello, se puede comprobar ya en latín vulgar la tendencia a remediar esta situación
mediante la formación de un nuevo femenino en -*a*, y éste, a
su vez, podía ser el punto de partida para rehacer un masculino en -*us*, de suerte que el objetivo (no siempre logrado)
de esta tendencia desemboca en la transferencia de los adjetivos de tres terminaciones en general a los adjetivos de la

declinación en *-o* y *-a* (§ 668): latín vulgar *tristus, acrus* (< *tristis, acer*).

Tales formas secundarias latinovulgares continúan regionalmente dentro del románico: a c r u rumano *acru*, italiano *agro*, sardo *agru*[5]; t r i s t u rumano *trist*, italiano *tristo*, sardo *tristu* (junto a [quizá cultismo], italiano, español y portugués *triste*, según la tercera declinación latina).—Latín p a u p e r subsiste como adjetivo de la tercera declinación en provenzal *páubre*, español y portugués *pobre*, al paso que sardo *pábaru* e italiano *pòvero* suponen una base del tipo p a u p e r / p a u p e r a. Esta alternativa no puede decidirse por el francés (francés antiguo *povre*). En retorromano (sobreselvano *pover*, femenino *povra*) todos los adjetivos de la tercera declinación pasan a la declinación en *-o* y *-a* (cf. abajo), de suerte que tampoco aquí se puede reconocer la base primitiva.—Cf. además § 669.

La tendencia de que tratamos siguió activa dentro ya de la época siguiente al románico común; así en dialectos italianos (*mollo, verdo* en vez de *molle, verde*). Esa tendencia halló un terreno singularmente abonado en aquellos idiomas que aplican idéntico tratamiento a *-o* y *-e* finales, de suerte que desaparecía en el masculino entre los adjetivos de la declinación en *-o* y los de la tercera declinación. Esos idiomas son el francés, catalán, provenzal y retorromano, pues en ellos las vocales finales *-o* y *-e* desaparecen por igual (e incluso antes de esta desaparición habían perdido ya su diferencia cualitativa: § 272). En estas lenguas se puede seguir con toda claridad y paso a paso la tendencia a formar femeninos en *-a* (francés *-e*), tendencia muy acusada ya en la

---

[5] Esp. *agrio* y port. *agro* proceden del comparativo (§ 682).

época preliteraria y que va extinguiéndose a lo largo de la Edad Media hasta el siglo XVI (cf. los paradigmas en el § 677).

Para d u l c i s se impuso en el femenino la forma analógica **dolca*, ya en época preliteraria, en todo el espacio lingüístico mentado (francés, provenzal, catalán y retorromano), lo que permite retrotraer la datación de la forma analógica hasta fecha muy antigua (en el sentido del § 317).

En francés, en los casos de v i r d i s , g r a n d i s y f o r- t i s , el proceso de la creación analógica de nuevas formas femeninas se desarrolla en el período del francés antiguo y acaba en el siglo XVI con la victoria definitiva de las formas femeninas analógicas *verte, grande, forte*. Por lo demás, la antigua forma femenina *grant* pervive aún en algunos compuestos estables como *grand-chambre, grand-chose, grand-croix, grand-garde, grand-mère*, etc., así como en la formación adverbial (§ 701) del tipo *savamment*.

Obsérvese además que en el espacio lingüístico precitado (francés, provenzal, catalán y retorromano) el tratamiento de la consonante final del tema no es el mismo para cada una de las palabras en particular. Cuando la primitiva consonante mantiene su sonoridad en la formación analógica (francés *grande*, sobreselvano *gronda*, sobreselvano y catalán *verda*), entonces la formación puede remontarse a una época relativamente antigua[6]; es decir, a una época en que las vocales -e y -o finales sonaban todavía (§ 272) aproximadamente como [ə], o en todo caso la consonante final del radical conservaba aún su antigua sonoridad (§ 564). El sonido final sordo en

---

[6] Así, el fr. *grande* aparece ya en la antigua *Canción de S. Alejo* (122 *e*), por tanto, en el siglo XI. Sin embargo, el femenino *grant* fue también de frecuente uso durante largo tiempo en la época del francés antiguo. La gran antigüedad de las formaciones analógicas no excluye, pues, una prolongada supervivencia de las primitivas formas del femenino.

francés *verte* sería entonces inversamente una señal de que la formación analógica femenina es de fecha reciente. Sea como fuere, hay que contar en ambos casos con el influjo analógico de voces emparentadas por su raíz (francés *grandir* para el sonido radical sonoro de francés *grande*) o por su estructura (*fort / forte* para *vert /verte*, pese a *reverdir*). La estratificación lingüístico-geográfica de los espacios que mantienen la plena sonoridad de los sonidos radicales finales (sobreselvano y catalán *verda*, sobreselvano *gronda*) apunta a una posterior desonorización regional de las consonantes finales del radical (en el masculino), fenómeno en que encaja geográficamente la conservación de la -e final (§ 272) en italiano y español.

En las lenguas que conservaron la flexión de dos casos (§ 585) los adjetivos se declinan igual que los sustantivos (§ 625): cf. los paradigmas en el § 677. Como en los sustantivos (§ 622) en francés antiguo y provenzal antiguo, el masculino plural del masculino se forma sin -*s (fort)*. En el nominativo singular del femenino se encuentra, igual que en el sustantivo (§ 622), en francés antiguo, una forma analógica dialectal sin -*s (fort)* al lado de la forma tradicional en -*s (forz)*.—En sobreselvano hay, igual que en la declinación en -*o* y -*a* (§ 670), en el masculino singular la forma predicativa, procedente del nominativo singular *(verds < v i r d i s)* al lado de la forma atributiva, que viene del oblicuo *(verd < v i r d e)*.

677. Paradigmas *(viridis, dulcis, grandis, fortis* [7]).

---

[7] En las lenguas con flexión bicasual (§ 585) y en el sobres. no se consignan las formas predicativas del neutro singular (§§ 668, 4; 675).

A) VIRIDIS, DULCIS

MASCULINO

SINGULAR

	nom.	*gen.-dat.*	*acus.*
lat. v.	virdis dulcis	virdī dulcī	virde dulce
rum.	*(verde)* *(dulce)*	*(verde)* *(dulce)*	*verde* *dulce*
it.	*(verde)* *(dolce)*	— —	*verde* *dolce*
sard.	*(birde)* *(dulke)*	— —	*birde* *dulke*
sobres.	*verds* (pred.) *(verd)* (atr.) *dultschs* (pr.) *(dultsch)* (atr.)	— —	*verd* (atr.) *dultsch* (atr.)
fr. a.	*verz* *douz*	— —	*vert* *douz*
fr. m.	*(vert)* *doux*	— —	*vert* *doux*
prov.	*vertz* *dous*	— —	*vert* *dous*
cat.	*(verd)* *dolç*	— —	*verd* *dolç*
esp.	*(verde)* *(dulce)*	— —	*verde* *dulce*
port.	*(vêrde)* *(dôce)*	— —	*vêrde* *dôce*

PLURAL

	nom.	gen.-dat.	acus.
lat. v.	virdēs (*-ī) dulcēs (*-ī)	*virdīs *dulcīs	virdēs dulcēs
rum.	verzi dulci	verzi dulci	verzi dulci
it.	verdi dolci	— —	verdi dolci
sard.	birdes dulkes	— —	birdes dulkes
sobres.	verds dultschs	— —	verds dultschs
fr. a.	vert douz	— —	verz douz
fr. m.	(verts) doux	— —	verts doux
prov.	vert dous	— —	vertz dous
cat.	verds (dolços)	— —	verds (dolços)
esp.	verdes dulces	— —	verdes dulces
port.	vêrdes dôces	— —	vêrdes dôces

FEMENINO

SINGULAR

	nom.	*gen.-dat.*	*acus.*
lat. v.	virdis dulcis	virdī dulcī	virde dulce
rum.	*(verde)* *(dulce)*	*verzi* *dulci*	*verde* *dulce*
it.	*(verde)* *(dolce)*	— —	*verde* *dolce*
sard.	*(birde)* *(dulke)*	— —	*birde* *dulke*
sobres.	*(verda)* *(dultscha)*	— —	*(verda)* *(dultscha)*
fr. a.	*verz (vert)* *(verte)* *(douce)*	— — —	*vert* *(verte)* *(douce)*
fr. m.	*(verte)* *(douce)*	— —	*(verte)* *(douce)*
prov.	*vertz* *(doussa)*	— —	*vert* *(doussa)*
cat.	*(verda)* *(dolça)*	— —	*(verda)* *(dolça)*
esp.	*(verde)* *(dulce)*	— —	*verde* *dulce*
port.	*(vêrde)* *(dôce)*	— —	*vêrde* *dôce*

PLURAL

	nom.	gen.-dat.
lat. v.	virdēs dulcēs	*virdīs *dulcīs
rum.	*verzi* *dulci*	*verzi* *dulci*
it.	*verdi* *dolci*	— —
sard.	*birdes* *dulkes*	— —
sobres.	*(verdas)* *(dultschas)*	— —
fr. a.	*verz* *(vertes)* *(douces)*	— — —
fr. m.	*(vertes)* *(douces)*	— —
prov.	*vertz* *(doussas)*	— —
cat.	*(verdes)* *(dolçes)*	— —
esp.	*verdes* *dulces*	— —
port.	*vêrdes* *dôces*	— —

B) FORTIS, GRANDIS

MASCULINO

	SINGULAR		PLURAL	
	nom.	*acus.*	*nom.*	*acus.*
lat. v.	fortis grandis	forte grande	fortēs (*-ī) grandēs (*-ī)	fortēs grandēs
it.	*(forte)* *(grande)*	*forte* *grande*	*forti* *grandi*	*forti* *grandi*
sard.	*(forte)* *grande*	*forte* *grande*	*fortes* *grandes*	*fortes* *grandes*
sobres.	*forz* (§ 682) *gronds* (pr.) *(grond)*(atr.)	*grond* (atr.)	*forz* (§ 682) *gronds*	*gronds*
fr. a.	*forz* *granz*	*fort* *grant*	*fort* *grant*	*forz* *granz*
fr. m.	*(fort)* *(grand)*	*fort* *grand*	*(forts)* *(grands)*	*forts* *grands*
prov.	*fortz* *grans*	*fort* *gran*	*fort* *gran*	*fortz* *grans*
cat.	*(fort)* *(gran)*	*fort* *gran*	*forts* *grans*	*forts* *grans*
esp.	*(fuerte)* *(grande)*	*fuerte* *grande*	*fuertes* *grandes*	*fuertes* *grandes*
port.	*(forte)* *(grande)*	*forte* *grande*	*fortes* *grandes*	*fortes* *grandes*

FEMENINO

	SINGULAR		PLURAL
	nom.	*acus.*	*nom.-acus.*
lat. v.	fortis grandis	forte grande	fortes grandes
it.	*(forte)* *(grande)*	*forte* *grande*	*forti* *grandi*
sard.	*(forte)* *(grande)*	*forte* *grande*	*fortes* *grandes*
sobres.	*(forza)*(§682) *(gronda)*	*(forza)* *(gronda)*	*(forzas)* *(grondas)*
fr. a.	*forz (fort)* *(forte)* *granz(grant)* *(grande)*	*fort* *(forte)* *grant* *(grande)*	*forz* *(fortes)* *granz* *(grande)*
fr. m.	*(forte)* *(grande)*	*(forte)* *(grande)*	*(fortes)* *(grandes)*
prov.	*fortz* *grans*	*fort* *gran*	*fortz* *grans*
cat.	*(forta)* *(gran)*	*(forta)* *gran*	*(fortes)* *grans*
esp.	*(fuerte)* *(grande)*	*fuerte* *grande*	*fuertes* *grandes*
port.	*(forte)* *(grande)*	*forte* *grande*	*fortes* *grandes*

B) GRADOS DEL ADJETIVO (§§ 678-687)

678. Se distinguen los siguientes grados del adjetivo: 1. p o s i t i v o, que representa la cualidad básica no intensifica-da ('alto'); 2. c o m p a r a t i v o, que expresa una intensifi-

cación comparativamente mayor de la cualidad fundamental ('más alto'); 3. s u p e r l a t i vo, que implica que el posee-dor de la cualidad la tiene en un grado supremo imposible de superar por cualquier otro portador de esa cualidad ('el más alto'); 4. e l a t i v o, que entraña un grado sorprenden-temente intenso de la cualidad ('muy alto').

El superlativo que acabamos de definir (número 3) se llama también 'superlativo relativo', pues expresa el grado más alto con relación a otros portadores de la cualidad.—El elativo definido arriba (número 4) se llama también 'super-lativo absoluto' porque no expresa ninguna relación a otros portadores de la cualidad, sino que se limita a intensificar la cualidad como tal.

El comparativo definido más arriba (número 2) es un comparativo relativo, pues se establece una comparación en-tre varios portadores de la cualidad respecto a la misma cualidad, y la comparación es ya de por sí una relación.— Pero la forma del comparativo se emplea secundariamente en latín clásico también para expresar un grado de la cuali-dad que en todo caso queda por debajo del elativo. Esta sobredicha oposición al elativo hace que este empleo del comparativo cobre una s i g n i f i c a c i ó n d e d i s c r e t a r e s e r v a, que puede expresarse aproximadamente en espa-ñol con 'bastante': *saepius* 'con bastante frecuencia, con re-lativa frecuencia', *obscurior* 'posiblemente más oscuro de lo que el lector espera'. Esta significación de cautelosa reserva del comparativo puede desembocar incluso en el hecho de que el comparativo así empleado llegue por fin a expresar un grado más débil de la cualidad que el del mismo compa-rativo. De esta manera *saepius* puede representar un grado intermedio entre *raro* y *saepe*. Para el románico cf. § 683.

1. Comparativo (§§ 679-689)

679. En latín había dos maneras de formar el comparativo: 1. el comparativo sintético (§ 584) en *-ior* (*altior, gravior*) usual en la mayoría de los adjetivos; 2. el comparativo analítico (§ 584) mediante la perífrasis con el adverbio *magis* (*magis noxius, magis idoneus, magis arduus*) usado en algunos tipos de adjetivos (que tenían una vocal ante la desinencia casual, esto es, los adjetivos en *-ius, -eus, -uus*).

Está plenamente en la línea del desarrollo morfológico románico (§ 584) el hecho de que la formación analítica prevalezca indiscutiblemente en románico, máxime si se tiene en cuenta que ya en latín clásico la formación del comparativo con *magis* se extendía a adjetivos que no tenían vocal ante la desinencia casual (Verg. *Aen.* 5, 725: *nate, mihi vitā... care magis*). La perífrasis del comparativo con ayuda de m a g i s aparece como forma normal de comparativo en rumano, catalán, español y portugués, al paso que en francés, retorromano, italiano y sardo el adverbio m a g i s fue sustituido por el adverbio p l u s (cuyo empleo como adverbio comparativo está atestiguado: Vulg. Sirach 23, 28 *oculi Domini plus lucidiores sunt super solem*). El provenzal vacila (en los diversos dialectos) entre m a g i s y el más frecuente p l u s.—Cuadro sinóptico:

LAT. CLAS. *A L T I O R* 'MÁS ALTO'

lat. v.	magis altus	plus altus
rum.	*mai înalt*	—
port.	*mais alto*	—
esp.	*más alto*	—
cat.	*més alt*	—

prov.	*mais alt*	*plus alt*
fr.	—	*plus haut*
sobres.	—	*pli ault*
it.	—	*più alto*
sard.	—	*plus altu*

La división de la Romania que se dibuja aquí (y que nada tiene que ver con la división en Romania oriental y occidental [§ 35]) aparece también en la palabra 'hermoso': en rumano, portugués, español y catalán se utiliza f o r m o s u s; en provenzal, francés, sobreselvano, italiano y sardo se emplea, en cambio, b e l l u s. Y es de advertir que m a g i s y f o r m o s u s representan una latinidad más refinada, y p l u s y b e l l u s una latinidad más vulgar. El sardo representa (§ 159) la latinidad africana, en la que (cf. Tertuliano) la comparación se hace con p l u s.

El sustantivo comparado se construye en latín clásico con ayuda de *quam* (tipo: *Gaius fortior est quam Sempronius*) o en el *ablativus comparationis* (tipo: *Gaius fortior est Sempronio*). En románico perviven:

1. La construcción con ayuda de q u a m en rumano *ca* (coloquial, especialmente en Valaquia).—Hay ingerencia fonética de q u o d en sobreselvano *che*, francés, catalán, español y portugués *que*, empleadas con la misma función. Engadino *cu* (q u o m o d o) muestra la partícula de la comparación de igualdad (como la partícula alemana *wie* en el lenguaje coloquial).

2. El *ablativus comparationis* en representación analítica (§ 584) mediante la preposición d e, y ello con distinta intensidad de uso:

a) Como forma normal de construir la palabra comparada:

α) d e a secas (italiano *di*) en italiano (*Pietro è più forte di Paulo* 'P. es más fuerte que P.');

β) en construcciones pronominales en rumano (*decît* < d e q u a n t u o d e q u o t u), portugués (*do que* < d e i l l u q u o d; portugués *João é mais estudioso do que António* 'J. es más aplicado que A.', facultativamente al lado de *mais estudioso que*).

b) Limitado a determinadas expresiones:

α) para indicar el número comparado detrás del adverbio 'más (menos)' en rumano (*mai mult de doi ani* 'más de dos años'), francés (*plus de cent francs*), catalán (*més de mil anys* 'más de mil años'), español (*más de cien pesetas*);

β) en español, en comparaciones expresadas por neutros u oraciones del tipo: *más de lo necesario, es más rico de lo que dice* (también en portugués *é mais rico do que diz*);

γ) ante pronombres personales en francés antiguo (*Chans. de Rol.*, 1857: *meillors vassals dę vos unkes ne vi* 'mejores vasallos que vosotros nunca he visto') y provenzal antiguo (*mielhs de negun home* 'mejor que nadie').

680. En rumano todos los comparativos sintéticos (§ 679) fueron sustituidos por la perífrasis con m a g i s; y así, el latín clásico m e l i o r fue reemplazado por m a g i s b o n u.

En cambio, en los otros idiomas quedaron como comparativos algunos de los comparativos sintéticos del latín clásico. Pero es de notar que se trata justamente de aquellos comparativos que ya en latín clásico estaban formados, no de manera orgánica sobre el positivo, sino con ayuda de otros radicales [8], y que precisamente por su 'originalidad'

---

[8] El completar la morfología de una palabra con ayuda de otras raíces se llama 'supletismo', 'formación supletoria' (§ 583).

(como palabras etimológicamente independientes) estaban grabados en la conciencia lingüística con especial firmeza.

En el cuadro sinóptico de más abajo se consigna solamente el singular. La formación del plural y (en las lenguas con flexión bicasual: § 585) la declinación se realizan para el masculino y femenino como en los adjetivos de la tercera declinación (§ 677). En sardo, los comparativos [*madzore, minore*] se utilizan (sin duda pasando por el camino del comparativo atenuante del latín clásico: § 678) también como positivos ([*su ɤane madzore*] *'il cane grosso'*).—El n e u- t r o subsiste sólo en singular, y precisamente como adverbio (§ 704), como neutro predicativo en expresiones impersonales (§ 668, 4) como en francés *qui pis est*, y en sustantivaciones como francés *en attendant mieux, faute de mieux*. En sardo, las correspondencias de m e l i u s y p e i u s son adjetivos. También en italiano ocurre la adjetivación *(la meglio roba)*; pero también aquí hay que contar con una pervivencia del nominativo singular (m e l i o r) para este empleo (cf. italiano *moglie* < m u l i e r: § 638).

Fonéticamente estas formas (aisladas por su 'originalidad') se han influido a veces mutuamente, bien dentro de la misma raíz (francés moderno *moindre* según *moins*), bien mediante cruce de raíces. Tales cruces aparecen en: 1. sobreselvano *mènder* 'peor' con ę abierta según la ę abierta de *mèglier* 'mejor', donde vemos además que la significación de *mènder* acusa el influjo de *mèglier*. La forma *ménder* con ę cerrada, fonéticamente correcta, se conserva como sustantivo con la acepción de 'mozo en la edad del pavo'.—La correspondencia de m i n u s muestra en provenzal y catalán el tipo *m i n i u s, que está influido por m e l i u s.—En portugués m i n u s da regularmente *meos* en portugués antiguo (§ 405), mientras que la forma del portugués moderno muestra una restitución artificial de la *-n-*.

CUADRO SINÓPTICO

	MASCULINO-FEMENINO		NEUTRO
	nom.	*acus.*	*nom.-acus.*
lat. v.	máior mínor mélior péior	maióre minóre melióre peióre	máius mínus mélius péius
it.	— — — —	*maggióre* *minóre* *miglióre* *peggióre*	*maggio* (it. a.) adj. (m., f.) *meno* adv. *mèglio* adj., adv. *pèggio* adv.
sard.	— — — —	[*madzore*] *minore* — —	*minus* adv. *medzus* adv., adj. (m., f.) *peyus* adv., adj. (m., f.)
sobres.	— *mènder*'peor' *mèglier* adj., adv. 'mejor' *pir*, adj., adv.	*migiur* 'arren- datario' — *migliur* f. 'reme- dio' *pigiur* adj.	— *meins* adv. — —
fr. a.	*maire* *mendre* *mieldre* *pire*	*maeur* *meneur* *meilleur* *peeur*	— *moins* adv. *mieuz* adv. *pis* adv.

	MASCULINO-FEMENINO		NEUTRO
	nom.	*acus.*	*nom.-acus.*
fr. m.	*maire'*alcalde' *moindre* — *pire*	— — *meilleur* —	— *moins* adv. *mieux* adv. *pis* adv.
prov.	*máier menre melher peger*	*major menor melhor pejor*	— *mens, menhs* adv. *melhs* adv. —
cat.	— — — —	*major menor millor* adj. adv. *pitjor* adj., adv.	— *menys* adv. *mils* adv. (cat. a.) —
esp.	— — — —	*mayor menor mejor* adj., adv. *peor* adj., adv.	— *menos* adv. — —
port.	— — — —	*maior menor melhor* adj., adv. *peór* adj., adv.	— *mênos* adv. — —

681. Además de los cuatro comparativos masculinos y femeninos enumerados en el § 680, se han conservado esporádicamente (sobre todo en francés antiguo y provenzal antiguo) otros comparativos sintéticos: g r a n d i o r / g r a n- d i o r e francés antiguo *graindre / graigneur;* i u n i o r / i u- n i o r e francés antiguo *joindre / joigneur;* i u n i o r francés moderno *gindre* 'mozo de tahona' (para el desarrollo fonético cf. §§ 209, 170), italiano antiguo *gignore* 'aprendiz'.—Formas como francés *majeur, mineur, inférieur* son cultismos (§ 142).

682. Además de los cuatro comparativos neutros en -i u s enumerados en el § 680, subsisten en vastas zonas de la Romania otras formas de comparativo en -i u s que (sin duda por el camino del comparativo latino atenuado: § 678) han adoptado la significación del positivo y se han convertido en adjetivos de la declinación en -*o* y -*a* (§ 668). Y aquí la forma de comparativo en -i u s tenía el apoyo de los verbos en -i a r e 'intensificar una cualidad' (los cuales a su vez derivaban originariamente del comparativo).

EJEMPLOS

acrius 'más agrio'	esp. *agrio*, port. *agro* [9]
*acriare 'hacer agrio'	esp. *agriar*
acutius 'más agudo'	it. *aguzzo* 'puntiagudo', engad. *güzz*
*acutiare 'hacer agudo'	esp. *aguzar*, it. *aguzzare*, engad. *güzzar*
bassius 'más bajo'	esp. *bajo*, port. *baixo*, cat. *baix*, sudit. *vascio*
*bassiare 'poner más bajo'	esp. *bajar*, port. y cat. *baixar*, sudit. *vasciare*, fr. *baisser*
levius 'más ligero'	sard. *lebiu* 'ligero', sudit. *lieggio* 'ligero', fr. *liège* 'corcho'
*leviare, alleviare 'hacer más ligero'	esp. *aliviar*, fr. *alléger* 'aligerar'

---

[9] En port. cae la vocal medial (§ 288) en esta estructura de palabras: l i m p i d u esp. *limpio*, port. *limpo;* t u r b i d u esp. *turbio*, port. *turvo* (§§ 205, 377).

Debo a la amable comunicación de Andrea Schorta (editor del *Dicziunari Rumantsch Grischun,* Chur) las siguientes formas del sobreselvano para 'fuerte (al gusto: del queso, etcétera), malo (del carácter humano)': 1. Formas en el principal territorio del sobreselvano: masculino singular atributivo *fiers;* masculino singular predicativo *forz;* masculino plural *forz;* femenino plural *forzas.*—2. En Tujetsch (territorio del sobreselvano) el masculino singular, tanto con función predicativa como atributiva, suena *fiers;* las demás formas son iguales a las citadas en el número 1.—La forma *fiers* se basa en el comparativo f o r t i u s (en lenguaje culinario 'bastante fuerte'), que en Tujetsch aparece todavía indeclinable (en el masculino), al paso que en el resto del espacio lingüístico del sobreselvano surge el acusativo analógico *f o r t i u >* *fiers* (para el desarrollo fonético cf. M a r t i u > sobreselvano *mars*). Como plural para el masculino f o r t i u s se utilizó la forma del positivo f o r t e s (> *forts*), que en el territorio principal asumió también la función del predicativo del singular (§ 670, nota).—El femenino es *f o r t i a (por analogía con el masculino f o r t i u s).

683. En latín clásico, el 'comparativo atenuado' (§ 678) como significación estaba limitado facultativamente a los comparativos sintéticos (§ 679), al paso que los comparativos analíticos por la clara intensificación expresada en los adverbios m a g i s o p l u s quedaron circunscritos a la significación de un 'comparativo relativo' (§ 678). En románico perviven algunos comparativos atenuados (sintéticos) como positivos (§ 679 [sardo *madzore, minore*]; § 682).

La significación del comparativo atenuante ('bastante') no puede en románico ser recogida por las formaciones analíticas con m a g i s y p l u s, sino que el comparativo atenuante se expresa más bien en cada lengua mediante otros adverbios con la significación de 'bastante': rumano _cam_ (< q u a m : como comparación primitivamente admirativa), italiano _piuttosto_, sobreselvano _ualti_ (< alemán _gewaltig_), engadino _vaira_ (cf. francés _guère_), francés antiguo _assez_, español y portugués _bastante_. Se ve, pues, que el comparativo atenuante carece de tradición en el románico común.

2. Superlativo (§§ 684-687)

a) ELATIVO (§§ 684-686)

684. El superlativo latino en _-issimus_ (con las correspondientes variantes en la estructura de la palabra: _celer-rimus_, _optimus_, etc.) tiene en latín la significación de superlativo (relativo) y de elativo (§ 678). Esta formación superlativa no pervive en románico con ninguna de las dos funciones significativas como elemento orgánico en el sistema de los grados del adjetivo.

Quedan sólo en románico petrificados restos populares (§ 141) de esta formación con significación elativa: p e s s i- m u francés antiguo _pesme_ 'muy malo'; p r o x i m u 'prójimo (como término cristiano)' francés antiguo _pruisme_, provenzal antiguo _proisme;_ M a x i m u francés _Mâme_ (apellido).

685. Además, algunas formas de superlativo latino, precisamente con significación elativa, pasaron posteriormente, en calidad de préstamos cultos (§ 142), a las lenguas literarias románicas (y desde aquí se introdujeron también en las hablas populares): a l t i s s ı m u francés antiguo _hautisme_ 'augusto, sublime, majestuoso', italiano _altissimo;_ o p t i m u italiano _òttimo;_ s a n c t i s s i m u italiano _santissimo_, español _santísimo_.

En italiano, español y catalán los préstamos cultos proce-
dentes de formas superlativas latinas son tan numerosos y
(dada la licitud de los proparoxítonos en italiano, español y
portugués y habida cuenta de lo corriente que es la correspondiente estructura de la palabra en catalán) se ajustan y
encajan tan fácil y cómodamente en la idiosincrasia de estos
idiomas, que han logrado derecho pleno de ciudadanía en
ellos hasta el punto de formar nuevos elativos. Así, f o r t i s-
s i m u s, d i l i g e n t i s s i m u s del latín clásico perviven
como cultismos en italiano *fortíssimo, diligentíssimo;* español *fortísimo, diligentísimo;* portugués *fortíssimo, diligentíssimo;* catalán *fortíssim, diligentíssim.* Estos elativos tienen las
más de las veces un matiz afectivo de elogio, censura, etc. La
conciencia de la conexión con el positivo y la vitalidad crea-
dora de tales elativos es en italiano donde se mantiene con
mayor fuerza e intensidad. Y también es en italiano donde
más proliferan adjetivos sueltos de este tipo (esto es, no
susceptibles de reducirse directamente a una base latina)
como *sciocchissimo* 'loquísimo' (de *sciocco* 'loco'); más aún,
en italiano pueden también intensificarse sustantivos mediante el sufijo *-íssimo (occasioníssima* 'gran ocasión').—En cambio, en francés el tardío sufijo culto *-issíme* (por ej., en el
título *révérendissime* y en formaciones jocosas como *fourbis-
sime,* creadas según el modelo italiano) nunca ha logrado
aclimatarse.—En engadino (b e l l i s s i m u *bellíschem* 'bellí-
simo', g r a n d i s s i m u *grandíschem* 'grandísimo') el sufijo
elativo conserva un poco más de vitalidad que en sobreselvano (*bellíssim, grondíssim*).

686.   Para expresar el elativo el latín clásico disponía ya,
además de la formación sintética en *-issimus* (§ 684), de dos
posibilidades analíticas: 1. la prefijación de un prefijo elativo

(*per-, prae-, super-*); 2. la adición de un adverbio elativo como *maxime, valde, multum, admodum, summe, mire*.

En románico resulta el siguiente cuadro:

1. Hay prefijos elativos que, sin embargo, se sienten con frecuencia como adverbios:

a) Latín p e r- (p e r i u c u n d u s) permanece en francés antiguo *par*, que puede, por razones de ritmo sintáctico, ir separado de su adjetivo y ser sentido como adverbio: p e r- m a g n u s e s t > francés antiguo *pàr est gránz*.

b) Latín p e r- (p e r i u c u n d u s) o p r a e- (p r a e m i-t i s) persisten en rumano *prea* (*prea bun* 'muy bueno'), que, en razón de su intercambiabilidad con *foarte* (número 2 b), se siente como adverbio.

c) Latín s u p e r- (s u p e r g l o r i o s u s) continúa en el prefijo provenzal antiguo *sobre* (*sobrebon* 'muy bueno', *sobrebel* 'muy hermoso').

d) Latín t r a n s-, que expresaba una especie de elativo, pero sólo con adjetivos de significación apropiada (t r a n s-l u c i d u s), se generalizó en francés *très* como adverbio elativo (*très grand* 'muy grande'). También se encuentra en italiano *tra-* como prefijo elativo, cargado de una especial intensidad afectiva (italiano antiguo *trafreddo* 'friísimo').

e) De e x t r a o r d i n a r i u s it. *straordinario* (cultismo) se extrajo el prefijo elativo italiano *stra-* (*strafelice* 'muy feliz', *stracontento* 'satisfechísimo', *strafino* 'extrafino').

2. Hay adverbios elativos:

a) Latín clásico m u l t u m se mantiene en italiano *molto* (*molto bello* 'muy hermoso'), portugués *muito* (*muito formôso* 'muy hermoso'), español antiguo *muit(o)*, moderno *muy*.

b) De la elación verbal (f o r t i t e r r e s i s t e r e h o s t i) deriva la utilización de f o r t e como adverbio elativo en rumano *foarte* (*foarte bun* 'muy bueno'). Cf. § 695.

c) En la elación mediante f ī c t u en grisón (sobreselvano *fetg bi* 'muy hermoso', engadino *fich bal)* ocurre la significación fundamental 'fijo (f ī x u s)' en la posterior evolución que ofrece el italiano *fitto* 'espeso': se trata de expresar la intensidad de la cualidad.—Otro adverbio elativo en grisón es **d e i p s o f u n d o* (sobreselvano *zun,* engadino *zuond)* 'totalmente'. También es posible la combinación de ambos (engadino *zuond fich).*

d) El número de adverbios elativos es susceptible en cada lengua de aumentarse a tenor de las necesidades expresivas, y este acrecentamiento ocasional acaba por convertirse en habitual por efecto de la mecanización: francés *horriblement cher* 'terriblemente caro', *excessivement cher;* italiano *sommamente bello* 'extremadamente hermoso'; en español, *asombrosamente, bien, enteramente, sumamente, perfectamente, terriblemente, horriblemente, fuertemente, extremadamente, harto, en extremo,* etc., son otras tantas formas con que se encarece la cualidad del adjetivo.

e) Todos los medios elativos, sobre todo los adverbios de elación, están cargados de afectividad; sin embargo, esa carga afectiva se va continuamente desgastando por el uso frecuente y por la mecanización. Y por eso, cuando así lo reclaman las necesidades expresivas, las formas de expresión desgastadas por el uso se reemplazan por otras nuevas más expresivas (cf. en alemán 'furchtbar schön' en vez de 'sehr schön' 'muy hermoso'). Esta es la causa de la plétora de formas románicas de expresión del elativo. Muchas innovaciones, ricas de carga afectiva en el tiempo de su nacimiento y expansión (rumano *foarte bun,* sobreselvano *fetg bun,* francés *très grand),* hace tiempo que se han mecanizado y, como tales expresiones mecanizadas, forman parte del tesoro permanente de la lengua estática, al paso que otras formaciones integran aún el caudal dinámico de las posibilidades de expresión viva ('estilística').—Como tipo de elativo mecanizado tenemos en sobreselvano la formación mediante un sustantivo abstracto: *in buontad* ('bondad') *vin* 'un vino realmente excelente', *inbellezia* ('hermosura') *di* 'un magnífico día'.

B) SUPERLATIVO RELATIVO (PROPIO) (§ 687)

687. El superlativo propio (relativo: § 678) se forma en románico, pues se ha extinguido la formación en -i s s i m u s (§ 684), por medio de la intensificación del comparativo analítico (§ 679) o sintético (en cuanto éste se conserva: §§ 680-681) mediante el artículo determinado (§ 743), esto es, por vía analítica (§ 584). En rumano, el demostrativo e c c e i l l u *cel* (§ 741) sustituye al artículo, pues si el artículo, que en rumano va pospuesto (§ 744), se colocara detrás del adjetivo, no podría ejercer sobre el comparativo *(mai* + adjetivo) una fuerza que lo encuadrara.—El artículo, y en rumano el demostrativo, tienen función individualizadora y destacadora (§ 743).—Ejemplos:

1. De comparativo analítico (§ 679): 'el más fuerte' rumano *cel mai tare*, italiano *il più forte*, sardo *su plus forte*, sobreselvano *il pli ferm*, francés antiguo *li plus forz* (nominativo) / *le plus fort* (acusativo), francés moderno *le plus fort*, provenzal antiguo *lo plus fortz* (nominativo) / *lo plus fort* (acusativo), catalán *el més fort*, español *el más fuerte*, portugués *o mais forte*.

2. De comparativo sintético (§ 680): 'el mejor' rumano *cel mai bun* (analítico: § 680), italiano *il migliore*, sardo *su medzus*, sobreselvano *il mèglier*, francés antiguo *li mieldre* (nominativo) / *le meilleur* (acusativo), francés moderno *le meilleur*, provenzal antiguo *lo mélher* (nominativo) / *lo me-*

lhór (acusativo), catalán *el millor*, español *el mejor*, portugués *o melhor*.

Cuando el superlativo va como atributo tras un sustantivo (con artículo determinado), entonces en italiano, provenzal antiguo, catalán, español y portugués, la eficacia del artículo antepuesto al sustantivo es lo suficientemente grande como para oficiar también en calidad de signo del superlativo (italiano *l'uomo più forte*, español *el hombre más fuerte*). Sólo cuando se pretende dar un especial relieve expresivo al superlativo se repite ante éste el artículo (italiano *l'uomo il più forte*). En otras lenguas, en cambio, la repetición del artículo delante del superlativo se ha impuesto como necesaria (rumano *omul cel mai tare*, sobreselvano *igl um il pli ferm*, engadino *l'hom il pü ferm*, francés *l'homme le plus fort*).

En sobreselvano, el superlativo en función predicativa no tiene la forma predicativa (§ 670), y sí la atributiva. Esta forma es un neutro (igual que la forma predicativa alemana 'am schönsten' 'el, la, lo más hermoso' es una expresión adverbial): *nies cudisch ei il pli bi* 'nuestro libro es el más hermoso' (< i l l e   p l u s   b e l l u) (frente a *quei cudisch ei bials* [b e l l u s] 'este libro es hermoso', *tschei cudisch ei pli bials* 'aquel libro es más hermoso').

CAPÍTULO III

ADVERBIO (§§ 688-704)

A) FORMACIÓN ADVERBIAL (§§ 688-703)

688. El latín clásico tenía dos clases de formación adverbial: la formación sintética (§ 584) mediante flexión (§§ 690-699) y la formación analítica (§ 584) mediante perífrasis (§§ 700-703). — Para los adverbios pronominales cf. §§ 734-737, 738.

689. El desarrollo latino-románico de la formación adverbial hay que explicarlo partiendo del hecho de que los adverbios sintéticos latinos corresponden a los casos oblicuos de la declinación (§ 690): son formas flexivas. La desaparición de la formación sintética de adverbios en románico corre paralela a la desaparición del sistema de casos (§ 585).

Al paralelismo del proceso responden los resultados: de un lado, la sustitución mediante el neutro (1); de otro, la sustitución mediante la perífrasis (2).

1. A la reducción del sistema casual (§ 585) responde la sustitución del adverbio mediante el acusativo (quizá también mediante el ablativo) del neutro singular.—Esta susti-

tución ocurre generalmente en rumano y suditaliano (§ 695), así como en casos esporádicos en otros idiomas (§ 695).

2. Como el oblicuo, que desempeñaba varias funciones (genitivo, dativo: § 585), fue reemplazado por perífrasis analíticas (construcciones preposicionales: § 587), y de ese modo matizado y precisado (esto es, reajustado a las necesidades de una expresión diferenciada), así también el neutro adverbial (cf. arriba, número 1) fue sustituido por perífrasis analíticas (§ 700). Tanto en la declinación como en la formación adverbial la perífrasis analítica, en casos especialmente justificados etimológicamente, aparece atestiguada ya en la época del latín clásico y ampliamente generalizada en latín vulgar. Pero la perífrasis analítica no prevaleció totalmente en la Romania, ni en la declinación, ni en la formación adverbial: sobre todo el rumano muestra evidentemente una fase más antigua (no perifrástica: §§ 695, 700). Por lo demás, el proceso continúa su desarrollo en la historia de cada lengua.

1. Adverbios latinos sintéticos (§§ 690-699)

690. El latín clásico poseía una formación adverbial sintética [1], precisamente: 1. en la declinación en -o (§ 668) las formaciones en -*ē* (§ 691) y en -*ō* (§ 693); 2. en la tercera declinación (§ 677) las formaciones en -*ter* (*fortiter, sapienter*, etcétera; cf. § 702); 3. en ambas declinaciones la función adverbial del acusativo singular del neutro (§ 694).

---

[1] Por esto los gramáticos antiguos tenían el adverbio como una forma casual, y no estaban equivocados con respecto a los adverbios en -*e* (que son continuación de una forma instrumental del indoeuropeo).

A) ADVERBIOS EN -Ē (§§ 691-692)

691. La formación adverbial en -ē se mantiene viva en la formación adverbial rumana *-eşte* < -i s c e de los adjetivos en *-esc* < -i s c u (para el fonetismo cf. § 425), basados en el sufijo diminutivo griego -i s c u s (S y r i s c u s 'sirio'), empleado en latín como sufijo étnico. Al masculino sngular *românesc* (< *r o m a n i s c u) 'rumano' corresponde el adverbio *româneşte* (<*r o m a n i s c e) 'en rumano, en lengua rumana'. De igual manera se forman de *omenesc* 'humano' el adverbio *omeneşte* y de *bătrânesc* (< v e t e r a n - i s c u) 'anciano' el adverbio *batrâneşte*.

692. En otras lenguas románicas se ha mantenido el étnico adverbial en -ē:

1. En la palabra r o m a n i c e 'en lengua románica', precisamente:

a) como adverbio en la locución 'hablar romance', sobreselvano *tschintschar romontsch,* engadino *tschantschar romantsch;*

b) nominalizado, precisamente:

α) con la significación de 'en lenguaje popular (adj.), lengua popular (sust.)' en español y portugués *romance,* francés antiguo *romanz (metre en romanz* 'poner en romance'), sobreselvano *romontsch,* engadino *romantsch;*

β) con el significado de 'obra literaria narrativa en lengua popular' en español y portugués *romance,* francés antiguo *romanz* 'novela en verso', provenzal antiguo *romantz* 'novela en verso', francés moderno *roman* 'novela';

2. Quizá también primitivamente en la designación lingüística adverbial del tipo francés *parler français,* si bien en francés el tipo no es ya reconocible como adverbio en -ē, pues todo el final -i s c u pasó a -*ois* (-*ais*);

3. En las palabras b e n e (rumano *bine*, sardo e italiano *bene*, sobreselvano *bein*, francés y español *bien*, catalán y provenzal *be*, portugués *bem*), m a n e (rumano *mâne*, sardo *mane*, francés antiguo *main;* *d e m a n e > italiano *domani*, sobreselvano *damaun*, francés *demain*), m a l e (italiano y sardo *male*, sobreselvano, francés, provenzal, español, catalán y portugués *mal*), p u r e (italiano *pure* 'también'), l o n g e (italiano *lungi*, francés *loin*, provenzal antiguo *luenh*, catalán *luny*, español *lueñe*, portugués *longe*), t a r d e (italiano *tardi*, francés *tard;* español y portugués *tarde* [sustantivado][2]).

B) ADVERBIOS EN -ō (§ 693)

693. De los adverbios en -ō subsisten c i t o (español *cedo*, portugués *cêdo*) y s e r o (francés *soir* en expresiones como *demain soir*, posteriormente sustantivado[2], provenzal antiguo *ser*).

C) NEUTROS COMO ADVERBIOS (§§ 694-695)

694. Ya en latín clásico el acusativo singular del neutro asumió la función de adverbio (*multum, paulum, primum, facile, impune*). Especialmente se formó así el adverbio del comparativo (*melius*).

695. En románico, el acusativo singular del neutro continúa como adverbio en la forma siguiente:

---

[2] Cf. lat. m a n e 'de mañana' y 'la mañana'.

1. En rumano y suditaliano, el acusativo singular constituye (como en los comparativos: §§ 680; 695, 2) la formación normal de adverbios en general. Esta forma no se distingue de la del acusativo masculino singular (f o r m o s u > rumano *frumos*, r e u > rumano *rău*). Del adjetivo f o r t e se conserva en rumano solamente la forma adverbial rumana *foarte* (§ 686, 2 b) < f o r t e .

2. El acusativo singular del neutro se mantiene como adverbio en los comparativos sintéticos conservados (cf. el cuadro sinóptico del § 680). Encajan también aquí español *lejos* (< l a x i u s), así como m a g i s (francés y provenzal *mais*, catalán *més*, español *más*, portugués *mais;* cf. §§ 539, 541), p l u s (francés y provenzal *plus*, sardo *prus*, italiano *più;* cf. §§ 539, 541).

3. Conservación esporádica en construcciones fraseológicas aparece en italiano *spesso* 'frecuentemente' (< s p i s s u), *veder chiaro;* francés *sentir bon, coûter cher, chanter faux;* español *hablar fuerte, ver claro, cantar bajo*, etc.

D) LA -S ADVERBIAL (§§ 696-699)

696. Un buen número de adverbios radicales latinos acaban en *-s* (de distinta procedencia etimológica). De éstos perviven en las lenguas románicas que conservan en general la *-s* (§ 537): 1. los comparativos sintéticos (§ 691, 2); 2. s a t i s (a d s a t i s > francés *assez*, provenzal antiguo *assatz* > español *asaz*), i n t u s (d e i n t u s francés antiguo *denz*, provenzal y catalán *dins*); 3. f o r a s (sardo y provenzal *foras*, español antiguo *fueras* [3]), f o r i s (francés antiguo *fors*); 4. p o s (español *pues*, provenzal y portugués *pós;* cf. § 557).

---

[3] Pero esp. *fuera*, cat. y port. *fora*, cuyo final se niveló, sin duda, al sinónimo e x t r a (prov. ant. *estra*).

697. De este tipo adverbial (etimológicamente complejo y que aparece en las voces latinas p e n i t u s , f u n d i t u s , r a d i c i t u s , a n t i q u i t u s , a l i a s , g r a t i s no recogidas por las lenguas románicas) el latín vulgar pasó la desinencia adverbial -*s* a otros adverbios. Así, en latín vulgar aparece documentado *quandius* en vez de *quamdiu*. En románico, la -*s* adverbial aparece frecuentemente como paragoge consonántica y detrás de consonante puede ampliarse en la paragoge -ĭs (español -*es*). Durante los primeros tiempos de la lengua la paragoge es todavía generalmente lábil, es decir, puede adicionarse u omitirse según las conveniencias de la fonética sintáctica.

698. En la lista que sigue el paréntesis indica la labilidad de la *(-s)* en la respectiva lengua o época de la lengua: n u n q u a m fr. a. *nonque(s)*, esp. a. *nunca(s)*, pero español moderno *nunca*; *ha hora fr. a. *ore(s)*; s e m p e r fr. a. y prov. a. *sempre(s)*; a n t e esp. a. *ante(s)*, esp. m. *antes*; *i n t u n c esp. a. *entonce(s)*, esp. m. *entonces*; s u b i n d e sobreselvano *savens* 'frecuentemente', pero fr. *souvent*.—En provenzal antiguo la -*s* aparece también en el -m e n t e adverbial (*francamens* junto a -*men*: § 700), así como en el gerundio -n d o (*en chantans* junto a -*an*: § 817). Cf. además § 715.

699. Sigue siendo oscura la explicación de -a s adverbial en *primas (fr. a. *primes*, esp. a. *primas*), *certas (francés antiguo *certes*, prov. a. *certas*, esp. a. *ciertas*). La correspondencia it. *prima* 'primeramente' se apoyó sin duda en *poscia* 'después' (< p o s t e a). Sería digno de considerar si el latín clásico no tendría en p r i m e 'primeramente' y c e r t e 'seguramente' la terminación -ā s, de la misma manera que la terminación del plural -a e fue sustituida por -ā s en latín

vulgar (§ 594). Para el paralelismo general, cf. § 689. Sin embargo, hay que pensar primero en el modelo a l i a s .

2. Formación adverbial perifrástica (§§ 700-703)

700. Ya el latín clásico tenía la posibilidad, ampliamente aprovechada, de la formación adverbial perifrástica mediante la unión del adjetivo con un sustantivo en el *ablativus modi*. Dada la amplia significación de *modus*, las construcciones con *modo* (*humano modo, tali modo*) estaban especialmente indicadas para la extensión semántica general de todos los adjetivos, de suerte que la construcción con *modo* parecía predeterminada para ser la heredera de la formación adverbial sintética.

Sin embargo, *modo* adolecía de debilidad rítmica. En cuanto sufijo adverbial mecanizado, *modo* formó con el adjetivo una unidad fónica que, al cargar el acento sobre el adjetivo por la brevedad de la vocal o radical de *modo*, se convirtió en unidad fonética: *lénto módo* dio **lentómodo* (cf. también § 149) y éste pasó (según *quómodo* > **quomo*, cf. abajo) a *lentómo*.—Esta formación adverbial se conserva únicamente en la forma pronominal q u o m o d o > **q u ō m o* (rumano *cum*, prov. cat. y fr. a. *com*, esp. y port. *como*), que precisamente por el ritmo de la unidad fónico-fonética (q u ó m ó - d o > q u ó m o d o) permaneció como una forma aislada, no como un tipo de formación adverbial (para **q u o m e n t e* cf. § 701). Cf. además §§ 344; 767, 1 c.

Así como en la formación de palabras los sufijos átonos fueron reemplazados por sufijos tónicos (v i t u l u s > v i t e l - l u s > it. *vitello*, fr. *veau*), así el átono m o d o fue sustituido por el tónico m e n t e , pues éste, por ser largo por posición, llevaba siempre el acento.

La sustitución de *modo*, de gran amplitud semántica, por el psicológico *mente* estaba, por así decir, al alcance de la mano, pues en los asuntos judiciales la manera concreta de realizar una acción se ponía en relación causal con la disposición de ánimo del autor. (Cic. *Inv.*, 1, 27, 41 *modus autem est, in quo, quemadmodum et quo animo factum sit, quaeritur*: *eius partes sunt prudentia et imprudentia;* Quint. *Inst.*, 5, 10, 52 *bona mente factum, ideo palam; mala, ideo ex insidiis, nocte, in solitudine;* cf. H. LAUSBERG, *Handbuch der lit. Rhetorik*, 1960, § 390)*.

Los testimonios latinos de perífrasis con *mente* (*sedula mente, prona mente, devota mente*) se refieren todos a personas y en especial a la disposición de ánimo del autor. Pero en la lengua hablada de los últimos tiempos del Imperio la perífrasis adverbial con *mente* hubo de generalizarse ('mecanizarse'), como se ve por el románico, en amplios territorios cuyo centro fue la Galia (§ 35).—El resultado en románico es el siguiente:

1. La formación adverbial con m e n t e aparece mecanizada en sardo, en centro y norte de Italia, en retorrom., francés, prov., cat., esp. y port.—En estas lenguas, los adverbios se forman agregando m e n t e a la forma femenina del adjetivo.

a) Adjetivos de la declinación en *-o* y en *-a* (§ 668): *l e n t a m e n t e* sard., it., esp. y port. *lentamente*, fr. *lentement;* *c e r t a m e n t e* it. *certamente*, engad. *tschertamaing*, provenzal *certamen*, esp. *ciertamente*, port. *certamente;* *f i r m a m e n t e* sard. *firmamente*, it. *fermamente*, sobres. *fermamein*, fr. *fermement*, prov. *fermament;*

---

b) Adjetivos de la tercera declinación (§ 677): *breve mente* it., esp. y port. *brevemente,* fr. a. *briément,* prov. *breumen,* cat. *breument;* *forte mente* sard., it. y port. *fortemente,* fr. a. *forment,* cat. *fortament* (§ 677), esp. *fuertemente.*

2. La formación adverbial con *mente* no cuajó en el sur de Italia (donde los adverbios se expresan por el neutro: § 695) ni en rumano (donde el neutro sustituye asimismo al adverbio: § 695). En rumano ocurre una sola formación con *mente* en *aimintre* 'de otro modo' < *alia mente* (§ 702).

701. Semánticamente, la formación adverbial románica en -*mente* (§ 700, 1) no guarda ya conexión ninguna con la esfera de significación psicológica del latín *mens.* Más bien está totalmente 'mecanizada' la formación. Así, por ejemplo, no sólo se dice en francés *je vois clairement qu'on nous a trompés* (donde todavía podemos percibir el matiz de significación psicológica), sino también *l'eau coule doucement* (donde no se siente ya ningún género de personificación).

Por lo que atañe a la materialidad de las formaciones adverbiales en -*mente* (§ 700, 1), en it., retor., fr. y prov. -*mente* es hoy una terminación adverbial enteramente mecanizada. Pero puede verse una huella en fr. a., it. a., prov. a., cat., esp. y port., de la anterior independencia sintáctica de *mente* en el hecho de que *mente* aparece una sola vez, cuando van varios adverbios coordinados, esto es, recibe el mismo tratamiento sintáctico que un sustantivo con dos atributos.

Obsérvese que, en este caso, *mente* va en fr. a. con el primero o con el último miembro *(humble e doucement, fermement e estavle);* en it. a., esp. y port., con el último miembro (it. a. *villana e aspramente,* esp. *clara y concisamente,* port. *lenta e gravemente);* en prov. a. y cat. con el primer miembro (prov. a. *devotamen e humil,* cat. *devotament i humil).* El carácter sustantivo de -m e n t e se ve confirmado por el hecho de que en español antiguo pueden sustituir a -m e n t e otras voces (como *guisa* y *cosa)* que significan 'modo, manera' *(fiera guisa, fiera cosa).*

El desarrollo pleno del adjetivo en francés (fr. a. *briément* < *b r e v e m e n t e), it. *(nuovamente)* y esp. *(fieramente)* no implica necesariamente la independencia sintáctica de ambos elementos: puede considerarse simplemente como conservación analógica de la forma plena del adjetivo.

El sufijo adverbial -m e n t e se une con la forma f e m e n i n a del adjetivo (§ 700, 1; para *q u o m e n t e cf. abajo). Ello no necesita en los adjetivos de la declinación en -o y en -a de una explicación más detallada (fr. *lentement,* it. *lentamente,* etc.). En los adjetivos de la tercera declinación (§ 677), en cambio, surgen complicaciones en retorromano, francés, provenzal y catalán, complicaciones inherentes al desarrollo de la forma femenina en estos idiomas (§ 676): se trata de saber si para la formación adverbial se utiliza el femenino tradicional o el analógico.

En francés, la formación adverbial corre, en general, pareja a la transformación del femenino: al antiguo femenino *fort* (§ 676) corresponde al antiguo adverbio francés *forment* (< *fortment [con caída de la vocal medial: § 510]). De igual manera los antiguos adverbios franceses *briement, granment* corresponden a las antiguas formas femeninas *brief* (< b r e v e), *grant* (< g r a n d e). Los nuevos femeninos (analógicos) *forte, briève, grande* (§ 676) condujeron después, consecuentemente, a la creación de las formas adverbiales *fortement, brièvement, grandement,* que son las que encontramos en el

francés actual. Solamente los adjetivos participiales y seme-
jantes en *-ent, -ant* conservan las más de las veces la antigua
forma adverbial (*savamment, constamment*), pese a que también ellos poseen un femenino analógico en *-e* (*savante, constante*)[4]. Así pues, la forma adverbial del tipo *savamment* es
una forma atrasada. La misma forma atrasada del adverbio
ocurre también en catalán (*jovenívolment* 'juvenilmente' frente a la forma femenina *jovenívola*) y en retorromano (sobreselvano *finalmein* 'finalmente' frente a la forma femenina *fina-
la;* engadino *amabelmaing* 'amablemente' frente a la forma
femenina *amabla*).

A juzgar por su extensión geográfica, parece que la formación **q u o m e n t e* (por *q u o m o d o*) 'como' remonta ya a
la época latinovulgar de sustitución de *m o d o* por *m e n t e*
(§ 700): sard. *comente* (junto al sard. a. *co:* § 344), norteita-
liano a. *comente,* fr. *comment.* Como el pronombre no tiene
moción (§ 746) en latín vulgar, *q u o-* de **q u o m e n t e* se
utilizó también para el femenino *m e n t e* como correspondencia de género.

Cierto que la coexistencia de *comme* (< q u o m o d o e t,
§ 344) y *comment* (< **q u o m e n t e*) en francés favoreció y
facilitó la agregación del sufijo *-ment* a adverbios existentes
ya en dicho idioma (fr. *quasiment,* fr. a. *ensemblement, ain-
sement*), fenómeno que surge también esporádicamente en
otros dominios (it. *quasimente*). El final *-ment* fue sentido
como característica de los adverbios, en cuya clase quedaron insertos mediante la agregación de *-ment* aquellos adver-

---

[4] La razón de este distinto tratamiento radica, sin duda, en el
número de sílabas: el radical de los adjetivos bisílabos en *-ant* y *-ent*
(*savant*) se reconoce suficientemente en las antiguas formas adverbiales (*savamment*), mientras que el radical de los monosílabos (*fort*)
había quedado demasiado reducido e irreconocible en la formación
adverbial (*forment*).

bios formados ya sin ese sufijo. Tal inserción ocurre también en francés al agregarles *-ment* a los adverbios latinos cultos pronunciados, conforme a la pronunciación académica del latín, con la *é* final abierta *(expressé, précisé)*: el resultado es *expressément, précisément.*

702. En español antiguo la terminación *-mente* suena fonéticamente *-miente* (§ 171): *fuertemiente.* La relación histórica del español moderno (y ya del español antiguo) *-mente* *(fuertemente)* con esta forma *(-miente)* no se ha aclarado todavía.—Al lado de *-miente* es todavía más frecuente en español antiguo la pronunciación *-mientre* *(fuertemientre).* También ocurre la intercalación de *-r-* en dialectos norteitalianos y en el rumano *aimintre* (§ 700). Debió, pues, de intercalarse dicha *-r-* en época antigua. Pero es difícil precisar si esa *-r-* epentética procede de d u m i n t e r i m (it. *mentre*, francés antiguo *dementres*, esp. *mientras* [5]) o quizá del tipo adverbial latino -e n t e r (sapienter), y si el sufijo mecanizado -m e n t e pudo apoyarse en ella.

703. Todas las lenguas románicas conservan, heredada del latín, la posibilidad de expresar adverbios mediante perífrasis preposicionales *(quemɑdmodum, cum virtute, magna cum diligentia)*: fr. *de la manière la plus aimable, avec zèle, avec véhémence;* it. *di buona voglia, con grande celerità;* español *con precisión, con tranquilidad.*

B) GRADOS DEL ADVERBIO (§ 704)

704. El comparativo de los adverbios se forma mediante m a g i s o p l u s (como en los adjetivos: § 679) y en algunos

---

[5] La forma a su vez acusa en la vocal influjo de -m e n t e > *-miente.*

casos mediante antiguas formas sintéticas (tipo: m e l i u s; cf. § 680): esp. *más duramente, más tarde, mejor;* fr. *plus durement, plus tard, mieux.*

El superlativo relativo (§ 678) se forma agregándole el artículo (en español, en la forma neutra *lo*: § 668, 5) al comparativo (§ 687): *le plus facilement,* it. *il più facilmente,* español *lo más fácilmente,* port. *o mais facilmente.* Sin embargo, tales formas de superlativo realmente sólo se mantienen idiomáticamente vivas en francés. En las demás lenguas son galicismos. En estas lenguas el superlativo es sustituido por el comparativo (especialmente, adicionado como it. *di tutti*): it. *ho fatto la traduzione meglio di tutti* 'he hecho la traducción mejor que nadie'.

El elativo (§ 678) corresponde en su formación a la del adjetivo (§ 684); así esp. *muy fácilmente, facilísimamente,* fr. *très facilement,* it. *molto facilmente, facilissimamente.*

CAPÍTULO IV

PRONOMBRE (§§ 705-756)

705. Muchos pronombres se presentan con dos distintos grados de acentuación: como pronombres con acentuación plena (cuando son independientes en fonética sintáctica o, en todo caso, tienen pleno valor) o como pronombres débilmente acentuados (cuando por razones de fonética sintáctica se apoyan en una palabra de acentuación plena). El desarrollo fonético de las formas difiere a tenor del grado de acentuación (§§ 114-121; 249-252; 575).

La distinción de los grados de acentuación existía ya en latín vulgar, como lo prueba el hecho de hallarse extendida por toda la Romania esta distinción. Las condiciones especiales del sobreselvano obedecen probablemente al adstrato alemán (§ 706).

En principio hay que distinguir (completando el § 575) tres grados de acentuación en fonética sintáctica (análogamente al § 117) *pàter me vídet:* acento secundario en principio de frase *(pàter)*, entretono *(me)*, acento principal en fin de frase *(vídet)*. Cf. § 723.

A) PRONOMBRES PERSONALES (§§ 706-737)

706. Los pronombres personales (como los pronombres demostrativos, relativos e interrogativos: §§ 738-747) son en

cuanto a la declinación más conservadores que los nombres (sustantivos y adjetivos), como que en amplias zonas de la Romania se ha conservado con frecuencia una forma de genitivo-dativo (§§ 707-747) además del nominativo y acusativo, mientras que en el nombre sólo el rumano conoce una forma de genitivo-dativo (§ 588).

El románico común distingue en fonética sintáctica dos grados de intensidad (§ 705) en el uso de los pronombres personales: hay formas del pronombre personal tónicas (§§ 707-722) y formas átonas (§§ 723-737).

La distinción de los grados de intensidad no afecta en románico común a la forma del nominativo; antes bien, la forma del nominativo es siempre tónica en románico común. Esto tiene relación con el hecho de que en románico común basta la desinencia personal del verbo (§ 794) para indicar el sujeto (lat. v. c a n t o 'yo canto', c a n t a s 'tú cantas', c a n t a t 'él canta': it. *canto, canti, canta...*). Cuando se añade un pronombre personal como sujeto (lat. v. e g o c a n t o, it. *io canto...*), este pronombre es tan tónico como un sustantivo-sujeto (lat. v. p a t e r c a n t a t, it. *il padre canta*).—Sólo el francés (no el provenzal) y el retorromano (más exactamente: el grisón y el ladino central), así como algunos dialectos norteitalianos, han hecho obligatoria la presencia de un pronombre-sujeto (si el sujeto no está representado por un sustantivo: fr. *le père chante*): fr. *je chante, tu chantes, il chante...*; sobres. *jeu contel, ti contas, el conta...* La obligatoriedad del pronombre-sujeto se explica por influjo germánico[1] (cf. alemán i c h s i n g e 'yo canto', d u s i n g s t 'tú cantas'...).—La obligatoriedad del pronombre-sujeto acarrea a éste una pérdida de valor, lo que le ocasiona una pér-

---

[1] Cf. H. KUEN, *Syntactica und Stilistica*, Festschrift für E. Gamillscheg, Tubinga, 1957, págs. 293-326.

dida de intensidad. Así, para la gramática francesa los pronombres-sujeto *je, tu, il, ils* son formas átonas, y esto hace que se utilicen otras formas *(moi, toi, lui, eux)* en función tónica. Las formas *elle, elles* junto a su función átona han conservado también su función tónica primitiva. Las formas *nous, vous* muestran de antemano un desarrollo átono y se utilizan tanto en función tónica como en función átona. Cf. §§ 708, 709, 714, 718, 719.

El pronombre-sujeto (originariamente siempre tónico) va en la oración enunciativa en principio de frase antes del verbo (fr. *tu sais*), y en la oración interrogativa, detrás del verbo (fr. *sais-tu?*). En francés y provenzal antiguos el pronombre-sujeto va también detrás del verbo cuando la oración se abre con otra parte de la oración (por ej., una determinación adverbial), como en alemán: 'nun weiss ich'..., fr. a. *or sai jo*, prov. a. *ara sai ieu*. De esta regulación del ritmo oracional quedan todavía vestigios en francés moderno *(À peine semblait-il entendre)*.—Todavía se mantiene viva en engadino la posposición del pronombre-sujeto (convertido entre tanto en átono) en oraciones que van encabezadas por una determinación adverbial, soldándose el pronombre pospuesto (en la grafía y en la pronunciación) con la forma verbal en una unidad: alto engadino (bajo engadino) *eau (eu) vegn* 'yo vengo' < e g o   v e n i o ; alto engadino (bajo engadino) *uossa vegni (vegna)* 'ahora vengo' < h o r a   i p s a   v e n i o   e g o. El pronombre-sujeto pospuesto (convertido en átono) de la segunda persona (-*t*) se fundió en engadino de manera inseparable con la desinencia verbal de segunda persona *(tü cháuntast* 'tú cantas': § 797).

Como en románico común el nominativo no entra en cuenta para la distinción de los grados de intensidad, esta distinción se da sólo en románico común en los casos oblicuos.

Además, para la primera y segunda persona de singular y plural tampoco entra en cuenta el genitivo (que es reemplazado por la forma perifrástica acentuada: § 707). También en la tercera persona el genitivo o es reemplazado por la forma perifrástica acentuada (§§ 717, 719) o se expresa mediante el adverbio i n d e (§ 735).—Quedan, pues, como formas átonas el dativo y el acusativo.

Las condiciones concretas de cada lengua en el empleo de las formas tónicas y átonas no son uniformes. Como condiciones fundamentales rigen en románico común para la forma tónica el empleo detrás de preposiciones (fr. *de moi*, it. *di me*...), y para la forma átona la posición anficlítica (§ 723). Más detalles en §§ 723-725.

Hay que observar que el sobres. desde el siglo XVII (cf. Th. Gartner, *Handbuch der rätorom. Sprache u. Literatur*, Halle, 1910, p. 213) ha olvidado —prescindiendo del reflexivo (§ 732)— las formas átonas y utiliza en su lugar las formas tónicas (declinadas como un sustantivo: §§ 707-722). Esta sorprendente desaparición de la distinción del románico común de dos grados de intensidad en el pronombre personal hay que atribuirla al influjo del adstrato alemán, pues el alemán desconoce radicalmente tal distinción.—El engadino conservó, como el resto de la Romania, la distinción de los grados de intensidad.

1. *Formas tónicas* (§§ 707-722)

A) LA PRIMERA Y LA SEGUNDA PERSONA (§§ 707-715)

α) Cuadro sinóptico (§ 707)

SINGULAR

	nom.	gen.	dat.	acus.	nom.	gen.	dat.	acus.
lat. cl.	ego	mei	mihi	mē	tū	tui	tibi	tē
lat. v.	ego	?	mī	mē	tū	?	tibi	tē
rum.	éu [ieu]	(de mine)	mie	pe mine	tu	(de tine)	ţie	pe tine
it.	io	(di me)	(a me)	me	tu	(di te)	(a te)	te
sard.	ęo	(de me)	a mmie	me	tue	(de te)	a ttie	te
sobres.	jéu	de mei	a mi	mei	ti	(de tei)	a ti	tei
fr. a.	jo > je	(de moi)	(a moi)	moi	tu	(de toi)	(a toi)	toi
fr. m.	je (moi)	(de moi)	(à moi)	moi	tu (toi)	(de toi)	(à toi)	toi
prov.	eu, iéu	(de me) / (de mi)	a mi / (a me)	me (mi)	tu	(de te) / (de ti)	a ti / (a te)	te (ti)
cat.	jo	(de mi)	a mi	(a mi)	tu	(de tu)	(a tu)	(a tu)
esp.	yo	(de mí)	a mí	(a mí)	tú	(de ti)	a ti	(a ti)
port.	eu	(de mim)	a mim	(a mim)	tu	(de ti)	a ti	(a ti)

PLURAL

	nom.	gen.	dat.	acus.	nom.	gen.	dat.	acus.
lat. cl.	nōs	nostri	nōbīs	nōs	vōs	vestri	vobīs	vōs
lat. v.	nōs	?	nōbīs	nōs	vōs	?	vōbīs	vōs
rum.	noi	(de noi)	nouă	pe noi	voi	(de voi)	vouă	pe voi
it.	noi	(di noi)	(a noi)	noi	voi	(di voi)	(a voi)	voi
sard.	(nois)	(de nois)	a nnois	(nois)	(bois)	(de βois)	a bbois	(bois)
sobres.	nus	(de nus)	(a nus)	nus	vus	(de vus)	(a vus)	vus
fr. a. y prov.	nos	(de nos)	(a nos)	nos	vos	(de vos)	(a vos)	vos
fr. m.	nous	(de nous)	(à nous)	nous	vous	(de vous)	(à vous)	vous
cat.	nosaltres	(de n.)	(a n.)	n.	vosaltres	(de v.)	(a v.)	v.
esp.	nosotros (m.) nosotras (f.)	(de n.) (de n.)	(a n.) (a n.)	n. n.	vosotros vosotras	(de v.) (de v.)	(a v.) (a v.)	v. v.
port.	nós	(de nós)	(a nós)	a nós	vós	(de vós)	(a vós)	a vós

β) Observaciones (§§ 708-715)

1) *Ego, tū* (§§ 708-709)

708. Lat. é g o persiste únicamente en los dialectos sardos centrales en la forma [έγο]. En las demás lenguas (incluidos los otros dialectos sardos) é g o se transformó muy pronto en é o y esta forma reducida fue la base del desarrollo ulterior:

1. El antiguo emplazamiento del acento y la antigua cualidad de la primera vocal aparecen en las formas rumanas, sardas, provenzales y portuguesas. Para la pronunciación [*iéu*] en rumano, cf. § 191; para la forma diptongada *iéu* en provenzal antiguo, cf. § 200.—También en grisón ocurre la forma básica *é o . Esta es perfectamente visible en bajo engadino *éu*, al paso que el alto engadino *eáu* y sobreselvano *jéu* muestran una evolución ulterior en grisón de la *e* ante velar (§ 220: b e l l u sobres. *bi*, b e l l u s sobres. *bials;* § 486).

2. El paso de la vocal tónica en hiato ę > í (§ 187) aparece en la base **í o, que continúa en dos variantes:

a) el antiguo emplazamiento del acento se conserva en it. *io;*

b) la base **ió* con desplazamiento acentual (§ 149, 2) [2] aparece en las formas españolas, catalanas y francesas.—Del francés antiguo *jo* nació por debilitamiento la forma *je* (como *ço > ce:* § 189), pues el pronombre personal se apoyaba estrechamente en la forma verbal subsiguiente (§ 706). En francés moderno sólo se usa *je* en unión con el verbo (*je*

---

[2] La condición originaria del desplazamiento acentual pudo haber sido foneticosintáctica, por ej., **í o* v í d į o 'yo veo', por un lado, y por otro, **į ó* l l u v í d į o 'yo lo veo' (cf. § 728).

chante) y oficia de forma átona de sujeto, mientras que la función tónica fue asumida por el oblicuo _moi_ (§ 723).

709. Lat. t u evolucionó normalmente en todas partes. En sardo aparece con _-e_ paragógica, sin duda por analogía con el dativo _tie_ (por lo demás, cf. § 189). Respecto a las formas del francés moderno _tu, toi_, valen las observaciones del § 708, 2 b análogamente.

2) _Mihi, tibi_ (§§ 710-711)

710. Lat. m i h i dio en latín vulgar m ī, forma que se conserva en sobres., cat., esp. y port. como dativo (con anteposición de a d para aclarar: § 587). La forma portuguesa _mim_ revela transferencia nasal como en m u l t u > _muito_, que se pronuncia nasalizado [_muîntu_][3]. Las formas rumanas y sardas presentan vocal paragógica (cf. § 189). Sintácticamente el sardo muestra el reforzamiento mediante a d (§ 597), mientras que el rumano desconoce tal reforzamiento.

En catalán, español y portugués el acusativo preposicional (§ 587) convirtió la antigua forma de dativo en forma también de acusativo (cf. §§ 711, 713). En provenzal antiguo tienen igual valor funcional _mi_ < m i h i y _me_ < m e (cf. §§ 711, 713).—En algunos dialectos suditalianos pervive un dativo *m i b i, formado por analogía con t i b i (§ 711), como oblicuo _meve_, que es considerado como forma larga de la forma breve _me_ correspondiente al acusativo latino m ē (§§ 711, 732).

---

[3] En cambio, en sardo central subsiste m i h i m e t como _a mmimm-me_.

711. Lat. t i b i se conserva en sardo central en la forma
a ttiβi.—En dialectos sudit. se mantiene t i b i como oblicuo
teve, que es considerado como forma larga de la forma breve
te correspondiente al acusativo latino t e (§§ 710, 532).—En el
resto la base es *t ī, asimilada a m ī (§ 710), que recibe una
vocal *-e* paragógica en rumano y sardo (§ 710).—En español y
portugués el acusativo preposicional (§ 587) convirtió la antigua forma de dativo en forma también de acusativo (§§ 710,
713). En provenzal antiguo tienen igual valor funcional *ti* <
*t i y *te* < t e (§ 710).—En catalán la forma de nominativo *tu*
(§ 709) se declina como un sustantivo mediante preposiciones,
permaneciendo inalterable.—Para el reforzamiento mediante
a d en sardo, sobres., esp. y port., cf. § 710.

3) *Mē, tē* (§§ 712-713)

712. Lat. m ē se mantiene como acusativo en las formas
it., sard., sobres. y fr. (§ 707); además en prov. *me* tiene
el mismo valor funcional que *mi* procedente de m i h i (§ 710).
El rum. *mine* junto con sard. central y sudit. *mene* y veglio-
ta *main,* muestra la base *m ē n e, formada por analogía con
*q u e n e < q u e m (§ 530), en preguntas como ¿a quién?, con
la respuesta 'a mí' (§ 139). En dialectos sudit. *me* y *mene* están en relación de forma breve y forma larga (§ 532).—Para
la transferencia de la forma del dativo al acusativo en cat.,
esp. y port., cf. § 710.

713. Lat. t ē se desarrolla en románico en entera correspondencia con lat. m ē (§ 712). El rum. *tine,* sard. central
y sudit. *tene* muestran la base *t e n e (cf. § 712: *m ē n e).
En dialectos sudit. *te* y *tene* guardan entre sí relación de
forma breve y forma larga (§ 532).—En prov. tienen idéntico

valor funcional *te* y *ti* (< t i b i): §§ 710-712.—Para el catalán, cf. § 711.

Las formas m e , t e (que en latín clásico son tanto acusativo como ablativo) pasan en general a ser forma casual ('praepositionalis') tras preposiciones en rum., it. y fr. (así como en las formas prov. *me, te*: §§ 712-713). En sard. y sobreselvano la preposición a d se une con las antiguas formas de dativo m i h i , t i b i (que quedan reforzadas con a d : § 587), al paso que todas las otras preposiciones requieren las antiguas formas de acusativo-ablativo m e , t e.—En esp. y port. las formas m i h i , t i b i se generalizaron como preposicionales; en cat. sólo m i h i (cf. § 711).—Los antiguos genitivos m e i , t u i se expresan en románico común con ayuda de la preposición d e (§ 587).—Para m e c u m , t e c u m cf. § 715.

4) *Nōs, nōbis, vōs, vōbis* (§ 714)

714. La formas de nominativo-acusativo n ō s , v ō s se desarrollaron normalmente en rum., it., sobres., fr. y prov., echándose de menos en fr. la diptongación (§ 182) que era de esperar (conforme a t r ē s > *trois*: § 189). La forma francesa muestra, pues, vocalismo pretónico (§ 253), que se explica por el apoyo del pronombre-sujeto en el verbo (§§ 706; 708, 2 b).

En esp. y cat. el pronombre se refuerza con a l t e r o s (m.), a l t e r a s (f.), lo que es también potestativo en otras lenguas (it. *noialtri, voialtri;* sard. *noisáteros, boisáteros;* francés *nous autres, vous autres*), reforzando en éstas la oposición entre dos grupos de personas.—El port. acusa influjo analógico en la vocal abierta ǫ: a la ǫ cerrada de las formas *connọsco, convọsco* (§§ 181; 715) se le opuso una ọ abierta de las formas *nos, vos*, pues éstas, por su monosilabicidad, no tienen -u final y podían etimológicamente ser referidas a una base ŏ (§ 195).

Las formas de dativo n o b i s , v o b i s perviven como dativos en rum., al paso que en sard. asumieron también funciones de nominativo-acusativo.

Análogamente a la función preposicional de m e , t e (§ 713) también n o s , v o s asumieron función preposicional en todas partes, excepto en sardo.—En sardo parece haber subsistido más tiempo la función de ablativo de n o b i s , v o b i s , lo que explica *de nois* < d e n o b i s , mientras que *a nnois* < a d n o b i s muestra el mismo reforzamiento de la función de dativo que vemos en *a mmie* < a d m i h i (§ 713). La posterior generalización de n o b i s , v o b i s en sardo se efectuó evidentemente en el sentido de que el doble valor de m e , t e como preposicional y como acusativo (§ 713) acarreó el mismo doble valor a n o b i s , v o b i s . La sustitución así iniciada de los acusativos n o s , v o s por n o b i s , v o b i s arrastró también en el proceso de sustitución a los nominativos homófonos n o s , v o s.—El genitivo clásico n o s t r i , v e s t r i es sustituido en todas partes por d e n o s , d e v o s (en sard. por d e n o b i s , d e v o b i s). Para n o b i s c u m , v o b i s c u m , cf. § 715.

5) *Tipo mēcum* (§ 715)

715. En algunas lenguas se mantiene aún la estrecha combinación del pronombre con la posposición -c u m; y así, de m ē c u m , t ē c u m resulta regularmente it. *meco, teco;* portugués antiguo *mego, tego*.—Prefieren la adición esclarecedora de la preposición c u m (como: c u m i l l o a m i c o) el

tosc. *con meco, con teco,* y el sard. [*kumméγus, kuntéγus*] (con -s adverbial: § 697).

Como en esp. y port. las formas m ē, t ē son reemplazadas por m ī, t ī (§ 710), esta sustitución pasa también a las construcciones posposicionales: port. *comigo, contigo;* español *conmigo, contigo.*

Como n o b i s, v o b i s en cuanto preposicionales fueron sustituidos por n o s, v o s (§ 714), en vez de las formas n o b i s c u m, v o b i s c u m aparecen *n o s c u m, v o s c u m (esta última forma aparece criticada en los gramáticos como falta reprehensible), que perviven en antiguo italiano (y dialectalmente) *nosco, vosco;* port. a. *nosco, vosco;* port. *connǫsco, convǫsco* (para el vocalismo cf. § 714); español antiguo *conusco, convusco;* sard. a. *noscu* (y *noscus:* sin duda con -s adverbial; cf. arriba).

B) LA TERCERA PERSONA (§§ 716-722)

716. Como pronombre personal de tercera persona se emplea normalmente en latín clásico i s, con valor ponderativo i l l e, y con valor ponderativo más acentuado (exclusivo) i p s e. Los tres pronombres están entre sí en relación de positivo, comparativo y superlativo (§ 678).

En románico sólo se mantienen los dos grados más fuertes i l l e e i p s e, con pérdida, por cierto, de su carácter ponderativo por efecto de la mecanización. En italiano se utilizan tanto i l l e como i p s e. En sardo queda sólo i p s e ; en el resto de la Romania sólo subsiste i l l e.

α) Masculino (§§ 717-718)

1) *Cuadro sinóptico* (§ 717)

SINGULAR

	nom.	*gen.*	*dat.*	*acus.*
lat. cl.	ílle	illíus	íllī	íllum
lat. v.	ílle	illúius	illúi	íllu
rum.	*(el)*	*(lui)*	*lui*	*pe el*
it.	*egli (lui)*	*(di lui)*	*a lui*	*(lui)*
sobres.	*(el)*	*(ded el)*	*agli (ad el)*	*el*
fr. a.	*il*	*(de lui)*	*lui, a lui*	*(lui)*
fr. m.	*il (lui)*	*(de lui)*	*à lui*	*(lui)*
prov.	*el*	*(de lui)*	*lui, a lui*	*el (lui)*
cat.	*ell*	*(d'ell)*	*(a ell)*	*a ell*
esp.	*él*	*(de él)*	*(a él)*	*(a él)*
port.	*êle*	*(dêle)*	*(a êle)*	*(a êle)*
lat. cl.	ipse	ipsius	ipsi	ipsum
lat. v.	ipse	ipsúius	ipsúi	ipsu
it.	*(esso)*	*(di esso)*	*(ad esso)*	*esso*
sard.	*isse (issu)*	*(de issu, de isse)*	*(a issu, a isse)*	*issu (isse)*

PLURAL

	nom.	*gen.*	*dat.*	*acus.*
lat. cl.	íllī	illórum	íllīs	íllōs
lat. v.	íllī	illóru	illóru	íllōs
rum.	*ei*	*lor*	*lor*	*pe ei*
it.	*églino (loro)*	*di loro*	*loro, a loro*	*(loro)*
sobres.	*(els)*	*(ded els)*	*(ad els)*	*els*
fr. a.	*il*	*(d'eus)*	*(a eus), a lour (dial.)*	*eus (lour dial.)*
fr. m.	*ils (eux)*	*(d'eux)*	*(à eux)*	*eux*

	nom.	gen.	dat.	acus.
prov.	il	de lor (d'els)	a lor (a els)	els (lor)
cat.	(ells)	(d'ells)	(a ells)	a ells
esp.	(ellos)	(de ellos)	(a ellos)	a ellos
port.	(êles)	(dêles)	(a êles)	(a êles)
lat. cl.	ipsi	ipsorum	ipsis	ipsos
lat. v.	ipsi	ipsoru	ipsoru	ipsos
it.	essi	(di essi)	(ad essi)	(essi)
sard.	(issos)	issoro (de issos)	a issos	issos (issoro)

2) *Observaciones* (§ 718)

718. El nominativo singular i l l e se mantiene claramente en port. *êle*, esp. *él*, mientras que prov. *el*, cat. *ell* tanto pueden proceder de i l l e como de i l l u. El rum. *el* (§ 272) procede seguramente de i l l u. Para sobres. *el* < i l l u cf. § 721. En port. se formó de *êle* la forma plural analógica *êles*.

En una parte de la Romania (fr. e it.) el nominativo singular i l l e se transformó en *i l l ī. Esta forma *i l l ī debe su origen a una condición contextual propicia y también al modelo analógico del pronombre relativo-interrogativo q u ī (§ 747). La condición favorable del contexto radica en el hecho de que ante vocal siguiente el sonido final de i l l e se convirtió en -i̯- asilábica (i l l i̯ a m a t: § 251). De la forma antevocálica i l l i̯- podía extraerse una forma anteconsonántica i l l ī, puesto que el modelo analógico del pronombre relativo-interrogativo q u ī favorecía esta vocalización del sonido final de i l l i̯-. La forma demostrativa *i l l ī lograda en las conexiones de demostrativo-relativo (*i l l ī q u ī) y en el contexto de interrogativo-demostrativo (*q u ī? i l l ī!: § 139), podía después utilizarse también como pronombre personal

(§ 739). La forma *illī aparece claramente en fr. *il* (por la metafonía: cf. § 199). El it. *egli* es prolongación de la forma antevocálica i l l ị- (§ 464), cuyo empleo se extendió a la posición anteconsonántica. Todavía en algunos dialectos it. subsiste la forma *elli* correspondiente al fr. *il*. Cf. también § 742. El influjo del pronombre relativo-interrogativo q u ī (§ 746) se extiende en amplias zonas de la Romania al genitivo y dativo del demostrativo i l l e (cf. § 742), pues siguiendo el modelo c u i u s/c u i se formó el genitivo y dativo *illúius/ illúi. El dativo *illúi subsiste aún en rum., it., fr. y prov. *lui*, sobres. *gli* [4]. Por ello, es verosímil que también el nominativo singular *illī se extendiese primitivamente por este espacio lingüístico (rum., it., retorrom., fr. y prov.), de suerte que no sólo rum. *el*, sino también sobres. y prov. *el* remontan al acusativo i l l u (para el sobres. cf. § 721), al paso que el antiguo nominativo singular se extinguió. En cambio, ni el nominativo singular *illī ni el dativo *illúi cuajaron en cat., esp. y port. Para el reforzamiento del dativo i l l u i mediante a d en it., sobres., fr. y prov. (pero no en rum.), cf. §§ 710-711.—En fr. a. el dativo *lui* asumió también la función del acusativo, donde se ha de ver también influjo analógico del correspondiente empleo de c u i (§ 747).

En la misma área geográfica, aproximadamente, de la nueva forma i l l ú i el genitivo plural i l l o r u suplantó también al dativo plural i l l ī s (cf. también §§ 730; 746), lo que guarda relación con la fusión sintáctica del genitivo y dativo (§ 706). Un ejemplo de la transformabilidad sintáctica del genitivo plural *illorum* nos lo ofrece, por ej., la oración litúrgica de bendición de la mesa (*Vulg., salm.* 144, 15): *et tu das escam illorum* (τὴν τροφὴν αὐτῶν) *in tempore opportuno*, si

---

[4] En sobres. *gli* < *lui* la *u*, que pasando por *ü* se convirtió en *i* (§ 184), se fusionó con la -*i* del elemento final del diptongo (§ 248). La *l*- ante -*i* se palatalizó (como en l u n a sobres. *glina*: §§ 405, 309).

se lo confronta con el pasaje de la *Vulg., salm.* 103, 27: *ut des illis escam* (τὴν τροφὴν αὐτοῖς) *in tempore.*

En fr. la relación de *il / lui, ils / eux* en la función del nominativo responde a la de *je/moi, tu/toi* (§§ 708, 2 b; 709). La terminación *-no* en it. *églino* procede de la tercera persona plural de los verbos (§ 533): *églino ámano* (cf. § 139). El sard. *issǫro* se emplea sintácticamente (junto a *de issos*) también como genitivo y pronombre posesivo (§ 753). De i p s o r u m debería, normalmente, proceder sard. **issǫru* (§§ 193, 272). La *-o* final (que condiciona la abertura de la vocal tónica) parece ser una asimilación al vocalismo *-o* del plural *(nǫvu, nǫvos:* § 193) y al mismo tiempo una transformación del cuerpo de la palabra según el tipo paragógico de *kǫro* (§ 189, nota).

β) Femenino (§§ 719-720)

1) *Cuadro sinóptico* (§ 719)

SINGULAR

	nom.	*gen.*	*dat.*	*acus.*
lat. cl.	ílla	illíus	íllī	íllam
lat. v.	ílla	*illáeius	*illáei	ílla
rum.	ea	*(ei)*	ei	pe ea
it.	ella *(lei)*	*(di lei)*	a lei	lei
sobres.	ella	*(ded ella)*	*(ad ella)*	ella
fr. a.	elle	*(de li)*	li, a li	*(li)*
fr. m.	elle	*(d'elle)*	*(à elle)*	elle
prov.	ela	de leis *(de lei)*	a lei *(a leis)*	ela *(leis, lei)*
cat.	ella	*(d'ella)*	*(a ella)*	a ella
esp.	ella	*(de ella)*	*(a ella)*	a ella
port.	ela	dela	*(a ela)*	a ela
lat. cl.	ípsa	ipsíus	ípsi	ípsam
lat. v.	ípsa	*ipsáeius	*ipsáei	ípsa
it.	essa	*(di essa)*	*(ad essa)*	essa
sard.	issa	*(de issa)*	*(a issa)*	issa

PLURAL

	nom.	gen.	dat.	acus.
lat. cl.	íllae	illárum	íllīs	íllas
lat. v.	*íllas	*illóru	*illóru	íllas
rum.	ele	lor	lor	pe ele
it.	élleno	di loro	loro, a loro	(loro)
sobres.	ellas	(ded ellas)	(ad ellas)	ellas
fr. a.	elles	(d'elles)	(a elles), a lour (dial.)	elles (lour, dialect.)
fr. m.	elles	(d'elles)	(à elles)	elles
prov.	elas	de lor (d'elas)	a lor (a elas)	elas (lor)
cat.	elles	(d'elles)	(a elles)	a elles
esp.	ellas	(de ellas)	(a ellas)	a ellas
port.	elas	(delas)	(a elas)	a elas
lat. cl.	ípsae	ipsárum	ípsīs	ípsas
lat. v.	ípsas	*ipsóru	*ipsóru	ípsas
it.	esse	(di esse)	(ad esse)	esse
sard.	issas	(de issas)	(a issas)	issas

2) *Observaciones* (§ 720)

720. En lat. v. se formó el genitivo-dativo i l l a e, el cual por analogía con i l l u i u s / i l l u i (§ 717) se escindió en el genitivo *i l l á e i u s (prov. *leis*) y en el dativo *i l l á e i (rumano *ei*, it. *lei*, fr. a. *li*, prov. *lei*). El área de extensión corresponde a la de i l l ú i (§ 718).—El fr. a. *li* se explica por i l l ę́ i > *liei > li (§ 201).

Como el dativo plural clásico i l l ī s valía para masculino y femenino, el sustituto i l l o r u m (§ 718) se extendió también al femenino, contribuyendo a ello el modelo analógico del pronombre relativo-interrogativo (§ 746, 2-3).

γ) Neutro (§ 721)

721. El neutro i l l u d > lat. v. i l l u subsiste en el neutro esp. *ello* y en fr. a. *el* 'ello'.

Sin embargo, el neutro *el* fue sustituido ya en la época
del fr. a. por el masculino *il*, empleado como neutro (§ 718):
fr. *il pleut* 'llueve'. La misma sustitución tiene lugar en italiano *egli* (§ 718): *è egli possibile che...?*, '¿es posible que...?'.
En sobres., del masculino *illī* (§ 718) resultó *igl* ante
vocal (conforme al it. *egli*) y *ei* ante consonante (conforme
al it. dialectal *elli*). Pero estas formas se conservan ya solamente como neutros en expresiones impersonales (*igl ei
ver* 'es verdad', *ei plova* 'llueve'). Para el masculino es el
oblicuo i l l u > *el* (§ 717) el que asumió la función del nominativo.

δ) Reflexivo (§ 722)

722. Cuadro sinóptico:

	gen.	*dat.*	*acus.*
lat. cl.	sui	sibi	sē
lat. v.	?	sī	sē
rum.	(*de sine*)	*și*	*sine*
it.	(*di se*)	(*a se*)	*se*
sard.	(*de se*)	(*a sse*)	*se*
sobres.	(*de sei*)	(*a sei*)	*sei*
fr. a. y m.	(*de soi*)	(*à soi*)	*soi*
prov.	(*de si, de se*)	*a si* (*a se*)	*se* (*si*)
cat. y port.	(*de si*)	*a si*	(*a si*)
esp.	(*de sí*)	*a sí*	(*a sí*)

Para la estructura fonética valen análogamente las observaciones sobre la segunda persona (t i b i, t e): §§ 711; 713. Lat. s e c u m da (conforme al § 715) it. *seco,* esp. y port. *consigo.*

2. *Formas átonas* (§§ 723-737)

723. Las formas átonas están circunscritas al dativo y al acusativo (§ 706; para los adverbios pronominales, cf. § 734).

En cuanto al pronombre átono, hay que distinguir dos situaciones fundamentales foneticosintácticas: cuando el pronombre lleva acento secundario foneticosintáctico y cuando carece de todo acento (cf. § 116). Cf. también § 705.

El acento secundario foneticosintáctico (cf. § 117) ocurre cuando el pronombre átono abre y encabeza la frase, por ejemplo, en rumano *mi-l dǎ* 'él me lo da' < m í ' l l u d á t (§ 733).

La inacentuación foneticosintáctica ocurre como proclisis, enclisis y anfliclisis.

La proclisis consiste en la subordinación foneticosintáctica de una o varias palabras a una palabra siguiente, sobre la que recae el máximo de intensidad (§ 115). La palabra proclítica forma con la palabra siguiente un *mot phonétique* §576), port anto, una unidad foneticonsintáctica que corresponde, en cierto modo, a la unidad morfológica de la palabra suelta. Así, por ej., el *mot phonétique* fr. *les pères* (donde el artículo *les* es proclítico) corresponde como unidad de palabra foneticosintáctica a la unidad de palabra morfológica *répondre* (§ 576). En los pronombres átonos hay que distinguir entre la proclisis, ligada anficlíticamente, del pronombre ante el verbo (§ 725, 1) y la proclisis absoluta (introductora de frase): § 725, 1.

La enclisis consiste en la subordinación foneticosintáctica de una o varias palabras a una palabra precedente, sobre la cual carga la mayor intensidad (§ 115). La palabra enclítica forma con la palabra precedente un *mot phonétique* (§ 576), por tanto, una unidad foneticosintáctica, como ocurre morfológicamente en la palabra suelta. Así, por ej., el *mot phonétique* it. *rispóndimi* 'respóndeme' (donde el pronombre *mi* es enclítico), en cuanto unidad foneticosintáctica, corresponde a la unidad morfológica de la palabra *rispóndere* 'responder'.

La anficlisis consiste en la combinación de la proclisis y la enclisis: es, pues, la subordinación foneticosintáctica de una palabra tanto a una palabra precedente como a otra siguiente, sobre las cuales recae la máxima intensidad. El conjunto integrado por la palabra precedente, la palabra anficlítica y la palabra subsiguiente forma un *mot phonétique* de mayor o menor cohesión (§ 725). Ocurre, por ej., posición anficlítica del pronombre átono en los tipos de frase latina *pàter me vídet; nùnc me vídet*. El pronombre *me* está situado, en este tipo de frases, entre dos palabras fuertemente acentuadas, de las que la primera (*páter* o *núnc*) lleva acento secundario (es, en fonética sintáctica, deuterotónica) y la segunda lleva acento principal (es prototónica). Entre estas dos cumbres de intensidad está *me* como valle o punto mínimo de intensidad. Cf. § 705.

En románico común la anficlisis es para la mayor parte de los pronombres átonos la posición original. La posterior evolución de los pronombres átonos está determinada en románico: 1, por el cambio fonético de las formas en la anficlisis (§ 724); 2, por la modificación de la misma condición anficlítica (§ 725).

724. La posición anficlítica (§ 723) es en fonética sintáctica la correspondencia de la posición intertónica en la palabra (§ 292). Por otra parte, la posición intertónica en la palabra carece de función semántica propia, mientras que el pronombre anficlítico tiene función semántica propia. El pronombre anficlítico tiene, pues, un peso semántico mayor que la sílaba intertónica de la palabra. Además, la sílaba intertónica forma parte de una palabra dentro de la cual ocupa un puesto intermedio entre el acento principal y el acento secundario de esa misma palabra, al paso que el pronombre anficlítico está entre dos acentos principales de palabra *(páter me vídet)* que son semánticamente independientes, aunque se hallen referidos el uno al otro por la unidad de la oración, que asigna al primer acento principal *(páter)* la función de un acento foneticosintáctico secundario y al segundo acento principal *(vídet)* la función de un acento foneticosintáctico principal. Por ello, cabe concebir el conjunto de la frase *pàter me vídet* como un relajado *mot phonétique* en el plano del semantismo oracional. En este relajado *mot phonétique* el pronombre ocupa una posición intertónica que, por su valor semántico, está por encima de la posición intertónica de una sílaba en la palabra (§ 292). Desde este punto de vista, es comprensible que en su evolución fonética el pronombre anficlítico no se pliegue de antemano totalmente a las leyes de debilitamiento valederas para las sílabas intertónicas dentro de una palabra (§ 292) y que a veces anule el resultado de tales tendencias debilitadoras.

El contorno fonético del pronombre desempeña un papel condicionador de su desarrollo fonético. Se trata de si la palabra precedente acaba en vocal o consonante y si la palabra siguiente comienza por vocal o consonante. Así, pues, resultan posibles cuatro condiciones foneticosintácticas: 1.

consonante + pronombre + consonante; 2, consonante + pronombre + vocal; 3, vocal + pronombre + vocal; 4, vocal + pronombre + consonante.—Estas condiciones pueden cobrar mayor o menor importancia en el desarrollo fonético de las formas pronominales según las circunstancias de cada lengua en particular:

1. La condición interconsonántica (consonante + pronombre +consonante) tiene como ejemplos-guía las secuencias f i l i u s m e v i d e t y f i l i u s n o s v i d e t. El resultado es en románico común el mantenimiento de la sílaba pronominal como sílaba con cumbre vocálica (§ 91): fr. a. *li filz me veit, li filz nos veit;* fr. m. *le fils me voit, le fils nous* (§ 727 b) *voit.*—Para las formas de cada lengua particular, cf. §§ 726-732.—Hasta en aquellas lenguas en las que la sílaba intertónica desaparece en la misma condición (§ 293) se mantiene la silabicidad del pronombre, y ello en virtud de la semántica del mismo. En efecto, al paso que la sílaba -mi- de d o r m i t o r i u fr. *dortoir* (§§ 293, 510) puede desaparecer sin menoscabo del valor semántico de la palabra, la correspondiente reducción de f i l i u s m e v i d e t en fr. a. *li filz voit* aniquilaría el pronombre como elemento semántico de la oración. Así, pues, el mantenimiento de la sílaba pronominal anficlítica es la correspondencia en fonética sintáctica del mantenimiento morfológico de la sílaba intertónica, por ej., en fr. *vêtement* (§ 295).—En una parte de la Romania la condición de la forma interconsonántica es idéntica a la forma posvocálica (número 4), por ej., en italiano, pues en italiano las consonantes finales desaparecen (§ 527): it. *il figlio mi vede* como *la figlia mi vede.* En otra parte de la Romania la forma interconsonántica se utiliza más tarde como posvocálica (número 4). Cf. §§ 726-732.

2. La condición posconsonántica-antevocálica (consonante + pronombre + vocal) tiene como ejemplos-guía las secuencias f i l i u s   m e   a m a t, f i l i u s   n o s   a m a t.—Hay que distinguir cuando el pronombre termina en vocal (a) y cuando termina en consonante (b):

a) Si el pronombre termina en vocal (f i l i u s   m e a m a t), entonces la forma pronominal pierde ya en latín clásico (así claramente en poesía) y en románico común su valor silábico, pues su vocal se une con la siguiente en un diptongo (§ 79: 'sinalefa' = 'fusión de dos vocales en una sílaba') o desaparece totalmente ('elisión' = 'supresión de vocal ante vocal'). En francés se generalizó la elisión (fr. a. *li filz m'aime*), mientras que el italiano puede elegir entre sinalefa (*il figlio mi ama*, donde la secuencia *mi a-* es monosílaba, por tanto un diptongo en el vocalismo) y elisión (*egli m'ha cercato* 'él me ha buscado'), y el español mantiene la sinalefa (*él me ha buscado*, donde la secuencia *me ha* es monosílaba, por tanto un diptongo en el vocalismo).—Para detalles, cf. §§ 726-732.

b) Si el pronombre termina en consonante (f i l i u s   n o s a m a t), entonces el valor silábico del pronombre se conserva en todas partes.—Para detalles, cf. §§ 726-732.

3. La condición intervocálica (vocal + pronombre + vocal) tiene como ejemplos-guía las secuencias f i l i a   m e a m a t   y   f i l i a   n o s   a m a t.—Hay que distinguir cuando el pronombre termina en vocal (a) y cuando termina en consonante (b):

a) Cuando el pronombre acaba en vocal (f i l i a   m e a m a t), la condición no se distingue de la condición posconsonántica-antevocálica (cf. arriba, número 2 a).

b) Cuando el pronombre acaba en consonante (f i l i a n o s   a m a t), la evolución ulterior depende del tratamiento que cada lengua da a la -s final (§ 536).—Donde desaparece la -s, el pronombre viene a terminar en vocal, de suerte que surge análogamente la condición 3 a (f i l i a m e a m a t): it. *la figlia vi ama* 'la hija os ama' con sinalefa entre *vi* y *a-*, o *la figlia v'ama* con elisión de la *-i*.—Donde no desaparece la -s, la silabicidad depende fundamentalmente del tratamiento de la -o- intertónica (§ 293) en anficlisis foneticosintáctica. En español y portugués se conserva el valor silábico (esp. y port. *nos*). En otras lenguas se pierde la silabicidad (engad. *ella ans saliida* 'ella nos saluda'; prov. a. *no·us ai vist*[5] 'no os he visto'). En francés se conserva la silabicidad (*elle nous aime;* para la vocal, cf. § 727 b).—Para particularidades, cf. §§ 726-732.

4. La condición posvocálica - anteconsonántica (vocal + pronombre + consonante) tiene como ejemplos-guía las secuencias f i l i a m e v i d e t y f i l i a n o s v i d e t.—La ulterior evolución depende del tratamiento de la sílaba intertónica en cada lengua particular. En las lenguas en que la sílaba intertónica se mantiene (§ 293: m o n t i c e l l u italiano *monticello)* el resultado (it. *la figlia mi vede, la figlia vi vede* 'la hija os ve') no es distinto del de la condición interconsonántica (cf. arriba, número 1). Pero en las lenguas en que no se conserva la sílaba intertónica (§ 293: fr. *monceau),* la forma pronominal posvocálica-anteconsonántica pierde automáticamente su silabicidad, quedando sólo su elemento consonántico; y éste no se halla en situación tan desfavorable como en la condición interconsonántica (cf. arriba, número 1).—Hay que distinguir en particular entre pronom-

---

[5] El punto en alto (·) (que no es medieval, sino utilizado por editores modernos, especialmente en textos de antiguo provenzal) sirve para dar a conocer gráficamente el límite entre la palabra precedente y la forma pronominal.

bres terminados en vocal (a) y pronombres acabados en consonante (b):

a) Si el pronombre termina en vocal (f i l i a m e v i-d e t), la forma pronominal, en aquellas lenguas que no mantienen la sílaba intertónica (§ 293: fr. *monceau*), pierde su valor silábico al perder su vocal (fr. a. *la fille·m veit; en terre·l metent* 'lo ponen en tierra'). Pero del contacto de la forma pronominal, reducida ahora al elemento consonántico, con las consonantes iniciales de la palabra subsiguiente nace un grupo secundario de consonantes, que puede ser 'corriente' o 'no corriente' (§ 506). Si el grupo es 'no corriente', se lo puede tolerar (en razón, sobre todo, de la semántica del pronombre) sin modificarlo (§ 517), o bien se lo modifica para hacerlo 'corriente' (§ 507). Al convertirse en corriente el grupo consonántico mediante la modificación, la consonante pronominal corre peligro de convertirse en poco clara e ininteligible (§ 129). Pero también los grupos corrientes de consonantes están expuestos a ulteriores cambios fonéticos: así, la -*l* anteconsonántica en francés antiguo evoluciona a [*u*] por vocalización (§ 413): fr. a. *jel sai* (< lat. v. *e g o l u s a i o) 'lo sé', donde vemos que *jel sai* da *jou sai* lo mismo que f i l i c a r i a dio *fougère*. Así, pues, también esta ulterior evolución tiene como resultado la indistinción de la consonante pronominal. El pronombre monosílabo, por lo demás, es de por sí (aun sin la intervención de cambios ulteriores) relativamente poco claro e indistinto. Así se comprende que las formas asilábicas hayan sido reemplazadas en épocas posteriores de las lenguas (en el francés, ya en la época del francés antiguo) por la forma silábica (interconsonántica: cf. número 1): fr. a. *la fille me veit*.—En francés han surgido en época más reciente condiciones terciarias (§ 525) que corresponden en principio a las condiciones del

francés antiguo: fr. m. *le fils me voit* (con *me* silábico entre
las consonantes -*s* y *v*-), *la fille me voit* [*la fíyə m vuá* (con
-*m*- asilábica entre la vocal *ə* y la consonante *v*-)], *je le sais*
[*žəlsę*].

b) Si la forma pronominal termina en consonante (f i l i a
n o s   v i d e t), entonces en aquellas lenguas en que no persiste la sílaba intertónica (§ 293), la forma pronominal pierde su valor silábico. Este es, efectivamente, el caso en cat. (*no
ens porten l'aigua* 'no nos traen el agua', donde las sílabas
gráficas *no ens* forman una sílaba en la pronunciación),
prov. a. (*no·ns ve* 'no nos ve'), engad. (*ella ans saliida* 'ella
nos saluda', donde las sílabas gráficas -*la ans* forman en la
pronunciación una sola sílaba). En cambio, en francés se ha
mantenido la silabicidad *(la fille nous voit*: para la vocal
de *nous*, cf. § 727 b).

Las cuatro condiciones enumeradas se reducen siempre
en cada lengua a una alternativa de condiciones. Hay dos
tipos de alternativa de estas condiciones:

1. La alternativa 'posición anteconsonántica / posición
antevocálica', que es la primitiva alternativa de condiciones
en románico común. Así, por ej., el nombre *me* es en latín
vulgar e italiano (§ 726) silábico ante consonante y asilábico
ante vocal (por sinalefa o elisión).

2. La alternativa 'posición interconsonántica / posición
no interconsonántica', que es propia de los dominios del retorromano, francés, provenzal y catalán. Así, por ej., en el
(primitivo) francés antiguo el pronombre *le* (< i l l u) es silábico únicamente en posición interconsonántica (*li filz le tue*
'el hijo lo mata'), mientras que fuera de este caso es asilábico *(la fille·l tue, li filz l'aime, la fille l'aime)*. Cf. § 726.

725. En la anclisis del tipo *pàter me vídet* (§ 723) el
pronombre átono *me* en relación con el sujeto precedente

pàter (o con el adverbio precedente *núnc*: § 723) está en posición enclítica, y en posición proclítica con el siguiente verbo *vídet*. Sin embargo, la relación sintáctica del pronombre con el predicado finito *vídet* es más estrecha que con el sujeto *páter*. La anficlisis no es, pues, una situación de equilibrio perfecto; antes bien, el pronombre átono está vinculado más estrechamente con el siguiente predicado finito. La proclisis del pronombre átono con el predicado finito es la regla en el románico común (1). Sin embargo, en determinadas circunstancias ocurre también la enclisis del pronombre con el verbo (2).—En particular:

1. La proclisis del pronombre átono con el predicado finito se halla ligada originariamente a la condición anficlítica: el pronombre átono no puede, pues, abrir la frase, sino que ha de llevar delante una palabra tónica (por ej., el sujeto u otra parte de la oración: *pater me videt; nunc me videt*: § 723). Cuando es el verbo mismo el que encabeza la frase, entonces el pronombre átono se le agrega enclíticamente (cf. abajo, número 2).—Esta regla conserva su vigencia todavía hoy en portugués donde la proclisis del pronombre va ligada a la condición anficlítica *(o hóspede se chama Manuel* 'el huésped se llama M.'), al paso que fuera de este caso surge la enclisis con el verbo finito *(chama-se Manuel* 'se llama M.'; cf. abajo, número 2). Pero el portugués de Brasil relaja actualmente esta condición, por cuanto tolera la proclisis del pronombre con el verbo finito incluso en principio de oración ('proclisis absoluta'): *se chama Manuel*. Esta relajación (b) de un uso anteriormente más estricto (a) puede comprobarse también en otras lenguas:

a) La interdependencia entre el empleo proclítico del pronombre y la condición anficlítica aparece mediante la confrontación de:

α) It. *non si affita* 'no se alquila', *non si dice* 'no se dice; esp. *no se necesita, no me escribieron.*

β) It. *affítasi* 'se alquila' (como albarán), *dícesi* 'se dice'; esp. *escribiéronme una carta* (cf. abajo, número 2). Esta posición del pronombre tiene actualmente el valor estilístico del atildamiento, de la elevación o del estilo curialesco.

b) A este empleo atildado o elevado se opone la moderna relajación, que permite colocar un pronombre átono en cabeza de frase ('proclisis absoluta'): it. *si dice, si affita;* esp. *se necesita, me escribieron.*—En francés, y gracias a la presencia obligatoria del pronombre-sujeto, la anficlisis del pronombre personal oblicuo (§ 706) está asegurada en la oración enunciativa (*il me voit* 'él me ve', como *le père me voit* 'el padre me ve'). En la oración interrogativa el pronombre-sujeto va detrás del verbo, lo que en francés antiguo acarrea la consecuencia de que el pronombre personal oblicuo se agrega enclíticamente al verbo (*dis me tu verité?* '¿me dices la verdad?'; cf. abajo, número 2 a α), mientras que en francés moderno se ha impuesto la posición inicial del pronombre personal oblicuo (*me dis-tu la vérité?*).

2. Respecto a la enclisis del pronombre átono con el verbo, hay que distinguir entre verbo finito (a) e infinito (b):

a) En el verbo finito hay que distinguir entre el indicativo y subjuntivo, por un lado (α), y el imperativo, por otro (β):

α) La enclisis del pronombre átono con el indicativo y subjuntivo ocurre originariamente cuando el verbo va en principio de oración y se resuelve más tarde en casi todas las lenguas mediante la proclisis absoluta del pronombre ante el verbo (cf. arriba, número 1).

β) La enclisis del pronombre con el imperativo es propia del románico común. La forma del pronombre es o bien tónica (I) o bien átona (II). Por razones de ritmo sintác-

tico la enclisis queda limitada al caso de que la oración
vaya encabezada inmediatamente por el imperativo, mientras que un imperativo que no vaya encabezando la oración
presenta la proclisis usual en otros casos (III).—En particular:

I. La tonicidad del pronombre enclítico responde a la
posición final en el grupo de palabras (§ 705). Esta tonicidad
ocurre en francés en la primera y segunda persona singular
(aidez-moi), mientras que la tercera persona presenta la forma átona en acusativo (cf. abajo) y la forma tónica *lui* en
dativo *(donne-le-lui)*, que por lo demás aparece secundariamente como átona (§ 729).

II. La atonía del pronombre enclítico incluso para la primera y segunda persona surge en francés tan pronto como
sigue otro pronombre *(donnez-m'en)*, así como, además, en
general para la tercera persona *(prends-le)*. En las otras lenguas se generalizó para la enclisis la forma átona (it. *aiúta-
mi*, esp. *ayúdame)*, lo que está en relación con la mayor tole-
rancia de vocales átonas en las respectivas lenguas (§ 284).—
Las condiciones y circunstancias de cada lengua presentan
mayor complejidad de detalles.

III. En la mayoría de los idiomas no se produce la enclisis cuando el imperativo va introducido pr una palabra tónica que permite la anficlisis del pronombre (§ 723). A este tipo
de encabezamientos tónicos pertenecen la negación (fr. *ne
m'aide pas;* it. *non mi aiutate)*, partículas reforzadoras
(fr. a. *si m'aidez, or m'aidez;* it. *or m'aiutate)* o conjunciones
(fr. *prends ton luth et me donne un baiser* [Musset]).

b) Formas verbales infinitas que pueden ir acompaña-
das por el pronombre lo son el infinitivo (c a n t a r e) y el
gerundio (c a n t a n d o). El pronombre que los acompaña

puede hacerlo de modo proclítico (α) o en forma enclítica (β). En particular:

α) La proclisis del pronombre es usual en francés *(je veux les voir; en les voyant)*.

β) La enclisis del pronombre es usual en los demás idiomas (it. *voglio vedérli, vedéndoli;* esp. *quiero verlos, viéndolos)*.

A) LA PRIMERA Y SEGUNDA PERSONA (§§ 726-727)

α) Cuadro sinóptico (§ 726)

726. En el cuadro que sigue se emplean los siguientes signos para las cuatro condiciones foneticosintácticas del pronombre anficlítico (§ 724):

1. (cpc)=condición interconsonántica (§ 724, 1);
2. (cpv)=condición posconsonántica-antevocálica (§ 724, 2);
3. (vpv)=condición intervocálica (§ 724, 3);
4. (vpc)=condición posvocálica-anteconsonántica (§ 724, 4);

Un arco (‿) indica la sinalefa (§ 576). Un apóstrofo (') indica la elisión vocálica (§ 576). Para el punto en alto (·), cf. § 724, 3 b, nota.

SINGULAR

lat. cl.	mihi			mē			tibi			tē		
	(cpc)	(cpv, vpv)	(vpc)	(cpc)	(cpv, vpv)	(vpc)	(cpc)	(cpv, vpv)	(vpc)	(cpc)	(cpv, vpv)	(vpc)
lat. v.	mī	mī	mī	mē	me‿	mē	tī	ti‿	tī	tē	te‿	tē
rum.	mi, îmi	mi‿, îmi	mi, îmi	mă	m'	mă	ți, îți	ți‿, îți	ți, îți	te	te‿	te
it.	mi	mi‿, m'	mi	mi	mi‿, m'	mi	ti	ti‿, t'	ti	ti	ti‿, t'	ti
sard.	mi	mi‿	mi	(mi)	(mi‿)	(mi)	ti	ti‿	ti	(ti)	(ti‿)	ti
engad.	am	‿am	‿am	am	m'	‿am	at	t'	at	at	t'	at
fr. a.	me	m'	‿m, me	me	m'	‿m	te	t'	‿t	te	t'	‿t
fr. m.	me	m'	me	me (mi)	m'	me	te	t'	te	te (ti)	t'	te
prov.	mi (me)	m'	‿m	me (mi)	m'	‿m	ti (te)	t'	‿t	te, et	t'	‿t
cat.	me, em	m'	‿m	me, em	m'	‿m	te, et	t'	‿t	te, et	t'	‿t
esp.	me	me‿	me	me	me‿	me	te	te‿	te	te	te‿	te
port.	me	me‿	me	me	me‿	me	te	te‿	te	te	te‿	te

PLURAL

	(cpc)	(cpv)	(ⱱpv)	(vpc)	(cpc)	(cpv)	(vpv)	(vpc)
lat. cl.	nōbis, nōs				vōbis, vōs			
lat. v.	nōs	nōs	nōs	nōs	vōs	vōs	vōs	vōs
rum.	ne	neꞈ	neꞈ	ne	vă	v'	v'	vă
it.	(ci)	(ciꞈ, c')	(ciꞈ, c')	(ci)	vi	vi, v'	vi, v'	vi
sard.	nos	nos	nos	nos	bos	bos	bos	bos
engad.	ans	ans	ꞈans	ꞈans	as	s'	s'	ꞈas
fr. a.	nos	nos	nos	nos	vos	vos	vos	vos
fr. m.	nous	nous	nous	nous	vous	vous	vous	vous
prov.	nos	nos	·ns	·ns	vos	vos	·us, ·s	·us, ·s
cat.	nos, ens	nos	nos	·ns	vos, us	vos	vos	·us
esp.	nos	nos	nos	nos	os	os	os	os
port.	nos	nos	nos	nos	vos	vos	vos	vos

β) Observaciones (§ 727)

727. Las formas presentadas en § 726 son las que tienen su origen en la anficlisis (§ 723). Estas se utilizan asimismo en la enclisis (§ 723). Aquí no podemos entrar en detalles (especialmente por lo que se refiere al rumano).—Observaciones relativas a las formas de singular (a) y de plural (b):

a) En cuanto al singular (m i h i, m ē; t i b i, t ē), el cuadro sinóptico muestra (§ 726) que las cuatro condiciones foneticosintácticas de la anficlisis (§ 724) quedan reducidas a tres por la coincidencia de las condiciones *cpv* y *vpv*. Pero estas tres condiciones dan en todas partes solamente dos variantes, de suerte que sólo dos condiciones de variación (§ 724) son efectivas en cada caso. La primitiva alternativa (latinovulgar) 'posición anteconsonántica / posición antevocálica' se mantiene en rum., it., sard., esp. y port., y en el francés antiguo tardío y en francés moderno se restableció por vía analógica (§ 724, 4): la condición anteconsonántica da pronombre silábico y la condición antevocálica genera pronombre asilábico. En engad., fr. a., prov. a. y cat. (es decir, en el espacio donde la desaparición de la vocal intertónica es más consecuente: § 293) la condición *vpc* (§ 726) genera asimismo pronombre asilábico. Hay, pues, en este espacio una alternativa que condiciona la variación, a saber, 'posición interconsonántica / no interconsonántica': la posición interconsonántica da pronombre silábico, la no interconsonántica, asilábico.—Además los grupos consonarios formados en la condición *vpc* pueden ser tolerados si son no corrientes (§ 506) o pueden ser transformados en grupos corrientes (§§ 724, 507). Así, en provenzal antiguo, al transformar el grupo no corriente *-mc-* en el corriente *-nc-* en *que·m conjuratz*, surgió la pronunciación *que·n conjuratz*. De igual manera en la *Canción de S. Alejo* en francés antiguo ocurre dos veces (27 a, 89 d) la pronunciación *purquei portat (portai)* en vez de *purquei·t portat (portai)* 'por qué te ha llevado (he llevado)', donde vemos que el grupo no corriente *-tp-* se redujo a *-p-*. Pero de esta manera el pronombre pasó a ser semánticamente poco claro (§ 724, 4), lo que acarreó la consecuencia de sustituir la forma asilábica por la silábica *(me, te)*, pues ésta aseguraba la claridad y comprensión.

Por lo que se refiere a la distinción entre el dativo (m i h i, t i b i) y el acusativo (m e, t e), esa distinción sólo subsiste en rumano (así como en sardo antiguo, donde el acusativo *me* se contrapone al dativo *mi*). En sardo, el dativo asumió la función de acusativo (al paso que las formas tónicas distinguen claramente uno y otro caso: § 707). En el resto de las lenguas la confusión entre ambos casos se produjo por vía fonética.—El rumano conoce una forma _(îmi, îţi)_ reforzada por el prefijo _î-_, extraído de _îns_ < *i p s i m u (§ 738): el conjunto es una forma tónica en la que *i p s i m u lleva el acento principal y el pronombre va añadido como apéndice enclítico.—No podemos entrar aquí en el detalle de las reglas de aplicación.—Para el reforzamiento en rumano, cf. además § 730.

b) En cuanto al plural, el cuadro sinóptico (§ 726) pone de manifiesto que las cuatro condiciones foneticosintácticas de la anficlisis (§ 724) se reducen a dos por coincidencia de varias de ellas. La alternativa primitiva (latinovulgar) 'posición anteconsonántica / antevocálica' repercutió en la pronunciación de la -s de los pronombres n o s , v o s : ante vocal la -s se pronunció sorda en una parte de la Romania y sonora en otra parte (§§ 381-382), mientras que ante consonante la cualidad de la -s dependía de la cualidad de la siguiente consonante (§§ 424, 534-535). Esta alternativa primitiva (latinovulgar) ocurre en sardo y portugués, así como en español (donde, por lo demás, la evolución v o s > _os_ apunta al influjo de otra condición; cf. más abajo). También en francés, en su época más antigua (preliteraria), se restableció la condición latinovulgar, mientras que la forma asilábica posvocálica ·_ns_ (< n o s), ·_s_ (< v o s), atestiguada en provenzal antiguo (cf. más abajo), fue sustituida por la forma posconsonántica _nos, vos_. Ésta conserva incluso su vocalismo (contra el § 295).—En rumano e italiano desapareció la -s (§ 542), debiendo notarse que la generalización de ésta desaparición (que entre vocales y ante consonantes, que pueden también en otros casos ir precedidas de s-, no tenía necesidad de producirse desde el punto de vista de la fonética sintáctica) indica influjo analógico por parte de la forma tónica (§ 707). La -į procedente de -s (§ 542) se une en diptongo con la vocal átona (**noi, *voi*), y el diptongo así formado sufre en cada lengua monoptongación (rum. *ne, vă* [§ 262]; it. *vi* < v o s; it. dialect. *ne* < n o s) o reducción (it. a. *no* < n o s). Las formas pronominales, que ahora terminan en vocal, reciben el mismo tratamiento foneticosintáctico que m e , t e (cf. más arriba: § 727 a). Como en italiano vienen así a confundirse *vi* < v o s y *vi* < i b i (§ 736), n o s es sustituido análogamente por *ci* < e c c e h i c (§ 737). La alternativa condicionadora de la variación 'posición interconsonántica / no interconsonántica' se trasparenta todavía diáfanamente en la correspondencia de v o s en engadino, al paso que en otros casos en engadino (para n o s) y en provenzal antiguo y catalán fue transformada ('posición posconsonántica /posvocálica' o bien 'posición anteconsonántica / antevocálica'). El catalán presenta grandes diferencias dialectales en particular. Incluso el español muestra en la forma *os* < v o s una forma anteconsonántica (a juzgar por el indicio del catalán) que se aplicó a todas las condiciones.

La distinción entre el dativo y el acusativo se perdió ya en el románico común.

B) LA TERCERA PERSONA (§§ 728-732)

728. Las formas átonas de i l l e pierden su primera sílaba ya en románico común (por tanto, en latín vulgar).

La condición originaria de la pérdida de la primera sílaba radica, sin duda, en la posición posvocálica, en la que se producía la aféresis (como para la forma e s t en posición posvocálica: m e a 's t). Así, del latín vulgar m ī i l l u nació la construcción aferética m ī 'l l u (rum. *mi-l*: § 733); y del latín vulgar á m a i l l u surgió la forma aferética a m á 'l l u (sudit. *pigliállo* 'cógelo': § 744)[6]. Después se generalizó la forma aferética.

En la mayor parte de la Romania (con excepción del rumano y de dialectos toscanos del noroeste) la consecuencia de esta pérdida silábica es la transformación de -ll- en -l- sencilla. La razón de esta simplificación consonántica radica en condiciones de ritmo sintáctico, pues -ll- después de vocal cambiaba el ritmo de la oración (c á n t a i l l u > *c a n t á- l l u > sudit. *cantállo*), mientras que -l- no atentaba contra el ritmo oracional (c á n t a i l u > it. y esp. *cántalo*). Los dialectos suditalianos y toscanos del noroeste se avienen al cambio del ritmo oracional, al paso que el rumano eludió el desplazamiento acentual quizá, primitivamente, mediante la modificación del ritmo (c á n t a i l l u > *c á n t a 'l l ú: cf. § 744).

Para lat. h o c, cf. § 739.—Para el reflexivo, cf. § 732.

α) Masculino y femenino (§§ 729-730)

1) Cuadro sinóptico (§ 729)

729. Para los signos utilizados, cf. § 726.—Los dativos i l l ī, i l l ī s son comunes desde un principio al masculino y femenino. En los casos en que el femenino (it. *le;* engad. *la, las;* cat. *les*) se distinga del masculino, se indicará por medio de «f».

---

[6] Cf. también e c c u í s t u > e c c ú 's t u (sard. y sudit. *kústu*: § 740). Cf. asimismo §§ 149; 700; 824; 897; 905.

lat. cl.	(dativo) i l l ī (m., f.)			(acusativo) i l l u m (m.)			(acusativo) i l l a m (f.)	
	(cpc)	(cpv, vpv)	(vpc)	(cpc)	(cpv, vpv)	(vpc)	(cpc, vpc)	(cpv, vpv)
lat. v.	lī	lī⌣	li	lu	lu⌣	lu	la	la⌣
rum.	îi	i⌣	⌣i	îl	l-	-l	o	o
it.	gli (le f.)	gli⌣(le f.)	gli (le f.)	lo	lo⌣, l'	lo	la	la⌣, l'
sard.	li	li⌣	li	lu	lu⌣, l'	lu	la	la⌣, l'
engad.	al (la f.)	l'	⌣al (la f.)	il	l'	⌣il	la	l'
fr. a.	li	li, l'	li	le	l'	⌣l, le	la	l'
fr. m.	(lui)	(lui)	(lui)	le	l'	le	la	l'
prov.	li	lh', li, l'	⌣lh [t]	lo	lo⌣, l'	⌣l	la	l'
cat.	li	li⌣	li	lo, el	l'	⌣l	la	la, l'
esp.	le	le⌣	le	lo	lo⌣	lo	la	la⌣
port.	the	the⌣	the	o	o	o	a	a

lat. cl.	(dativo) illīs (m., f.)				(acusativo) illōs (m.)				(acusativo) illās (f.)	
	(cpc)	(cpv)	(vpv)	(vpc)	(cpc)	(cpv)	(vpv)	(vpc)	(cpc, vpc)	(cpv, vpv)
lat. v.	*līs*	*līs*	*līs*	*līs*	*lōs*	*lōs*	*lōs*	*lōs*	*lās*	*lās*
rum.	*(le)*	*(le⌣)*	*(le⌣)*	*(le)*	*(ĩi)*	*(i⌣)*	*(i⌣)*	*(⌣i)*	*le*	*le*
it.	*(loro)*	*(loro⌣)*	*(loro⌣)*	*(loro)*	*li*	*li⌣*	*li⌣*	*li*	*le*	*le⌣*
sard.	*lis*	*lis*	*lis*	*lis*	*los*	*los*	*los*	*los*	*las*	*las*
engad.	*als(las* f.)	*als(las* f.)	*⌣als(las* f.)	*⌣als(las* f.)	*ils*	*ils*	*⌣ils*	*⌣ils*	*las*	*las*
fr. a.	*(lor)*	*(lor)*	*(lor)*	*(lor)*	*les*	*les*	*s, les*	*s, les*	*les*	*les*
fr. m.	*(leur)*	*(leur)*	*(leur)*	*(leur)*	*les*	*les*	*les*	*les*	*les*	*les*
prov.	*(lor)*	*(lor)*	*(lor)*	*(lor)*	*los*	*los*	*·ls*	*·ls*	*las*	*las*
cat.	*(los, els)* *les* f.	*(los) les* f.	*(los) les* f.	*(·ls) les* f.	*los, els*	*los*	*los*	*·ls*	*les*	*les*
esp.	*les*	*les*	*les*	*les*	*los*	*los*	*los*	*los*	*las*	*las*
port.	*lhes*	*lhes*	*lhes*	*lhes*	*os*	*os*	*os*	*os*	*as*	*as*

2) *Observaciones* (§ 730)

730. Las formas latinovulgares con *l-* incluidas en el cuadro no valen para el rumano y para ciertos dialectos italianos, que presuponen *-ll-* (§ 728).

A continuación explicaremos: 1, el dativo singular i l l ī; 2, el acusativo singular masculino i l l u m; 3, el acusativo singular femenino i l l a m; 4, el dativo plural i l l ī s; 5, el acusativo plural masculino i l l ō s; 6, el acusativo plural femenino i l l ā s.

1. El dativo i l l ī es desde un principio común al masculino y femenino. Sólo el italiano presenta para el femenino un analógico *i l l a e > *le*. En engadino, el femenino *la* es etimológicamente el acusativo i l l a m .

Latín vulgar l ī tiene una forma silábica anteconsonántica l ī y una forma asilábica ante vocal l i◡ (§ 109). Como el grupo l ị̆ se convierte en [ʎ] (§ 464), ambas formas tienen distinto consonantismo. Esta escisión del consonantismo se evitó en todas partes: en rum., it. y port. prevaleció el consonantismo antevocálico; en sard., fr. a., cat. y esp. el consonantismo anteconsonántico. El provenzal antiguo muestra vestigios de ambas variantes de consonantismo, pues la forma anteconsonántica *li* se emplea en posición interconsonántica, pero aparece también en posición antevocálica, mientras que la forma antevocálica *lh* se utiliza tanto en posición antevocálica como también en posición posvocálica-anteconsonántica.—La forma fr. a. *li* muestra claramente su origen de la posición anteconsonántica en que no contrae sinalefa con la vocal siguiente (*Canción de S. Al.*, 8 e: *dunc li acatet filie d'un noble Franc*)[7]. Esta independencia del pronombre

---

[7] En la *Canción de Roldán* aparece sinalefa o elisión ante el siguiente adverbio pronominal (§ 735) *en;* por tanto, en secuencia pronominal antigua.

halla su consecuente consolidación en la sustitución del átono *li* por el tónico *lui* (§ 718) en francés moderno.

La alternativa latinovulgar 'posición anteconsonántica / antevocálica' se mantiene (aun con consonantismo modificado) en it., sard., cat., esp. y port.—En engad. ocurre (para masc. y fem.) el acusativo i l l u (i l l a): cf. número 2.—Para la forma reforzada *îi* en rumano, cf. § 727.

2. El acusativo i l l u muestra la alternativa latinovulgar 'posición anteconsonántica / antevocálica' en it., sard., esp. y port., mientras que engad., fr. a., prov. a. y cat. muestran la alternativa 'posición interconsonántica /no interconsonántica'. En fr. a. tardío (ya en el s. XII) y en fr. m. entró otra vez por vía analógica la alternativa latinovulgar.—La forma engad. *il* se formó sobre la forma antevocálica *l'* por analogía con el artículo (engad. *il mür, l'ornamáint*: § 745), y fonéticamente representa propiamente el nominativo, mientras que la forma del acusativo *(al, l')* se emplea como dativo (número 1; cf. también número 4 para el rum.). Perdido ya el sistema bicasual (§ 585), el nominativo podía usarse como acusativo, con lo que el antiguo acusativo quedó libre y asumió la función de dativo.—Para la forma reforzada rum. *îl*, cf. § 727.

3. El acusativo i l l a m presenta la alternativa latinovulgar 'posición anteconsonántica / antevocálica'.—En rum. -l l a anficlítico se monoptongó en *o* (§§ 733; 760) pasando por **uă* (§ 498).

4. El dativo i l l ī s es común al masculino y femenino, y pervive en sard. y esp., mientras que el port. trasladó al plural el consonantismo del singular *lhe* (número 1).—El genitivo tónico i l l o r u (§ 718) asumió en it., fr. y prov. la función del dativo, y en engad. y cat., la del acusativo.—Probablemente el rum. *le* deriva del acusativo i l l o s, al paso que el acusativo *i* se basa verosímilmente en el nominativo i l l ī (cf.

análogas condiciones en engad.: número 2). El dativo engadino *als* se basa en el acusativo i l l ō s; el acusativo engadino *ils* está formado por analogía con el plural del artículo (§ 745).

5. El acusativo i l l ō s se diferenció, en la evolución foneticosintáctica de la -s, de modo análogo a las formas n o s , v o s (§ 727, b). El rum. *i* proviene probablemente del nominativo i l l ī, pues éste podía asumir la función del acusativo tras la pérdida de la declinación bicasual (§ 588), con lo que, al quedarse sin función, el acusativo se hizo cargo de la función del dativo (número 4).—Para el reforzamiento de *ĭi* en rum., cf. § 727.

6. El acusativo i l l ā s presenta en todas partes la forma que era de esperar.

β) Neutro (§ 731)

731. Como neutro entra en consideración el acusativo singular i l l u d , que pierde su -d y se confunde así con el masculino i l l u (§ 730, 2): it. *lo*, sard. *lu*, engad. *il*, fr. a. y fr. m. *le*, esp. *lo*, port. *o* [8].—En prov. a. y cat. se utiliza como neutro h o c: prov. *o*, cat. *ho*.—El rum. expresa el neutro mediante i l l a m (scil. r e m , c a u s a m): rum. *o* (§ 730, 3).

γ) Reflexivo (§ 732)

732. Las formas s i b i (*s ī) evolucionan análogamente a las formas m i h i, m e, t i b i, t e (§ 726):

---

[8] Nótese que engad. *il* es propiamente el nominativo masculino (§ 730, 2).—En algunos dialectos suditalianos, la *-d* se mantuvo por más tiempo y se la reconoce en su efecto reduplicador sobre la consonante inicial siguiente (illud m e l > *u mmele*; en cambio, illu c a n e > *u cane*), lo que, por lo demás, afecta únicamente al artículo (§ 745).

	(cpc)	(cpv, vpv)	(vpc)	(cpc)	(cpv, vpv)	(vpc)
lat.clás.	s i b ī (dativo)			s ē (acusativo)		
lat. v.	*sī	*sī⌣	*sī	sē	sē⌣	sē
rum.	îşi	şi⌣	şi	se	s'	se
it.	si	si⌣, s'	si	si	si⌣, s'	si
sard.	si	si⌣	si	(si)	(si⌣)	(si)
engad.	—	—	—	as	s'	as
sobres.	—	—	—	se-	s'	se-
fr. a.	se	s'	·s, se	se	s'	·s, se
fr. m.	se	s'	se	se	s'	se
prov.	si (se)	s'	·s	se(si)	s'	·s
cat.	se, es	s'	·s	se, es	s'	·s
esp.	se	se⌣	se	se	se⌣	se
port.	se	se⌣	se	se	se⌣	se

Tienen análogamente aplicación aquí las observaciones de § 727 a.

En sobres., el reflexivo *se* es el único pronombre átono (§ 706). Esto tiene como consecuencia el que el pronombre *se* se funda en una unidad con el radical del verbo; por tanto, ni se separa de él en los tiempos compuestos ni es sustituido en primera y segunda persona por reflexivos especiales. Así, pues, se dice en sobres. *el selégra* 'él se alegra' (s e *a l a c r a t), *els selegran* 'ellos se alegran', con un empleo de *se* etimológicamente correcto; pero se dice, además, *je selegrel* 'yo me alegro', *ti selegras* 'tú te alegras', *nus selegréin* 'nos alegramos', *vus selegréis* 'os alegráis', *je sun selegraus* 'me he alegrado'.

En cambio, en engadino, en que se mantiene el sistema completo de los pronombres átonos (§§ 726-732), los reflexivos entran en las condiciones normales: *el s'allegra* 'él se alegra', pero *eau m'allegr* 'me alegro'.

c) ACUMULACIÓN PRONOMINAL (§ 733)

733. En el cuadro sinóptico siguiente (págs. 196-197) se han reunido los tipos principales de acumulación pronominal. En cuanto a las condiciones de fonética sintáctica (§ 724), se parte de la base de la posición interconsonántica. Las variantes foneticonsintácticas en las demás condiciones (§ 724, 2-4) corresponden en general a las formas consignadas en §§ 726-732.—Una cruz (†) indica una forma anticuada.—Para la pronunciación latinovulgar, -ll- o -l- vale la observación de § 730.

Cabe distinguir dos tipos de secuencias o series: 1, m ī ĭ l l u; 2, ĭ l l u m ī. En particular:

1. El tipo secuencial m ī ĭ l l u muestra, respecto al tratamiento del hiato entre -ī e ĭ-, dos posibilidades: por una parte, la aféresis de la ĭ- (a); por otra, la diferenciación -ịị̯-(b):

a) La aféresis de la ĭ- con el resultado m ī 'l l u (§ 728) en el tipo secuencial m ī ĭ l l u se aplica también a las series t i i l l u , s i i l l u . El resultado m ī 'l l u conserva en rum. (y en ciertos dialectos italianos: § 728) la consonante doble -ll-(§ 728): el resultado en rum. es *mi-l*. El rum. *o* < i l l a (§ 730) se explica cómodamente partiendo de la serie m ī 'l l a > *miụă* (§ 498) > *mi-o*.—En la mayor parte de la Romania la consonante doble -ll- se simplifica; y así el resultado es la secuencia latinovulgar m ī l u consignada en el cuadro sinóptico, que pervive en italiano, sardo, catalán, español y portugués. Para el vocalismo italiano *me lo*, cf. más abajo (letra b).—Las palatalizaciones del portugués antiguo (*mho, cho, xo*) son secundarias y presuponen la desaparición de la *l-* de *lo* (§ 385): *me lo* > *meo* > [*mịo*], escrito *mho*.—En

lat. cl.	1. mihi illum	5. tibi illum	9. sibi illun
	2. mihi illos	6. tibi illos	10. sibi illos
	3. mihi illam	7. tibi illam	11. sibi illam
	4. mihi illas	8. tibi illas	12. sibi illas
lat. v.	1. *mī lu	5. *tī lu	9. *sī lu
	2. *mī los	6. *tī los	10. *sī los
	3. *mī la	7. *tī la	11. *sī la
	4. *mī las	8. *tī las	12. *sī las
rum.	1. *mi-l*	5. *ţi-l*	9. *şi-l*
	2. *mi-i*	6. *ţi-i*	10. *şi-i*
	3. *mi-o*	7. *ţi-o*	11. *şi-o*
	4. *mi-le*	8. *ţi-le*	12. *şi-le*
it.	1. *me lo*	5. *te lo*	9. *se lo*
	2. *me li*	6. *te li*	10. *se li*
	3. *me la*	7. *te la*	11. *se la*
	4. *me le*	8. *te le*	12. *se le*
sard.	1. *mi lu*	5. *ti lu*	9. *si lu*
	2. *mi los*	6. *ti los*	10. *si los*
	3. *mi la*	7. *ti la*	11. *si la*
	4. *mi las*	8. *ti las*	12. *si las*
fr. m.	1. *me le*	5. *te le*	9. *se le*
	2. *me les*	6. *te les*	10. *se les*
	3. *me la*	7. *te la*	11. *se la*
	4. *me les*	8. *te les*	12. *se les*
prov.	1. *lo·m*	5. *lo·t*	9. *lo·s*
	2. ?	6. ?	10. ?
	3. *la·m*	7. *la·t*	11. *la·s*
	4. ?	8. ?	12. ?
cat.	1. *me'l*	5. *te'l*	9. *se'l*
	2. *me'ls*	6. *te'ls*	10. *se'ls*
	3. *me la*	7. *te la*	11. *se la*
	4. *me les*	8. *te les*	12. *se les*
esp.	1. *me lo*	5. *te lo*	9. *se lo*
	2. *me los*	6. *te los*	10. *se los*
	3. *me la*	7. *te la*	11. *se la*
	4. *me las*	8. *te las*	12. *se las*
port.	1. *mho†, mo*	5. *cho†, to*	9. *xo† [šu]*
	2. *mhos†, mos*	6. *chos†, tos*	10. *xos†*
	3. *mha†, ma*	7. *cha†, ta*	11. *xa†*
	4. *mhas†, mas*	8. *chas†, tas*	12. *xas†*

illi illum	17. nobis illum	21. vobis illum	25. illis illum
illi illos	18. nobis illos	22. vobis illos	26. illis illos
illi illam	19. nobis illam	23. vobis illam	27. illis illam
illi illas	20. nobis illas	24. vobis illas	28. illis illas
*lįilu	17. *nōs lu	21. *vōs lu	25. *līs lu
*lįilos	18. *nōs lōs	22. *vōs lōs	26. *līs lōs
*lįila	19. *nōs la	23. *vōs la	27. *līs la
*lįilas	20. *nōs lās	24. *vōs lās	28. *līs lās
i-l	17. ni-l	21. vi-l	25. li-l
i-i	18. ni-i	22. vi-i	26. li-i
i-o	19. ne-o	23. v'o	27. le-o
i-le	20. ni-le	24. vi-le	28. li-le
glielo	17. ce lo	21. ve lo	25. glielo†
glieli	18. ce li	22. ve li	26. glieli†
gliela	19. ce la	23. ve la	27. gliela†
gliele	20. ce le	24. ve le	28. gliele†
li lu†, bi lu	17. nollu	21. bollu	25. bi lu
li los†, bi los	18. nollos	22. bollos	26. bi los
li la†, bi la	19. nolla	23. bolla	27. bi la
li las†, bi las	20. nollas	24. bollas	28. bi las
le lui	17. nous le	21. vous le	25. le leur
les lui	18. nous les	22. vous les	26. les leur
la lui	19. nous la	23. vous la	27. la leur
les lui	20. nous les	24. vous les	28. les leur
loi	17. lo·ns	21. lo·us	25. lo·ls
?	18. ?	22. ?	26. ?
lai	19. la·ns	23. la·us	27. la·ls
?	20. ?	24. ?	28. ?
l'hi, li'l	17. ens el	21. us el	25. els el
els hi, li'ls	18. ens els	22. us els	26. els els
l'hi, li la	19. ens la	23. us la	27. els la
les hi, li les	20. ens les	24. us les	28. els les
se lo	17. nos lo	21. os lo	25. se lo
se los	18. nos los	22. os los	26. se los
se la	19. nos la	23. os la	27. se la
se las	20. nos las	24. os las	28. se las
lho	17. no-lo	21. vo-lo	25. lhe-lo†
lhos	18. no-los	22. vo-los	26. lhos
lha	19. no-la	23. vo-la	27. lhe-la†
lhas	20. no-las	24. vo-las	28. lhas

rumano, la aféresis de la ǐ se produce también en la serie
illī íllu, que da rum. _i-l_ [_yil_] pasando primero por illī
'llu (§ 498). Asimismo, sardo antiguo _li lu_ y catalán _li 'l_ (con
-_l_- en vez de -_ll_-) pueden remontar a un antiguo illī 'llu
(lī lu), a menos que se trate de compuestos secundarios.
Para el sardo _bi lu_, cf. abajo, número 3.

b) La diferenciación -ị̆ - (§ 109) se produce en el tipo secuencial mī illu únicamente detrás de l-, pues el grupo -li-
era corriente (§§ 109, 464, 506). El resultado illị̆ íllu (con
el acento sobre la ǐ breve del pronombre) es la base de las
formas italianas, españolas y portuguesas [ɫéllo > ɫélo
(con simplificación de la -ll- en -l-: § 728)]. Sólo así cabe explicar la vocal italiana ẹ. En italiano la oposición de la forma aislada _gli_ (illī: § 729) a la forma acumulativa _glie_- produjo el efecto analógico de oponer las formas acumulativas
_me, te, se_ a las formas aisladas _mi, ti, si_ (§ 726).—En español
la base [ɫélo] pasó en español antiguo a _gelo_ (§ 464) y dio
en español moderno _se lo_ (con desonorización, pero con ade-
lantamiento de la articulación en s-, en vez de con velari-
zación: § 464).

2. El tipo secuencial illu mī aparece en francés antiguo _(le·m)_, provenzal antiguo _(lo·m)_ y dialectos italianos antiguos (Toscana, Umbría: _lo mi_). El tipo secuencial del francés antiguo subsiste aún en francés moderno en las series
le lui, le leur, donde la serie (fr. a. _le li, le lor_) encontraba
un apoyo en la tonicidad de las formas _lui, leur_ (§ 730).

3. Las series lī lu y lu lī gustaban de disimilarse, con
lo que el puesto de lī fue ocupado por el adverbio i b i (sard.
_bi_, prov. _i_, cat. _hi_): sard. _bi lu_, prov. _loi_, cat. _l'hi_ (cf. 736).

D) ADVERBIOS PRONOMINALES (§§ 734-737)

734. Algunos adverbios demostrativos (§ 738) comparten con el pronombre demostrativo i l l e (§§ 729-731) la suerte sintáctica del empleo en posición átona foneticosintáctica. Esos adverbios tenían ya en latín puntos de contacto semántico con los pronombres personales, y en románico asumen en parte la significación plena de pronombres personales. Son éstos los adverbios i n d e (§ 735), i b i (§ 736) y *e c c e h ī c (§ 737).

735. Lat. i n d e 'de allí' se equipara, desde el punto de vista sintáctico y foneticosintáctico, a los pronombres personales átonos en it. *ne*, engad. *and*, fr. *en*, prov. y cat. *en* (prov. y cat. *ne*). La significación del adverbio en románico corresponde a la vasta extensión de su significación en latín: puede expresar la procedencia de un lugar conocido (it. *ne torno* 'vuelvo de allí', fr. *j'en viens*), el genitivo partitivo (lat. *dant inde partem mihi maiorem quam sibi*; it. *vorrei comprarne due metri* 'me gustaría comprar dos metros [de ello]'; engad. *eau and vuless cumprer duos meters;* fr. *je voudrais en acheter deux mètres*), un genitivo-objeto (lat. *te paeniteat inde;* it. *me ne ricordo* 'me acuerdo de ello', fr. *je m'en souviens*) tanto referido a cosas como también (aunque no con pleno valor estilístico en todas partes) a personas (cf. lat. *nihil inde* [scil. *a Dareo*] *praesidii mittebatur*). Entraña especial importancia la función del genitivo representando al posesivo e i u s (§ 749) cuando el poseedor es una cosa (así como [aunque no con pleno valor estilístico en todas partes] cuando el poseedor es una persona): fr. *cette terre me plaît, le sol en est fertile.*—Las funciones del genitivo re-

presentan para el románico un fenómeno supletivo (§ 583).— Sobre el correspondiente h i n c, cf. § 563.

736. Lat. i b i 'allí' es tratado, desde el punto de vista sintáctico y foneticosintáctico, como un pronombre personal átono en it. *ui*, fr. *y*, prov. *i*, cat. *hi*, esp. a. y port. a. *y*. Para el fonetismo cf. u b i it. *ove*, fr. *où*. Su significación es ante todo la primitiva del adverbio de lugar, y ello —de acuerdo con la desaparición de la diferencia entre ablativo y acusativo (§ 587)— tanto para indicar el reposo 'allí' (*h a b e t i b i 'hay' it. *havvi* y *vi ha* [9], fr. *il y a*, esp. *hay*) como para expresar la dirección 'allá' (it. *noi vi andiamo* 'vamos allá', fr. *nous y allons*, cat. *nosaltres hi anem*). En segundo lugar, puede representar pronominalmente determinaciones adverbiales, expresadas mediante la preposición a d (it. *io vi penso* 'pienso en ello', fr. *j'y pense;* cf. it. *pensare a*, fr. *penser à* 'pensar en'), y ello (igual que i n d e: § 735) con referencia a cosas y (aunque no con pleno valor estilístico en todas partes) a personas. Y por encima todavía de la expresión pronominal de una determinación adverbial —cosa que va aneja al adverbio i b i desde su origen— está la expresión pronominal del dativo-objeto (expresado con a d: § 587) en la tercera persona, es decir, la sustitución de i l l ī e i l l ī s (§ 729). Esta función supletiva de i b i (extendida en catalán y francés vulgar) tiene su origen en la disimilación de los grupos pronominales acumulados l i l u (sard. *bi lu*) y l u l i (prov. *loi*, cat. *l'hi*); § 733, 3.

El adverbio i b i aparece con función supletoria (§ 583), en lugar de la segunda persona plural, en italiano, y la razón de ello hay que buscarla en la confusión fonética de v o s e

---

[9] Para la enclisis y proclisis, cf. § 725.

i b i (§ 727 b). La consecuencia de esta confusión se traduce después en la sustitución del pronombre de la primera persona plural por e c c e h ī c (§ 737).

737. En italiano, *e c c e h i c it. *ci* 'aquí, acá' (para indicar tanto el reposo como el movimiento, cf. § 587) es tratado también, desde el punto de vista sintáctico y foneticosintáctico, igual que un pronombre átono, pese a que el reforzamiento con e c c e (§ 738) implica por su origen tonicidad. El motivo del tratamiento átono radica en la semejanza estructural de las palabras *ci* y *vi* (§ 736), a la que corresponde la oposición significativa 'proximidad (*ci*) / lejanía (*vi*)' (§ 737). Así, el empleo sintáctico de *ci* se acopla paralelamente al de *vi* (§ 726): *ci* se usa en la función originaria de adverbio de lugar para expresar el reposo (*ci sono* 'aquí están, hay') y el movimiento (*essi ci vengono* 'vienen acá'), así como también en representación de una construcción preposicional con a d (*ci penso* 'pienso en esto'). La función supletoria (§ 583) como pronombre de tercera persona plural (§§ 727 b, 736) hay que explicarla en este orden de ideas (cf. § 793, A 1).

B) PRONOMBRES DEMOS-
TRATIVOS (§§ 738 - 742)

738. El latín distingue primitivamente tres grados de proximidad en el pronombre demostrativo, correspondientes a los tres grados de proximidad de las personas del verbo (§ 793, A 1):

1. A la primera persona corresponde el pronombre demostrativo h i c , que alude a un objeto (o persona) que se encuentra en la proximidad del que habla;

2. A la segunda persona corresponde el pronombre demostrativo i s t e, que alude a un objeto (o persona) que se encuentra en la proximidad de aquel con quien se habla;

3. A la tercera persona corresponde el pronombre demostrativo i l l e, que alude a un objeto (o persona) más lejano, que no se encuentra en la proximidad del que habla ni en la proximidad de aquel con quien se habla.

Junto a estos pronombres demostrativos están los pronombres personales y determinativos i s, i d e m, i p s e, que tienen una función delimitadora e identificadora, pero que pueden ocasionalmente asumir también valor demostrativo.

De estos pronombres, i d e m se perdió totalmente; i s (§§ 716; 739) sólo permanece en la combinación identificadora i d i p s u m (it. *desso* 'exactamente idéntico'). Lat. i p s e 'mismo' fue utilizado desde muy pronto con valor de sobrecaracterización (§ 583) como pronombre demostrativo (§ 740) y personal (§§ 716; 753) y también como artículo (§ 743). Para expresar la significación identificadora 'mismo' se utilizaron, por ello, reforzamientos enfáticos: i s t u i p s u (it. *stesso*), *i p s i m u (rum. *îns;* también el prefijo intensivo *î-* de los pronombres personales: §§ 727, 730, 732), m e t i p s i m u (fr. *même*, esp. *mismo*).—No podemos estudiar aquí el sistema de los adverbios demostrativos (h ī c, h ū c, h i n c, i b i, e o, i n d e, etc.). Cf. también § 734.

739. Los tres grados de proximidad (§˙738) del pronombre demostrativo están sometidos a fluctuaciones ya en el decurso de la evolución latina. Un motivo de estas vacilaciones parece haber sido la proximidad fonética de los pronombres *hic* e *is* (en plural: *hi* e *ii*): ni *hic* ni *is* perduran en románico como formas pronominales vivas [10], y ello debido probablemente a mutuo debilitamiento semántico.

Esta pérdida de dos pronombres ponía en peligro indirecto (a) y directo (b) el sistema de los tres grados de proximidad en los demostrativos:

a) El peligro indirecto para el sistema de los tres grados de proximidad de los demostrativos nace de que el pronombre demostrativo i l l e del tercer grado de proximidad (§ 738, 3) pasa a ocupar el puesto del pronombre personal i s (§ 738), viniendo así a convertirse en pronombre personal de tercera persona (§ 716). Su empleo como pronombre personal le hace perder a i l l e fuerza demostrativa. Esta pérdida se compensa en románico común anteponiéndole la partícula demostrativa e c c e o e c c u al pronombre i l l e en su función demostrativa. Cuanto a la distribución geográfica de las formas e c c u y e c c e, hallamos e c c u en it., sard., cat., esp. y port., mientras que e c c e aparece en francés. Tanto e c c u como e c c e aparecen en provenzal (en escalonamiento geográfico) y en grisón (§ 741). Respecto al rum. *acel*, no se puede zanjar la alternativa (§§ 346, 481).— La anteposición de e c c u o e c c e se extiende también a los pronombres de los dos primeros grados de proximidad, sin que, sin embargo, se haya impuesto en todas partes con carácter obligatorio (§§ 740-741).

Al perderse i s pasó i l l e a heredar la función determinativa del primero (por ej., en combinaciones como i s q u i =i l l e q u i 'aquel que'). No era necesario en esta función determinativa intensificar la fuerza demostrativa de i l l e mediante la anteposición de e c c u (e c c e); y no era nece-

---

[10] El neutro h o c se conserva en prov. y cat. (§ 731) como pronombre personal; además, con la significación 'sí' en prov. *oc*, fr. *oui* (< h o c i l l i).

sario porque el determinante (i l l e) estaba suficientemente reforzado por el determinado (q u i). Así, el simple i l l e mantiene su plena vitalidad como determinativo en románico (fr. a. *al David* 'en [tiempo de] David'; cat. y esp. *el que*, port. *o que*), aunque la forma reforzada con e c c u (e c c e) ha asumido también funciones determinativas (fr. *celui qui* 'aquel que', it. *quello che*).—Incluso pervive el simple i l l u en rumano (*ăl*) como pronombre demostrativo: probablemente gracias a la coexistencia en rumano de i s t u (*ăst*) y e c c u i s t u (*acest*) se mantuvo también i l l u (*ăl*) junto a e c c u i l l u (*acel*) (§ 741).

b) El peligro directo para el sistema de los tres grados de proximidad en los demostrativos nace de la desaparición de h i c en el primer grado de proximidad. Como primera medida de urgencia se da ya en románico común el paso de i s t e del segundo grado de proximidad al primero (§ 738, 1): i s t e se hace, pues, cargo de la herencia de h i c. Ello plantea el problema de qué pasa con la expresión del segundo y tercer grado de proximidad (§ 738, 2-3). En este punto echan por caminos divergentes los espacios lingüísticos románicos: una parte de la Romania se mantiene fiel al sistema ternario de demostrativos (§ 740), mientras que otra parte se atiene a la consecuencia de la reducción del sistema ternario a binario (§ 741). Para la alternativa de la conservación del sistema o de su desarticulación respectivas, cf. §§ 507, 515.

740. En un espacio lingüístico conservador del sistema (§ 739 b) y que comprende el it., sard., cat., esp. y port., se conserva el sistema ternario, una vez que i s t e había pasado en románico común a ocupar el primer grado de proximidad (§ 739), gracias a que el segundo grado de proximi-

dad (en peligro por el nuevo empleo de i s t e) se refuerza mediante la adición del dativo ético t i b i (it. *codesto* < ec- cu t i b i i s t u) o se expresa mediante el pronombre i p s e (esp. *ese;* cf. § 738):

A. La salvación del sistema trigradual mediante el adita· mento del dativo ético t i b i como distintivo del grado de proximidad correspondiente a la segunda persona constituye el procedimiento más conservador, ya que conserva el segun- do grado de proximidad el pronombre heredado i s t e. Este segundo grado de proximidad e c c u t i i s t u aparece en Italia central (it. *codesto,* tosc. *cotesto*). El sistema trigra- dual de Italia central presenta, pues, los tres grados de pro- ximidad siguientes:

Primer grado: e c c u i s t u > it. *questo.*
Segundo grado: e c c u t i i s t u > it. *codesto.*
Tercer grado: e c c u i l l u > it. *quello.*

B. En cambio, constituye una radical innovación la sus- titución, en el segundo grado de proximidad, del pronom- bre i s t e (que había quedado inservible por el empleo en primer grado de proximidad) por el pronombre i p s e (§ 738). Esta innovación prevaleció en el sur y norte de Italia, así como también en sardo, catalán, español y portugués.—Es- tas regiones presentan, pues, los tres grados de proximidad siguientes:

Primer grado: i s t e > esp. *este,* port. *êste;* i s t u > sudit. *stu;* e c c u i s t e > sard. *custe,* cat. *aquest;* e c c u i s t u > sudit. *quistu,* sard. *custu* (§ 728, nota).

Segundo grado: i p s e > esp. *ese,* port. *êsse;* i p s u > sudit. *ssu;* e c c u i p s e > sard. *cusse,* cat. *aqueix;* e c c u i p s u sudit. *quissu,* sard. *cussu* (§ 728, nota).

Tercer grado: e c c u i l l e > sard. (dialect. centr.) *iccuḍ-
ḍe*, esp. *aquel*, port. *aquêle*, cat. *aquell;* e c c u i l l u >it.
quello, sudit. *quillu*, sard. *cuḍḍu* (§ 728, nota).

741. En un espacio lingüístico reductor del sistema
(§ 739 b) y que abarca, de un lado, el rumano, y del otro,
el retorromano, francés y provenzal, no se echa mano de
ninguna de estas dos medidas para salvar la trigradualidad
del sistema (§ 740), sino que se tolera como definitivo el resultado alcanzado por la perturbación del sistema en románico común (§ 739 b). Quedamos en que i s t e representa el
primero y segundo grado de proximidad, mientras que e c c u
i l l e (e c c e i l l e) se reserva el tercero. Por tanto, sólo quedan ya dos grados distintos de proximidad: el grado unifi-
cado primero-segundo para indicar el espacio en que se habla (para designar los objetos al alcance del que habla y de
aquel con quien se habla) y el tercer grado para señalar los
objetos fuera del espacio en que se habla. En lo que sigue,
llamaremos primer grado a los grados primero-segundo uni-
ficados, y segundo, al tercer grado de proximidad. El primer
grado expresa la proximidad; el segundo, la lejanía. Es la
oposición corriente también en alemán entre *dieser* 'éste,
ése' y *jener* 'aquél'.—El espacio reductor presenta, pues, los
dos grados de proximidad siguientes:

Primer grado: i s t u > rum. *ắst*, fr. a. y prov. a. *est;*
e c c u i s t u > rum. *acest, cest;* ladino central [*kešt*], engad. *quaist*, sobres. *quest*, prov. *aquest;* e c c e i s t u > fr. a.
icest, fr. a. y prov. a. *cest*, fr. m. *cet* (ante vocal), *ce* (ante
consonante).

Segundo grado: i l l u > rum. *ắl;* e c c u i l l u > rum.
acel, cel; ladino central [*kel*], engad. y sobres. *quel*, prov.

aquel; e c c e i l l u > engad. y sobres. *tschel;* prov. *cel, aicel;* fr. a. *icel, cel;* fr. m. *celui.*

La oposición de las formas (e c c u , e c c e) i s t u y (e c-c u , e c c e) i l l u conserva toda su vitalidad en rumano, ladino central, provenzal antiguo y francés antiguo. En grisón, la coexistencia de e c c e i l l u y e c c u i l l u arroja en total la suma de tres pronombres *(quest, quel, tschel),* sin que, pese a ello, hubiera surgido un nuevo sistema trigradual claramente organizado (§ 738). Un aprovechamiento de la oposición de e c c u i l l u / e c c e i l l u aparece en sobres. *prest quel, prest tschel* 'ya éste, ya aquél', y en engad. *quai e tschai* 'éste y aquél'.

En francés moderno la oposición semántica de formas del francés antiguo (*cest* 'éste', *cel* 'aquél') fue dada de lado en beneficio de una oposición morfológica (función adjetiva / sustantiva), pues en francés moderno el francés antiguo *cest* asumió la función adjetiva (fr. m. *cet homme, ce livre*), y la antigua forma *cel* se encargó en el francés moderno de la función sustantiva. Por lo demás, no se renunció a la bigradualidad del sistema; antes bien, la expresión de esa bigradualidad se encargó a los adverbios de lugar *ci* (< e c c e h i c) 'aquí' y *là* (< i l l ā c) 'allí' (*cet homme-ci, cet homme-là; celui-ci, celui-là*).—Para el fenómeno del cambio de condición, cf. §§ 163, 172, 177, 745.

742. En la declinación de los demostrativos es frecuente comprobar una asimilación a las respectivas formas del pronombre relativo (con el que concurren en función determinativa: § 739 a) y del pronombre interrogativo (cuya correspondencia forman como respuesta; § 718):

1. Según el nominativo singular q u ī (§ 747) se forman

los nominativos singulares (e c c u, e c c e) *i s t ī (it. *questi,*
fr. a. *cist*), i l l ī (it. *quelli*, fr. a. *cil*).

2. Según el dativo singular c u i (§ 747) se forman los
(primitivos) oblicuos (e c c u, e c c e) i s t ú i (it. *costúi,* fr. a.
cestúi), i l l ú i (it. *colúi*, fr. *celui*).

c) ARTÍCULO (§§ 743-745)

743. El artículo indeterminado ('un rey') tiene la función de extraer de un género ('reyes') un individuo (sea
persona, sea cosa) ausente a quien el oyente no conoce aún
por el contexto ('Érase una vez un rey...'). Más sobre el artículo indeterminado en § 762.

El artículo determinado ('el rey') tiene en su origen la
función de aludir a un individuo (real o personal) ausente
y, sin embargo, conocido ya por el oyente, pues ha sido mentado en el contexto por el hablante, quien se refiere a él
mediante una denominación genérica ('rey'), y lo hace indi-
vidualizándolo ('Érase una vez un rey... El rey dijo...') con
el fin de hacer así de la denominación genérica la denominación inconfundible de un individuo identificado [11].

La función identificadora del artículo determinado hace
al pronombre identificador i p s e (§ 738) especialmente apto
para ser empleado como artículo. El latín i p s e representa
el estrato más antiguo de la forma del artículo en románico,
y esa forma subsiste aún en sardo y catalán de las Baleares
(§ 745). La comunidad del artículo i p s e es un puente que

---

[11] Como el superlativo (relativo) designa del conjunto genérico de
los portadores de la cualidad a un individuo (sea cosa o persona) como
quien la posee en su más alto grado, se comprende que el artículo
determinado tenga ante el grado comparativo la función de la formación superlativa como una ponderación individualizadora (§ 687).

unió en tiempos a las comunidades lingüísticas sarda y catalana (cf. §§ 790, 1; 770, 1).

Por otra parte, la función demostrativa del artículo determinado convierte al pronombre demostrativo i l l e (§ 738, 3) en singularmente apropiado para ser empleado como artículo, pues alude a un individuo (real o personal) que no se halla ni en la proximidad del que habla ni en la de aquel con quien se habla, es decir, un individuo ausente. El latín i l l e representa el segundo estrato de las formas del artículo, y como tal se ha impuesto en la mayor parte de la Romania (§ 745).

La función del artículo determinado no se ha limitado en ningún idioma románico a la función originaria de la identificación individual; antes bien, se pueden comprobar en todas las lenguas ampliaciones de su función, ampliaciones funcionales que también se encuentran en otras lenguas que utilizan el artículo (griego, alemán).

La razón de esta ampliación de funciones radica en el hecho de que el artículo determinado, además y por encima de la efectiva identificación individual (esto es, de la confirmación de lo conocido), puede ser utilizado por el hablante para insinuar al oyente por vía afectiva un conocimiento (del que no dispone éste todavía): (cf. H. Lausberg, *Handbuch der lit. Rhetorik.* Munich, 1960, 1246, *insinuation*: § 1245 de la edición española, t. III, Madrid, Gredos, 1966). De esta suerte, el artículo determinado contiene una función afectivo-evocadora, que encontramos, por ej., en las denominaciones genéricas (fr. *l'avare est malheureux* 'el avaro (= todo avaro) —ya conoces el tipo— es desgraciado'), así como también en los nombres propios *(la France)*. Así se generaliza la posibilidad de utilizar el artículo: el artículo es un encarecimiento de lo conocido. Justo esta función de

expresión encarecedora hace que la mecanización deslustre
muy pronto el matiz originariamente afectivo. El resultado
consiste en la ampliación mecánica del uso del artículo sin
especial coloración afectiva (fr. *l'avare est malheureux; la
France*).—No han llegado igual de lejos todas las lenguas
románicas en la generalización del artículo determinado.
Especialmente en los tiempos primitivos de las lenguas (así
en francés y provenzal antiguos) se comprueba claramente
que el uso del artículo no estaba en modo alguno tan generalizado como en épocas posteriores.—El empleo del artículo determinado (i p s e o i l l e) en general es ya propio del
románico común y hay que explicarlo, probablemente, por
influjo del adstrato griego (§§ 30-34).

744.   Desde el punto de vista de la fonética sintáctica,
el artículo determinado no era en sus comienzos totalmente
átono; llevaba cuando menos (en fonética sintáctica) acento
secundario (cf. § 705), pues tiene una importante función
individualizadora (§ 743). Por ello debe ir también al comienzo de la frase (en contraste con el pronombre personal átono: § 725): ìlle cabállus (ìllu cabállu) it. *il cavallo*,
esp. *el caballo*.

Son dos las circunstancias que debilitan el acento secundario del artículo y lo rebajan casi al nivel de la intertoni-
cidad (característica del pronombre personal átono: § 723):
en primer lugar, el comienzo vocálico del artículo, que en
el contexto foneticosintáctico ante vocal ha de desaparecer
frecuentemente por sinalefa o elisión (§ 576): video illum
caballum > vidio 'llu cavallu > it. *vedo 'l cavallo*,
esp. *veo el caballo;* y en segundo lugar, la mecanización del
artículo (§ 743), que entraña una desvaloración.

La colocación del demostrativo i l l e (o i p s e: § 743)
antes o después del sustantivo era al principio potestativa,

incluso cuando el demostrativo se había convertido ya en artículo. La mecanización del artículo (§ 743) acarrea (además de la desvaloración semántica) también la mecanización en la posición del artículo; y así, el rumano (como el búlgaro) optó por posponerlo (c a b a l l u i l l u > c a v a l l u 'l l u > rum. *calul*), mientras que las otras lenguas (igual que el germánico) lo anteponen.

La -ll- del artículo representa un entorpecimiento para la fluencia foneticosintáctica del ritmo elocutivo. Así, c a b á l l u 'l l u tiene propiamente que dar *c a v a l l ú 'l l u, lo mismo que c á n t a 'l l u da la forma c a n t á 'l l u (sudit. *cantállo*: § 728). De la misma manera v i d i o 'l l u c a v á l l u tiene que dar la fluencia foneticosintáctica *v i d i ó 'l l u c a v a l l u. Por tanto, el artículo genera una labilidad foneticosintáctica de su contorno. En la mayoría de las lenguas románicas esta labilidad se subsanó (como en el caso del pronombre personal átono: § 728) mediante la simplificación de la -ll- del artículo (v ì d i o 'l u c a v á l l u > it. *vedo 'l cavallo*). En rumano se superó la labilidad mediante el acento secundario sobre la terminación del artículo (§ 121), acentuación ésta a la que sirvieron de modelo las formas i l l ú i e i l l á e i (§ 718) acentuadas en la terminación (c a v á l l u 'l l ù). Tras la mecanización de esta fijación acentual, la final fue tratada como una final inacentuada (§§ 272, 284: c a v á l l u 'l l u > rum. *cálul*).

La forma posvocálica del artículo ('l l u) se generalizó en rumano tanto más fácilmente cuanto que ninguna consonante final latina se mantenía como final [12].

---

[12] Cf. § 527. Hay que añadir aquí que el rumano, igual que el italiano, deja perder todas las consonantes finales del latín vulgar. Al caer la *-u* (§ 272) pueden aparecer secundariamente nuevas consonantes en final de palabra (c a n t a m u s > rum. *cîntăm*]). La generalización del artículo posvocálico, en cambio, se produce en un momento en que no había ya consonante final de palabra.

En las otras lenguas, en que el artículo va antepuesto, había en un principio las cuatro condiciones foneticosintácticas (cf. también § 729) enumeradas en el § 724. Hay que distinguir entre formas del artículo que terminan en vocal (i l l u) y formas que terminan en consonante (i l l o s):

1. Si la forma del artículo acaba en vocal (i l l u), entonces

a) se mantienen, en la condición *cpc* (... v i d e n t i l l u c a b a l l u), ambas sílabas del artículo;

b) en la condición *cpv* (... v i d e n t i l l' a g r u) sólo se conserva la primera sílaba del artículo;

c) en la condición *vpv* (v i d i o l' a g r u) sólo subsiste la consonante del artículo;

d) en la condición *vpc* (v i d i o l u c a b a l l u) se conserva únicamente la segunda sílaba del artículo.

2. Si la forma del artículo termina en consonante (i l l o s), entonces

a) en las condiciones *cpc* (... v i d e n t i l l o s c a b a l l o s) y *cpv* (... v i d e n t i l l o s a g r o s) permanecen ambas sílabas del artículo;

b) en las condiciones *vpv* (v i d i o l o s a g r o s) y *vpc* (v i d i o l o s c a b a l l o s) sólo se mantiene la segunda sílaba del artículo.

La mecanización del artículo (§ 743) provocó la fijación de las lenguas en determinadas variantes de las formas del artículo, condicionadas originariamente por razones de fonética sintáctica.

La mecanización del empleo produjo, pues, una mecanización de los tipos de formas. Pero aquí (como en el pronombre personal átono: § 724) la alternativa posicional 'posconsonántica / posvocálica' resultó casi por completo inimportante. Como tipo de formas se eligió, en general, la forma monosílaba posvocálica (I), y a veces también la forma posconsonántica (II):

I. Las formas monosílabas posvocálicas (*'lu, 'los, 'la, 'las*) solamente se distinguían ya ahora por su posición ante consonante (donde fueron utilizadas las formas plenas *'lu, 'los, 'la, 'las*) y ante vocal (donde los singulares acabados en vocal *'lu, 'la* perdían su vocal: *l'*).

II. Las formas posconsonánticas (primitivamente bisílabas: *illu, illos, illa, illas*), en las que se conserva la primera sílaba, presentan las siguientes condiciones de supervivencia:

A. Como formas posconsonánticas subsisten en combinaciones posconsonánticas estables (i n i l l a c a s a > it. *nella casa;* i n i p s a m e s a > sard. *in issa mesa*).

B. Como la posición posconsonántica tiene en fonética sintáctica el mismo valor que la posición inicial de frase (después de pausa) y el nominativo encabeza muchas veces como sujeto la oración, viniendo así el artículo a llevar el acento secundario de la unidad fonética (ì l l e c a v á l l u s...), de ahí que las formas del nominativo mantengan con frecuencia esta estructura: i l l e (esp. y cat. *él*), **illī* (it. y sobres. *il*: § 745). Las formas nominativas se utilizan también como acusativos una vez perdida la flexión bicasual (§ 585). Los procesos de compromiso que entonces se desarrollan pueden apreciarse en italiano:

1. La posición inicial de frase da origen al nominativo *il cavallo.*

2. En medio de la oración el acusativo i l l u c a v a l l u debe dar, propiamente, *lo cavallo* (forma efectivamente usual en dialectos).

3. Tras la pérdida de la declinación bicasual (§ 585) se opera una mecanización de las formas tradicionales *il ca-*

vallo y *lo cavallo*, pues unos dialectos (y la lengua literaria)
generalizan la forma *il cavallo*, mientras que otros prefieren
la forma *lo cavallo*. Ahora bien, la generalización de la forma *il cavallo* encontró una condición favorable en el hecho
de que *lo* posvocálico perdía fonéticamente (§ 249) su silabicidad *(vedo lo cavallo > vedo·l cavallo)* y en que todas las
palabras italianas acaban en vocal (§ 527). El sentido lingüístico podía ahora sustituir el fáctico *vedo·l cavallo* por la construcción *vedo‿il cavallo*, y ello tanto más cuanto que también *il* perdía tras vocal su silabicidad.

745. En los cuadros sinópticos las formas analógicas van
entre paréntesis. Las formas antevocálicas se indican por
+ *v*, las formas anteconsonánticas por + *c*.

	MASCULINO		FEMENINO	
	sing.	*plural*	*sing.*	*plural*
lat. v.	ipsu	ipsos	ipsa	ipsas
sard.	*issu, su*	*issos, sos*	*issa, sa*	*issas, sas*
cat.	*es*	*ets*	*sa*	*ses*

		SINGULAR			PLURAL		
		nom.	*gen.-d.*	*acus.*	*nom.*	*gen.-d.*	*acus.*
lat. v.	masc.	ille	illúi	illu	illi	illoru	illos
	fem.	illa	illáei	illa	illas	illoru	illas
rum.	masc.	*le, (l)*	*lui*	*l, (le)*	*i*	*lor*	*i*
	fem.	*a*	*ei*	*a*	*le*	*lor*	*le*

	MASCULINO									
			SINGULAR				PLURAL			
			nom.		acus.		nom.		acus.	
	+ c	+ v	+ c	+ v	+ c	+ v	+ c	+ v	+ c	+ v
lat. v.	ille	ille⌣	*illī	*illī⌣	illu	illu⌣	illi	illi⌣	illos	illos
it.	—	l'	il (lo)	l'	lo (il)	l'	i	gli	(i)	(gli)
eng.	—	l'	il	l'	(il)	l'	(ils)	(ils)	ils	ils
sobr.	—	—	il	igl	(il)	(igl)	(ils)	(ils)	ils	ils
fr. a.	—	l'	li	li/	le	l'	li	li/	les	les
fr. m.	—	l'	(le)	(l')	le	l'	(les)	(les)	les	les
prov.	el, le (lo)	l'	—	—	lo	l'	li	lh', l'	los	los
cat.	el (lo)	l'	—	—	el, lo	l'	(els)	(els)	els	els
esp.	el	el	—	—	(el)	el	(los)	(los)	los	los
port.	(o)	—	—	—	o	o	(os)	(os)	os	os

	FEMENINO			
	SING. (*nom.-acus.*)		PLUR. (*nom.-acus.*)	
	+ c	+ v	+ c	+ v
lat. v.	illa	illa⌣	illas	illas
it.	la	la⌣, l'	le	le⌣
engad. sobres.	la	l'	las	las
fr. a. y m.	la	l'	les	les
prov.	la	la⌣, l'	las	las
cat.	la	la⌣, l'	les	les
esp.	la	la⌣, el	las	las
port.	a	a⌣	as	as

En sardo, las formas plenas *(issu)* están circunscritas a combinaciones consonánticas firmes (§ 744), pero aun en tales combinaciones pueden ser sustituidas por las formas breves *(in sa mesa).*

En rumano, una vez desaparecida la distinción entre nominativo y acusativo (§ 585), la diferencia entre nominativo *le* y acusativo *l* (< *lu*) quedó desligada de la condición sintáctica y sometida a una condición estructural de las palabras, pues los masculinos que acaban en *-e* toman el artículo *le* (*regele, muntele),* al paso que el artículo *l* se emplea en los restantes tipos estructurales *(lupul).*—Para las formas i l l ú i, i l l á e i, i l l o r u m, cf. §§ 718, 720. El femenino i l l o r u m se basa en el pronombre interrogativo-relativo (§ 746).

En italiano, una vez desaparecida la declinación bicasual (§ 585), la diferencia entre el nominativo *il* y el acusativo *lo* quedó desligada de la condición sintáctica y sometida a una condición estructural de las palabras, pues *lo* va ante el grupo *s +* consonante (§ 353), en cambio *il* se emplea ante las demás consonantes iniciales de dicción.—Para el artículo neutro *lo* en español, cf. § 668, 5.

Las formas del artículo están sometidas en su estructura fonética a variaciones originadas por razones de fonética sintáctica dentro de la historia de cada lengua. Ya aludimos en § 744 a la conservación de antiguas construcciones posconsonánticas (it. *nello).* En francés d e l u r e g e origina fr. a. *deu (dou) roi* > fr. m. *du roi* (§ 264). De i n l u c a m- p u nace fr. a. *el* (> *ou) champ* > fr. m. *au champ* (§ 264). De e n l e s procede fr. a. *es (es champs),* que se conserva todavía en el fr. m. *bachelier ès lettres.*

El artículo del neutro (cf. §§ 602-615; 639-653; 663) se distingue en rumano e italiano (§§ 605-606) del del masculino

(§ 602). Las bases son: 1, en nominativo-acusativo singular:
i l l u d > i l l u > rum. *-l* (b r a c c h i u   i l l u > *braţul*); it.
il braccio muestra para el singular completa masculinización
(*il* < i l l ī); 2, en genitivo-dativo singular: i l l ú i > rum.
lui (*braţului*); 3, en nominativo-acusativo plural: i l l a (i l l a
p i r a > sobres. *la pera*: § 609) > i l l a e c (analógico de
h a e c) > i l l a e > it. y rum. *le* (i l l a e   b r a c c h i a > it. *le*
braccia; i l l a e   b r a c c h i a e > otrant. *le razze;* b r a c-
c h i a e   i l l a e > rum. *braţele*: §§ 605-606); 4, en genitivo-
dativo plural: i l l o r u m > rum. *-lor* (b r a c c h i i s [por
b r a c c h i o r u m] i l l o r u m   >   b r a c c h i a e [§ 615)
i l l o r u > rum. *braţelor*). Cf. § 731, nota.

D) PRONOMBRES INTERROGA-
TIVO-RELATIVOS (§§ 746-747)

746. En latín clásico hay dos pronombres interrogativos: el pronombre sustantivo '¿quién?' (q u i s ?   q u i d ?) y
el pronombre adjetivo '¿cuál?' (q u i ?   q u a e ?   q u o d ?).
El pronombre interrogativo adjetivo coincide en todas las
formas con el pronombre relativo (q u i , q u a e , q u o d , usado en función de adjetivo y de sustantivo).

Las relaciones del pronombre interrogativo con el pronombre relativo devienen en románico más estrechas todavía, sin que, a pesar de todo, lleguen en todas partes a confundirse ambas esferas pronominales. Se trata de los procesos siguientes:

1. La -s del interrogativo q u i s (que a su vez se basa
en un proceso de nivelación y compromiso: § 534) no se conserva en ninguna lengua (ni siquiera en las que mantienen
la -s final de dicción: § 537); y así resulta que q u ī es la

base del nominativo singular para el interrogativo y el relativo (fr., prov. y cat. *qui*).

2. Como el interrogativo no establece distinción entre masculino y femenino, esa distinción se perdió también en el relativo, pues q u ī asume la función del nominativo masculino y femenino en el relativo (fr., prov. y cat. *qui*).

3. A raíz del proceso de masculinización del femenino del relativo (número 2), también el genitivo plural femenino q u ā r u m fue reemplazado por el masculino q u ō r u m (que más tarde se perdió en románico: cf. número 4), y ello llevó a asignarle función femenina a -ō r u m, incluso en el pronombre demostrativo (i l l o r u m: § 720, 745), y hasta en los nombres (§ 595).

4. Como el pronombre interrogativo en función sustantiva no conoce, por la completa ignorancia del que pregunta, ninguna clase de plural (o al menos ninguna distinción de número), por ello también en el relativo el singular asumió la función del plural (lat. *homines quos vidi*, fr. *les hommes que j'ai vus*).

5. La ausencia de una diferenciación numérica en el relativo (número 4), el cual, por cierto, tenía también la función de un pronombre interrogativo adjetivo, fue causa de que el pronombre cualitativo q u ā l i s asumiese y esclareciese la función del pronombre interrogativo adjetivo, ya que q u ā l i s permitía una discriminación numérica (fr. *quels arbres?* '¿cuáles árboles?').

6. El pronombre q u ā l i s, que iba usurpando la función del interrogativo adjetivo (número 5), pudo posteriormente, en virtud de la identidad del interrogativo adjetivo q u i con el relativo q u i y con el interrogativo sustantivo q u i, hacerse cargo a su vez de la función de un pronombre relativo y de un interrogativo sustantivo; y así fue cómo

q u a l i s quedó sustantivado (fr. *lequel*) mediante la adición del artículo determinado individualizador (§ 743).

747. Cuadros sinópticos:

1. Pronombre interrogativo sustantivo *qui? quid?* '¿quién, qué?'

	MASC.-FEMEN.			NEUT.
	nom.	*dat.*	*acus.*	*nom.-acus.*
lat. v.	qui?	cui?	quem?	quid?
rum.	(*cine?*)	cui?	pe cine?	ce?
it.	chi?	(*a chi?*)	(*chi?*)	che?
sard.	kie?	(*a kkie?*)	(*kie?*)	bitte?(<quid˙ Deus?)
engad.	chi?	(*a chi?*)	(*a chi?*)	che?
sobres.	tgi?	(*a tgi?*)	tgi?	tgei?
fr. a.	qui?	cui?	(*cui?*)	quei?, que?
fr. m.	qui?	(*a qui?*)	(*qui?*)	quoi?, que?
prov.	qui?	cui?	(*cui?*)	que?
cat.	qui?	(*a qui?*)	(*qui?*)	que?
esp.	(*¿quién?*)	(*¿a quién?*)	¿a quién?	¿qué?
port.	(*quem?*)	(*a quem?*)	a quem?	que?

El genitivo c u i u s? pervive como pronombre interrogativo-posesivo con función de adjetivo en la forma del adjetivo (atestiguada, por ej., en Virg., *Egl.* 3, 1) de la declinación en -*o* y en -*a* (§ 668) c u i u s, c u i a (plur. c u i o s, c u i a s) en sard. *kuiu, kuia, kuios, kuias;* esp. *cuyo, cuya, cuyos, cuyas;* port. *cujo, cuja, cujos, cujas.*

2. Pronombre relativo *qui* 'que'

| | | MAS.-FEMEN. | |
	nom.	*dat.*	*acus.*
lat. v.	qui	cui	quem
rum.	—	—	*ce*
it.	*(che)*	*a cui*	*che, (cui)*
sard.	*ki*	—	*(ki)*
engad.	*chi*	—	*cha*
sobres.	*(che)*	—	*che*
fr. a.	*qui*	*cui*	*(cui) que*
fr. m.	*qui*	*(à qui)*	*que*
prov.	*qui (que)*	*cui*	*(cui) que*
cat.	*qui (que)*	—	*(qui) que*
esp.	*que*	—	*que*
port.	*que*	—	*que, quem*

Es difícil señalar hasta qué punto el acusativo *que*, referido a cosas, del provenzal antiguo, catalán, español y portugués, se basa en lat. q u o d (q u i d) en vez de q u e m. El nominativo español y portugués *que* puede proceder de q u i (§ 272).—El genitivo c u i u s pervive como pronombre relativo-posesivo con función de adjetivo (atestiguado ya en latín antiguo) en esp. *cuyo, cuya, cuyos, cuyas;* port. *cujo, cuja, cujos, cujas* (cf. arriba, número 1; esp. *la madre cuyas hijas están en casa*). El sardo antiguo tenía aún el correspondiente *cuiu, cuia, cuios, cuias* (que aún hoy son corrientes en función interrogativa; cf. arriba, número 1).—Como relativo no anafórico ('quien' = 'aquel que') se usa en todas partes (como en alemán) el interrogativo sustantivo (rum. *cine minte, şi fură* 'el que miente, también roba'; it. *chi ama teme* 'el que ama, teme').

3. Pronombre interrogativo adjetivo *qui?*
El pronombre interrogativo-adjetivo q u i? permanece:
a) como forma neutra generalizada q u i d? (cf. arriba, número 1): rum. *ce (ce materie e asta?* '¿qué materia es ésta?'), it. *che (che tipo è?* '¿qué clase de tipo es?'), engad. *che (che ora aise?* '¿qué hora es?'), sobres. *tgei (tgei teila cumpras?* '¿qué clase de tela compras?'), esp. *qué (¿qué libro deseas?*), port. *que (que tempo está?* '¿qué tiempo hace?'). El germanismo q u i d u n u '¿qué clase de?' ocurre como sustantivación de q u i d (engad. *che,* sobres. *tgei)* en engad. *chenün?* '¿cuál, de qué clase?', sobres. *tgeinin?;*
b) como forma adjetiva q u e m? en cat. *quin* '¿cuál, qué clase de?' *(quin llibre desitja?* '¿qué [clase de] libro desea usted?').

4. Pronombre interrogativo-relativo *qualis*
El pronombre interrogativo-relativo se conserva:
a) como pronombre interrogativo adjetivo '¿cuál, qué clase de?' (fr. *quel livre?)* en sustitución del interrogativo adjetivo *qui?* (cf. número 3) en rum. *care,* it. *quale,* engad. *quêl,* sobres. *qual,* fr. *quel,* prov. *qual;*
b) como pronombre interrogativo sustantivo '¿qué individuo entre varios que se pueden elegir?', precisamente sin artículo (α) o con artículo (β):
α) sin artículo q u a l i s es frecuente con esta función (esp. *¿cuál de estos libros quieres llevarte?)* en rum. *care,* it. *quale,* engad. *quêl,* sobres. *qual,* esp. *cuál,* port. *qual.*
β) con el artículo determinado (individualizador y sustantivador: § 746, 6) q u a l i s es frecuente con esta función (fr. *laquelle de ces étoffes choisis-tu?)* en fr. *lequel,* prov. *lo qual.*
c) como pronombre relativo que, en virtud de su mayor entidad material y del primitivo matiz significativo, consiste

en describir la cualidad, se distingue del pronombre relativo q u ī (número 2) por una mayor intensidad semántica o, en todo caso, por una insistencia un si es no es pesada. Ocurre sin artículo (α) y con artículo (β):

α) sin artículo el pronombre relativo q u a l i s es corriente en rum. *care*, y constituye el pronombre relativo usual.

β) con el artículo determinado (individualizador y sustantivador: § 746, 6) el pronombre relativo q u a l i s es frecuente en it. *il quale*, sard. [*su χuale*], engad. *il quêl*, sobres. *il qual*, fr. *lequel*, prov. a. *lo qual*, cat. *el qual*, esp. *el cual*, port. *o qual*.

E)	PRONOMBRES POSESIVOS (§§ 748-756)

748. Según permiten conocer las circunstancias y condiciones histórico-geográficas, el latín vulgar distinguía entre formas tónicas (§§ 750-753) y formas átonas (§§ 754-756). Esta diferencia de los grados de acentuación repercutió en forma duradera sobre los pronombres con vocal en hiato (m e u s, t u u s , s u u s), mientras que su influencia sobre los pronombres sin vocal en hiato (n o s t e r , v o s t e r) fue mucho menos importante (§ 754).

La distinción de los grados de acentuación desapareció —o quedan sólo vestigios (§ 755)— en rum., it., sard., engad., sobres., cat. y port. De estas lenguas unas se decidieron por las formas tónicas exclusivamente (it., sard. y cat.), otras crearon un sistema de formas tónicas en el que formas primitivamente tónicas y primitivamente átonas se unieron supletoriamente (§ 583); tales lenguas son el rum. (§§ 751, 754), engad., sobres. y port. (§§ 751-752).

Como elemento funcional vivo del sistema lingüístico la distinción de los grados de acentuación se mantiene en fr., prov. y esp.—El empleo de ambos grados de acentuación se regula en estas lenguas [13] de la manera siguiente:

1. Las formas átonas (siempre antepuestas) sirven para la expresión normal (no enfática) de la indicación atributiva del poseedor (esp. *mi caballo*: cf. § 754).

2. Las formas tónicas se utilizan:

a) para la indicación no sustantiva (por tanto, prácticamente, sustantivada) del poseedor (esp. *el mío* [scil. 'caballo']);

b) para la indicación predicativa del poseedor (esp. *este caballo es mío*);

c) para la indicación atributiva enfática (y siempre pospuesta) del poseedor, la cual ocurre:

α) cuando el sustantivo (sin artículo), acompañado por el pronombre atributivo, es un predicado nominal, y el énfasis predicativo recae sobre el pronombre (esp. *no es culpa mía*);

β) cuando el sustantivo acompañado por el pronombre atributivo lleva ante sí un pronombre, el artículo indeterminado o un numeral (esp. *un amigo mío, este amigo mío*);

γ) en el vocativo (sin artículo: esp. *¡madre mía!*).

3. Esta regulación quedó desbaratada ya en antiguo provenzal, pues la posibilidad 2 c β (esp. *este amigo mío*) condujo a la mecanización de un empleo del pronombre tónico con artículo (§ 750 A 1 b β II); y así, en provenzal antiguo coexisten simultáneamente como expresión de la indicación atributiva normal del poseedor:

a) la forma átona (antepuesta) sin artículo (*mos cavals* 'mi caballo');

---

[13] En algunas zonas del fr. mod. han prevalecido otras formas de expresión en algunas condiciones (2 b, 2 c α-β). En el vocativo (2 c γ) se utiliza en francés moderno el pronombre átono (*ma mère*).

b) la forma tónica (antepuesta) con artículo (_lo mieus cavals_), siendo esta forma, estilísticamente, un poco más enérgica que la forma átona.

749. Latín y románico distinguen en la primera y segunda persona entre un poseedor (m e u s c a b a l l u s, t u u s c a b a l l u s) y varios poseedores (n o s t e r c a b a l l u s, v o s t e r c a b a l l u s). Esa distinción falta en latín sólo en tercera persona (§ 753).

Ni el latín ni el románico conocen una diferenciación del género del poseedor como la que practica el germánico en la tercera persona singular (inglés _his horse, her horse_): cf. § 753.

Ya el latín clásico no observaba rigurosamente la regla de que el pronombre s u u s en cuanto reflexivo no puede referirse, como a supuesto poseedor, más que al sujeto de la misma oración (o de otra principal de la que dependa muy directamente la subordinada en que va s u u s). Esa regla pierde su fuerza en latín vulgar y románico, viniendo así s u u s a asumir también en románico la función del lat. e i u s (fr. _cette terre est magnifique, j'admire la fertilité de son sol_): así, pues, s u u s no es ya pronombre reflexivo, sino simplemente pronombre posesivo de tercera persona (como el alemán 'sein'), el cual, por la amplitud y ambigüedad de su significación se ve con frecuencia completado o sustituido (§ 753).—Sobre i n d e como sustituto de e i u s, cf. § 735.

1. _Formas tónicas_ (§§ 750-753)

750. Para la función sintáctica de las formas tónicas en francés, provenzal y español, cf. § 748, 1-2.—Para el provenzal, cf. § 748, 3.

En rum., it., sard., engad., sobres., cat. y port. las formas
tónicas tienen todas las funciones (excepciones: § 755) del
pronombre posesivo, a saber [14]:

A. La función de la indicación atributiva del poseedor,
a saber:

1. La indicación normal (no enfática) del poseedor (§
748, 1). En este punto las lenguas se diferencian entre sí
respecto a la anteposición o posposición del pronombre (a)
y respecto a la presencia o ausencia del artículo (b):

a) Respecto a la anteposición o posposición del pronombre en la indicación normal y corriente (no enfática)
del poseedor las lenguas se diferencian así:

α) El pronombre va siempre pospuesto en rum., sard.,
sudit. (para el cat., cf. más abajo, letra γ).—Según muestran
las condiciones del § 748, 2 c, la posposición del pronombre
es la posición que le corresponde de suyo a la forma tónica
atributiva, ya que ésta es propiamente la expresión enérgica
de la relación de propiedad. El empleo de la forma tónica
para la expresión normal (no enérgica) de la relación de
propiedad o posesión es una mecanización.

β) El pronombre aparece antepuesto (para la expresión
de la relación normal y corriente de posesión) en it. (lengua literaria y centro de Italia), engad., sobres., prov. y port.
La anteposición del pronombre tónico es una innovación que
no le corresponde de suyo al pronombre tónico (§ 748, 2 c).
Evidentemente, se trata de un compromiso al reducirse el
sistema de las formas: se emplearán en adelante únicamente

---

[14] En lo que sigue no se tienen en cuenta todas las peculiaridades
idiomáticas de cada una de las lenguas.—Sobre los restos y vestigios
de las formas átonas en las lenguas en que las formas tónicas asumieron todas las funciones, cf. § 755.

las formas tónicas, pero éstas ocuparán el lugar que les correspondía a las formas átonas (§ 754).

γ) La anteposición o posposición del pronombre es potestativa en catalán; sin embargo, el pronombre pospuesto es más expresivo y enérgico.

b) Respecto a la presencia o ausencia del artículo determinado en la relación normal y corriente de posesión, las lenguas se diferencian así:

α) La ausencia del artículo constituye regla fija en engad., sobres. ('mi caballo': engad. *mieu chavagl*, sobres. *miu cavagl*). Por tanto, las formas tónicas han recogido aquí la herencia de las formas átonas sin artículo (§ 755).

β) La presencia del artículo es regla fija:

I. En aquellas lenguas que posponen el pronombre, esto es, en rum., sudit., sard. y cat. (cf. arriba, letra A. 1 a β): 'mi caballo' rum. *calul meu*, sudit. *u cavallu míu*, sard. *su caḍḍu meu*, cat. *el cavall meu* (más enfático que *el meu cavall*). La posposición del pronombre y la presencia del artículo tienen como modelo el pronombre atributivo enfático del tipo *este amigo mío* (§ 748, 2 c β).

II. Cuando el pronombre va antepuesto en it., cat., prov. y port. ('mi caballo': it. *il mio cavallo*, cat. *el meu cavall*, prov. a. *lo mieus cavals*, port. *o meu cavalo*). La posición del artículo ante el pronombre antepuesto obedece a una ampliación analógica del tipo esp. *este amigo mío* (§ 748, 2 c β) con anteposición del pronombre al modo de las formas átonas (§ 754).

2. La indicación enfática del poseedor (conforme al § 748, 2 c), siempre con posposición del pronombre y sin la presencia del artículo determinado, por tanto:

a) Cuando el sustantivo (sin artículo) acompañado por el pronombre atributivo es un predicado nominal y el énfasis predicativo recae sobre el pronombre (§ 748, 2 c α : it. *non è colpa mía*);

b) Cuando el sustantivo acompañado por el pronombre atributivo tiene ante sí un pronombre, el artículo indeterminado o un numeral (§ 748, 2 c β: it. *un amico mío*.—Además, sobre la base de *il mio amico*, se ha impuesto también la posición *un mio amico*).

c) En el vocativo (§ 748, 2 c γ: it. *mamma mía!*).

B. La función de la indicación predicativa del poseedor (§ 748, 2 b), y precisamente sin artículo determinado en todas las lenguas (it. *questo cavallo è mío* 'este caballo es mío'). Merece especial mención el empleo de algunas formas predicativas en el masculino singular en sobres. (§§ 670, 751, 752).

C. La función de la indicación sin sustantivo (prácticamente, pues, sustantivada) del poseedor (§ 748, 2 a: it. *il mio* 'el mío [scil. caballo]').

751. Para el desarrollo fonético, cf. §§ 187, 530.—Es frecuente el recíproco influjo de las personas (fr. *tien* según *mien;* cat. *teu* según *meu*).—Las formas del nominativo masculino singular indicadas en el cuadro sinóptico para el sobres., son predicativas (§ 670): *quei cunti ei mes / tes* 'este cuchillo es mío / tuyo' (e c c u i l l i c u l t e l l u s e s t m e u s/ t u u s).

En sardo, el bisílabo t u u da propiamente **tuu* (§§ 160, 272), que se disimila en *tuo* (§ 135: cf. n u d u > sard. *nuo*). Esta es la forma de los dialectos centrales. En logudorés las vocales sufrieron transposición o la disimilación afectó de antemano a la primera vocal *(tou)* para restablecer la ter-

lat. v.	meus / tuus	meum / tuum	meī[miéi] / tuī	meōs / tuōs	mea / tua	meās / tuās
rum.	*meu*[miéu] / *tắu*	*meu* / *tắu*	*mei*[miéi] / *tắi*	*mei* / *tắi*	*mea* / *ta*	*(mele)* / *(tale)*
it.	*mio* / *tuo*	*mio* / *tuo*	*miei* / *tuoi*	*miei* / *tuoi*	*mia* / *tua*	*mie* / *tue*
sard.	— / —	*meu* / *tuo, tou*	— / —	*meos, mios* / *tuos*	*mea, mia* / *tua*	*meas, mias* / *tuas*
engad.	— / —	*mieu* / *(tieu)*	— / —	*mieus* / *(tieus)*	*mia* / *(tia)*	*mias* / *(tias)*
sobres.	*mes* / *(tes)*	*miu* / *(tiu)*	— / —	*mes* / *tes*	*mia* / *tia*	*mias* / *tias*
fr. a.	*(miens)* / *(tuens)*	*mien* / *tuen*	*(mien)* / *(tuen)*	*(miens)* / *(tuens)*	*moie* / *teue*	*moies* / *teues*
fr. m.	— / —	*mien* / *(tien)*	— / —	*(miens)* / *(tiens)*	*(mienne)* / *(tienne)*	*(miennes)* / *(tiennes)*
prov.	*mieus* / *(tieus)*	*mieu* / *(tieu)*	*miei* / *toi (tiei)*	*mieus* / *(tieus)*	*mia (mieua)* / *toa, tua (tieua)*	*mias (mieuas)* / *toas, tuas (tieuas)*
cat.	— / —	*meu* / *(teu)*	— / —	*meus* / *(teus)*	*(meva)* / *(teva)*	*(meves)* / *(teves)*
esp.	— / —	*mío* / *(tuyo)*	— / —	*míos* / *(tuyos)*	*mía* / *(tuya)*	*mías* / *(tuyas)*
port.	— / —	*meu* / *(teu)*	— / —	*meus* / *(teus)*	*minha* / *tua*	*minhas* / *tuas*

minación usual -*u* del masculino singular. También el rumano conoce esta disimilación (§§ 751; 754).

En rumano, las formas originariamente tónicas y las formas originariamente átonas se combinaron (§ 748) supletoriamente (§ 583) en un nuevo sistema tónico. Además, la primera persona *(meu* [*miéu*]*)* evolucionó como tónica (sin duda sobre la base de la pretensión predicativa de la posesión: § 748, 2 b), mientras que la segunda y tercera persona (*tău, său*) presentan desarrollo átono (§ 754) de las formas disimiladas *t o u, *s o u (cf. c o n t r a *cătră,* f o r a s *fără*). El desarrollo átono tiene probablemente como base semántica la tercera persona (*s o u > *său*), pues el impreciso semantismo (§ 753) de esta persona necesitaba de una matización adicional mediante los tónicos i l l ú i, i l l á e i, i l l ó r u m (§ 753), con lo que s u u s perdió automáticamente su tonicidad. El átono *său* < *s o u sirvió después de modelo también para *tău* <*t o u. El vocalismo átono así logrado *tău, său* se mantuvo incluso cuando estas formas entraron como tóni­cas en el sistema supletivo.—El femenino *tua, *sua* se trans­formó analógicamente (según el masculino *tău, său*) en *tăă* > *ta, său* > *sa*.—A *mea* se le formó el plural *mele* por analogía con *stea / stele* (§ 498), lo que dio pie a que también se formasen para *ta, sa* los plurales *tale, sale*.—Para la base *tou*, cf. más arriba.

Las formas de s u u s (§ 749) corresponden en todas partes (prescindiendo de la consonante final) a las de t u u s, razón por la que no las hemos consignado expresamente en el cuadro sinóptico.

Hay que consignar, además, para el rumano las formas de genitivo-dativo: 1, singular masculino m e o *meu,* t u o *tău;* 2, plural masculino m e i s *mei,* t u i s *tăi;* 3, singular

femenino m e a e *(mele),* t u a e *(tale);* 4, plural femenino
m e i s *(mele),* t u i s *(tale).*—Para *-le,* cf. § 764.

B) LAS PERSONAS DEL PLURAL (§§ 752-753)

752. Lat. v e s t e r pasó en latín vulgar y románico a
v o s t e r por influjo analógico de n o s t e r. El pronombre
v o s t e r coincide en todas partes (prescindiendo de su consonante inicial característica), en su evolución ulterior, con
n o s t e r, razón por la que sólo se ha consignado n o s t e r
como modelo en el cuadro sinóptico.

La ausencia de hiato (§ 748) en las formas n o s t e r, v o s-
t e r obstaculizó la génesis de una forma monosílaba átona
(§ 754); y así, no llegó a producirse una clara oposición entre
las formas tónicas y átonas. A mitad del camino hacia una
forma átona se encuentra la forma (todavía bisílaba) *n o s-
s u, *v o s s u, que aún subsisten en engad., sobres. y port.
Todas las otras lenguas emplean la forma plena n o s t e r,
v o s t e r, tanto aquellas lenguas que en principio conocen
solamente formas tónicas (rum., it., sard. y cat.) como aquellas otras que en las personas del singular (§§ 754-755) establecen distinción entre formas tónicas y átonas (fr., prov. y
esp.).—Para la abreviación secundaria *noz* en fr., cf. § 756.—
En sobres. las formas *nos, vos* < *n o s s u s, *v o s s u s son
predicativas del masculino singular (§ 670), al paso que *nies,
vies* < *n o s s u, *v o s s u son las formas atributivas del
masculino singular.

Hay que consignar, además, para el rumano las formas
del genitivo-dativo: 1, singular masculino n o s t r o *nostru;*
2, plural masculino n o s t r i s *noştri;* 3, singular femenino
n o s t r a e *noastre;* 4, plural femenino n o s t r i s *(noastre).*

	MASCULINO				FEMENINO	
	noster	nostru	nostrī	nostrōs	nostra	nostrās
lat. v.	noster	nostru	nostrī	nostrōs	nostra	nostrās
rum.	—	nostru	noștri	noștri	noastră	noastre
it.	—	nostro	nostri	nostri	nostra	nostre
sard.	—	nostru	—	nostros	nostra	nostras
engad.	—	(nos)	—	(noss)	(nossa)	(nossas)
sobres.	(nos)	(nies)	—	(nos)	(nossa)	(nossas)
fr. a.	nostre	nostre	nostre	nostres (noz)	nostre	nostres (noz)
fr. m.	nôtre	nôtre	—	nôtres	nôtre	nôtres
prov.	nostre	nostre	nostre	nostres	nostra	nostras
cat.	nostre	nostre	—	nostres	nostra	nostres
esp.	—	nuestro	—	nuestros	nuestra	nuestras
port.	—	(nosso)	—	(nossos)	(nossa)	(nossas)

753. **Lat.** s u u s no permite conocer si se alude a un solo poseedor (§ 751) o si se mientan varios poseedores. Este empleo latino de s u u s, usado indistintamente para referirse a uno o varios poseedores, perdura aún en suditaliano, portugués y español: sudit. *u signore a bbennutu a casa suịa,* port. *o senhor tem vendido a sua casa,* esp. *el caballero ha vendido su casa;* sudit. *i signuri anu vennutu a casa suịa,* port. *os senhores teem vendido a sua casa,* esp. *los caballeros han vendido su casa.*

En estos idiomas se puede subsanar la ambigüedad de s u u s mediante la adición de un genitivo explicativo, esto es, mediante el aditamento pleonástico de un genitivo plural (esp. *su casa de ellos*) cuando se hace referencia a varios poseedores.—Precisamente tal aditamento aclaratorio mediante un genitivo plural, justamente el pronombre personal i l l o r u m (§ 718), se utilizó ya anticipadamente en el latín vulgar de amplias zonas de la Romania y fue mecanizado (*sua casa illorum). La mecanización del aditamento pleonástico i l l o rum hacía superflua la presencia del antiguo pronombre s u u s; y así, quedó sólo i l l o r u m como pronombre posesivo para la indicación de varios poseedores: 'su casa (tratándose de varios poseedores)' rum. *casa lor,* it. *la loro casa,* engad. *lur chesa,* sobres. *lur casa,* fr. *leur maison,* prov. a. *lor caza,* cat. *llur casa.*—En sardo corresponde el empleo de i p s o r u m *issoro* (§ 718): i p s a d o m u i p s o r u m *sa domo issoro* (al lado de: i p s a d o m u s d e i p s o s *sa domo de issos*).

El pronombre i l l o r u m, convertido en posesivo, es tónico (de acuerdo con su primitivo carácter complementario). Y vale para masculino y femenino (cf. § 720), ya que tampoco los demás pronombres posesivos enuncian nada sobre el género del poseedor (§ 749). La inserción de i l l o r u m, desde el ángulo sintáctico y de la fonética sintáctica, entre los pronombres posesivos presenta las siguientes características:

1. La inclusión de i l l o r u m es plenamente normal en rum., it., engad., sobres. (§ 750) y sardo, tanto por lo que atañe a la presencia o ausencia del artículo como en lo que se refiere al empleo de formas tónicas.

2. Sintácticamente, i l l o r u m va encuadrado en francés y provenzal entre las formas átonas, aun cuando fr. *leur* muestra, fonéticamente, tratamiento tónico (§ 182).

3. En catalán tiene i l l o r u m una posición sintáctica peculiar por cuanto se usa sin artículo (§ 750, 2) y se asemeja, por ello, a las formas átonas (§ 756).

Aunque s u u s se refiere solamente a una persona, puede (para indicar el género del poseedor) completarse mediante los pleonásticos d e i l l u, d e i l l a (esp. *su casa de él, su casa de ella*) o ser reemplazado por entero (it. *la di lui casa, la di lei casa;* rum. *casa lui* < c a s a 'l l a 'l l u i, *casa ei* < c a s a 'l l a 'l l á e i: § 720).—Cf. además fr. *sa maison à lui, sa maison à elle.*

2 Formas átonas (§§ 754-756)

754. Las formas átonas se presentan con elisión (1) o sin elisión (2):

1. Las formas átonas con elisión ocurren sólo en los temas pronominales con hiato m e u s, t u u s, s u u s en fr., prov. y cat. (quedando restos de ellas en it.: § 755; para el esp., cf. § 755); el origen de esas formas remonta probablemente al mismo latín vulgar (aparece documentado, por ej., *mo* < m e o).—El impulso para la elisión partió verosímilmente de las formas t u u s, s u u s, t u o s, s u o s, que en

posición átona debían abreviarse regularmente en t ŭ s , s ŭ s , t ō s , s ō s (d u o d e c i m > *dódeci*: §§ 251, 344). Es significativo que en esp. a. la elisión se limita (§ 755) a estas formas *(to, so, tos, sos)*. En el dominio del fr., prov., cat. e it., en cambio, se abreviaron también análogamente m e u s en m u s , t u a en t a , etc. (para m e a > *ma*, cf. también N e a p o l i s > it. *Nàpoli).*

2. La forma no elidida de las formas átonas ocurre en rumano en los temas pronominales con hiato (a), mientras que en las demás lenguas ocurre en las formas pronominales sin hiato (b):

a) En rumano, los pronombres no elididos t u u s > *t o u s > *tău*, s u u s > *s o u s > *său* se desarrollan como átonos. Tras la pérdida de la distinción en los grados de acentuación, estas formas, originariamente átonas, fueron embutidas por vía supletoria en el sistema unitario tónico (§ 751).—Para esp. a. *tua, sua*, cf. § 755.

b) Los temas pronominales sin hiato n o s t e r , v o s t e r en una parte de las lenguas (rum., sard., it. y esp.) se presentan únicamente en forma tónica (§ 752). Una forma abreviada *n o s s u s , *v o s s u s , utilizada al principio como átona, pervive en engad., sobres. y port., donde, una vez olvidada la distinción de los grados de acentuación, fue embutida por vía supletoria en el sistema unitario tónico (§ 752). El fr. distingue entre forma tónica y átona, sin que, sin embargo, haya logrado establecer una diferenciación nítida (§ 756).

Los pronombres átonos se emplean sin artículo: son ellos los que tienen justamente la función semántica, sintáctica y foneticosintáctica del artículo determinado (§§ 743-744). Excepto en sudit. (§ 755, 1 b), estos pronombres se anteponen al sustantivo.

755. Las personas del singular presentan en fr., prov. y cat. una forma elidida, en la que de las dos vocales del pronombre queda siempre únicamente la segunda (§ 754, 1). Esta forma de los pronombres presenta también vestigios en it. (en la forma estereotipada de tratamiento *madonna* y en dialectos: cf. abajo, número 1 b).—El nominativo plural masculino presenta en prov. las formas tónicas (§ 751).

Las formas del esp. a. (masc.) *to, so, tos, sos* son las sucesoras fonéticas de las formas latinovulgares elididas (mac.) t u, s u, t ō s, s ō s (§ 754, 1). La elisión analógica t u a > *ta* (§ 751, 1) no se efectuó en esp.; antes bien, las formas del esp. a. t u a > *tua*, s u a > *sua* se mantuvieron bisílabas (§ 754, 2 a). Después estas formas, por analogía con *cuyo*, dieron las formas tónicas *tuya, suya* (§ 751) y, por otro lado, produjeron, por analogía con las formas mascul. *to, so*, una forma de compromiso y unitaria *tu, su* para masculino y femenino. La primera persona *mi* es una rehechura analógica sobre la forma tónica *mío* (§ 751).

Al paso que en francés, provenzal y español los pronombres átonos (usados sin artículo: § 754) son elemento funcional constante de la lengua y se oponen a los pronombres tónicos (§ 751) en cuanto a su fuerza semántica (§ 748, 1), también se pueden comprobar vestigios de los pronombres átonos en aquellas lenguas que sólo conocen ya los pronombres tónicos como elemento funcional constante de la lengua (§ 750):

1. Es característico, sin duda como primitiva zona nuclear de los pronombres átonos, el empleo con nombres de parentesco. Esta zona nuclear es visible:

a) En cat., donde el empleo de la forma átona (antepuesta y sin artículo) está circunscrita a los nombres de parentesco y a algunos otros giros petrificados (*en ma vida* 'en mi vida'; *ton pare* 'tu padre').

b) En dialectos sudit. (que fuera de estos casos no emplean los pronombres átonos), en los que el uso de la forma átona (pospuesta y sin artículo) está limitado a los nombres de parentesco (*frátemu* 'mi hermano', *marítumu* 'mi marido', *fígliata* 'tu hija').

c) En aquellos idiomas que, si bien hoy en día únicamente emplean formas tónicas, sin embargo, gracias a la ausencia del artículo determinado usual en otros casos, permiten conocer la antigua posición especial de los nombres de parentesco ('mi hermana': rum. *soru-mea*, it. *mia sorella*, sard. *sorre mia*, port. *minha irmâ*).

2. La falta de artículo de las formas tónicas en engad. y sobres. (§ 750, A 1) es un residuo de las formas átonas desplazadas.

En el cuadro sinóptico que sigue las formas analógicas van entre paréntesis redondos y las formas tónicas (§ 751) supletivas (§ 583) entre paréntesis angulosos.—Como las formas de s u u s coinciden en todas partes (prescindiendo de la consonante inicial) con las de t u u s, no se consignan aquéllas expresamente.—En fr. m. (*mon amie* 'mi amiga') y en catalán (*mon àvia* 'mi abuela') ante palabras que comienzan por vocal, se emplea en femenino singular la forma masculina para conservarle al pronombre su carácter silábico (presente en todas las otras formas). El fr. a. transigió con la pérdida de la silabicidad (fr. a. *m'amie* 'mi amiga'; y también en fr. familiar m. *ma mie*).

		MASCULINO			FEMENINO	
lat. cl.	meus	meum	meī	meōs	mea, meam	meae, meās
	tuus	tuum	tuī	tuōs	tua, tuam	tuae, tuās
lat. v.	mus	mum	mī	mōs	ma	mās
	tus	tum	tī	tōs	ta	tās
fr. a.	*mes*	*mon*	*mi*	*mes*	*ma*	*mes*
	tes	*ton*	*ti*	*tes*	*ta*	*tes*
fr. m.	—	*mon*	—	*mes*	*ma*	*mes*
	—	*ton*	—	*tes*	*ta*	*tes*
prov.	*mos*	*mon*	⟨*miei*⟩	*mos*	*ma*	*mas*
	tos	*ton*	⟨*toi*⟩	*tos*	*ta*	*tas*
cat.	—	*mon*	—	*mos*	*ma*	*mes*
	—	*ton*	—	*tos*	*ta*	*tes*
esp. a.	—	⟨*mio*⟩	—	⟨*mios*⟩	⟨*mia*⟩	⟨*mies*⟩
	—	*to*	—	*tos*	⟨*tua*⟩	⟨*tues*⟩
esp. m.	—	*(mi)*	—	*(mis)*	*(mi)*	*(mis)*
	—	*(tu)*	—	*(tus)*	*(tu)*	*(tus)*

B) LAS PERSONAS DEL PLURAL (§ 756)

756. La forma v o s t e r (por v e s t e r: § 752) corresponde (prescindiendo de su consonante inicial característica) en
su ulterior desarrollo en todas partes a la forma n o s t e r ;
y así, en adelante trataremos sólo de esta última.

Como forma sin hiato, n o s t e r se halla poco sujeta a
medidas especiales de abreviamiento (§ 754, 2 b). De los idiomas que establecen en principio distinción entre los grados
de acentuación (§ 750), el prov. y el esp. (y también el cat.)
conocen solamente la forma tónica (§ 752).

Así, pues, queda sólo el francés como lengua que establece
diferencia entre los grados de acentuación de n o s t e r ; efectivamente, crea una forma átona abreviada del acusativo
plural masculino *n o s t o s , que da fonéticamente fr. a. *noz*

(como h o s t e s da *oz*), fr. m. *nos.* Esta forma se aplica
también al femenino plural (pues en este pronombre el fr. no
establece diferencia de género en las otras formas). La distinción de los grados de acentuación *les nôtres* y *nos amis,
nos amies* se mantiene rigurosamente en fr. m. En cambio,
en fr. a. *noz* se empleó también como tónico (§ 752).—En
fr. m. los grados de acentuación se diferencian en la vocal:
el tónico *nôtre* se pronuncia con [ọ] cerrada (§§ 127, 186;
cf. c o s t a *côte*), al paso que el átono *notre* tiene [ǫ] abierta.

En picardo, el sistema entero de formas de n o s t e r se
rehizo sobre la base de *nos* (< *noz*): cf. § 668.

	MASCULINO				FEMENINO	
lat.	noster	nostru	nostri	nostros	nostra	nostras
fr. a.	*nostre*	*nostre*	*nostre*	*noz*	*nostre*	*(noz)*
fr. m.	—	*notre*	—	*nos*	*notre*	*(nos)*
picard.	*(nos)*	*(no)*	*(no)*	*nos*	*(no)*	*(nos)*

De las lenguas que distinguen en la tercera persona los
grados de acentuación, el esp. tiene *su* átono (§ 753), el fr.,
prov. y cat. presentan i l l o r u m tónico (§ 753).

CapÍtulo V

NUMERAL (§§ 757-786)

757. Los números son, sin duda, el sistema conceptual
mejor organizado de la esfera humana. Y, sin embargo, la
traducción lingüística de este sistema conceptual muestra
bien a las claras cuán lejos está la lengua de constituir un
sistema cerrado (§ 583). Así, los números *quattuor* (fr. *quatre*), *quinque* (fr. *cinq*), *sex* (fr. *six*) no revelan por su estructura lingüística que se trata de números sucesivos mediante la adición de la unidad numérica en cada caso. La
relación de las formas lingüísticas entre sí resulta caótica:
las tres palabras citadas pudieran significar asimismo 'abu-
billa', 'puerta de armario', 'filólogo'. Las formas lingüísticas
de los números forman parte del tesoro de la tradición de
una lengua y de la convención lingüística de una comunidad
parlante, convención implicada en la aceptación de la tradición. El dominio ordenador de las caóticas estructuras lingüísticas mediante su ordenación al sistema conceptual nu-
mérico, que es un sistema de suyo rigurosamente organizado, se le confía a la memoria de cada miembro de la comunidad lingüística. Cierto que hay también algunas ordena-
ciones dentro de las estructuras lingüísticas: así, los números

latinos del 11 al 19 resultan transparentes por su relación con el 10 (11-17) o con el 20 (18-19). Pero esa diafanidad se empaña nuevamente en francés (*onze* frente a *undecim*). Es el rumano el que ha reorganizado en forma más transparente el sistema de los numerales: del caudal asistemático tradicional sólo quedan los números 1-10, 100, 1000. Además el sistema de composición de las centenas y de los millares experimentó una análoga reestructuración total. Los números 11-19 presentan una composición peculiar, bien que de suyo diáfana. No le queda, pues, a la memoria más que el aprendizaje de doce numerales y el modo de componer los demás.

A) NUMERALES CARDINALES (§§ 758-781)

1. De cero a 10 (§§ 758-765)

758. El número 'cero' fue descubierto por la matemática india, y fue introducido en Occidente por la matemática árabe. La voz árabe *ṣifr* 'vacío' como denominación de 'cero' y de 'cifra o signo con que se representa' se extendió por Europa en dos formas básicas: 1, en su forma plena en fr. a. *cifre*, esp. a. y port. *cifra*, ing. *cipher*; 2, en una forma reducida en italiano *zero* (italiano del s. xv), que modernamente penetra en los idiomas europeos: fr. *zéro* (s. xvi), ing. *zero* (s. xvii), esp. *cero* (s. xvii), cat. *zero* y *zerot*, port. y rum. *zero*.—El it. *nulla* 'nada' (< n u l l a [scil. *res*]), que se usa todavía en el s. xv con la acepción de 'signo del cero', pasó al alemán *Null* (f.) en el s. xvi. Del alemán proceden engad. *nolla* y sobres. *nulla* 'cero'.

759. Panorama de los números 1-10: rum. *un, doi, trei, patru, cinci, şase, şapte, opt, nouă, zece;* it. *uno, due,*

tre, quattro, cinque, sei, sette, otto, nove, dieci; sard. *unu, duos, tres, báttoro, kimbe, ses, sette, otto, noe, deghe;* engad. *ün, duos, trais, quatter, tschinch, ses, set, och, nouv, desch;* sobres. *in, dus, treis, quater, tschun, sis, siat, otg, nov, diesch;* fr. a. *un, deus, trois, quatre, cinc, sis, set, huit, nuef, dis;* prov. *un, dos, tres, catre, cinc, seis, set, ueit, nueu, dieis;* cat. *un, dos, tres, quatre, cinc, sis, set, vuit, nou, dèu;* esp. *uno, dos, tres, cuatro, cinco, seis, siete, ocho, nueve, diez;* port. *um, dous, três, quatro, cinco, seis, sete, oito, nove, dez.*—Desde el punto de vista sintáctico, estos números tienen en todas las lenguas (como en latín) valor de adjetivos.

760. Los numerales 1, 2 y 3 tenían en latín declinación y moción (§ 668) como adjetivos: esta situación persiste en parte en rumano, y en parte se modifica (§§ 761-765).—Para lat. v. c i n q u e, cf. § 347.

761. El numeral u n u s conserva su declinación de dos casos (§ 668) en fr. a. y prov. a. (nominativo *uns,* oblicuo *un*). En genitivo y dativo, u n u s se declinaba en latín clásico por la flexión pronominal como i l l e (u n ī u s, u n ī). El genitivo-dativo rum. (§ 588) mantiene la declinación pronominal según el modelo i l l ú i (masculino), i l l á e i (femenino: cf. § 720): *unui* (masculino), *unei* (femenino).

El nominativo-acusativo del femenino u n a subsiste en todas las lenguas (it., sard., prov. a., cat. y esp. *una;* port. *uma* [§ 237]; rum. *o*). El rum. *o* está contraído de **ua* (cf. § 730), que a su vez procede de *ună* por caída inexplicada de la *-n-.*

762. Es importante el hecho de que u n u s, u n a hayan asumido en románico común la función de artículo indeter-

minado (§ 743): 'un hombre, una mujer', rum. *un om, o fe-mée;* it. *un uomo, una donna;* sard. *un ómine, una vémina;* engad. *ün hom, üna duonna;* sobres. *in um, ina dunna (inä femna);* fr. *un homme* (fr. a.: nominativo *uns huem,* acusativo *un homme),* une femme; prov. a. *uns om* (nominativo), *un ome* (acusativo), *una femna (una domna);* cat. *un home, una dòna;* esp. *un hombre, una mujer;* port. *um homem, uma mulher.*

Sin embargo, el sustantivo sin artículo (como en latín) conserva también en amplias zonas de la Romania un campo más o menos dilatado de empleo en casos en que, por ej., el alemán utiliza corrientemente el artículo indeterminado (fr. *jamais homme n'a été plus célèbre* = al. 'nie ist e i n Mann...'). Se muestran singularmente reservados en el empleo del artículo indeterminado el español, el portugués y el rumano (esp. *otro libro,* port. *outro livro,* rum. *altă carte;* pero fr. *un autre livre,* it. *un altro libro,* engad. *ün oter cudesch,* sobres. *in auter cudisch*). Merece destacarse el hecho de que en rumano existe un acusativo-objeto de cosa sin artículo indeterminado ('Carlos tiene un libro': rum. *Carol are carte*): es decir, en rumano hay distintos grados de individualización (§ 743), por cuanto las personas son susceptibles de la máxima individualización, al paso que las cosas son individualizables en cuanto sujetos (por así decir, personificados), pero como objetos no son susceptibles de individualización.

763.	Lat. d u ō pervive en las siguientes formas:

	MASCULINO			FEMEN.	NEUTRO
	nom.		*acusat.*		
lat. v.	*duī	duōs	*dōs	duās	*dua
rum.	—	—	doi m.	(douắ, f.)	
it.	it. a. *dui* m. f.	—	—	due m. f.	it. a. *dua* m. f.
sard.	—	duōs m.	—	duas f.	dua n.
engad.	—	duos m. f.	—	—	dua n.
sobres.	—	—	dus m.	duas f.	dua n.
fr. a.	dui m.	—	deus m. f.	—	—
fr. m.	—	—	deux m. f.	—	—
prov.	dui m., doi m.	—	dos m.	doas f.	—
cat.	—	—	dos m.	dues f.	—
esp. a.	—	—	dos m.	dues f.	—
esp. m.	—	—	dos m. f.	—	—
port.	—	dous (dois) m.	—	duas f.	—

El modelo flexional en lat. v. es el adjetivo de la declinación en -*o* y -*a* (§ 668). La flexión bicasual sigue viva para el masculino en prov. a. y fr. a. (§ 585). Para la evolución fonética, cf. §§ 189, 278, 536-545.—El rum. *douắ* (f.) está rehecho sobre *doi* (como, por ej., n o v a s *nouắ* según n o v i *noi*).— Para el sard., engad. y sobres. *dua*, cf. § 765.

764. Para lat. t r ē s, cf. §§ 189, 536-545.—En fr. a. y prov. a. está atestiguado un nominativo plural analógico (§ 583) masculino *t r e i (fr. a. *troi*, prov. a. *trei*). Encontramos un femenino plural *t r e a s en norteit. a. *tree*, rum. *trele (toate trele* f. 'todas tres', análogo a *stea / stele*: § 498).—El neutro

t r i a se mantiene en it. (dialect.) *trea, tria* como masculino
y femenino; además, en el sustantivo del fr. a. *troie* 'trío de
dados' y en engad. *traia* (§ 765).

765. Merece especial mención el hecho de que en engad.
y sobres. los neutros *d u a , t r i a se presentan como numeración de magnitudes (que están en el 'plural colectivo'):
'dos (tres) pares' (*d u a / t r i a p a r i a) engad. *dua (traia)*
pera, sobres. *dua (trei) pèra;* 'dos (tres) varas' (*d u a / t r i a
b r a c c h i a) eng. *dua (traia) bratscha*, sobres. *dua (trei)*
bratscha; 'dos (tres) dedos' (*d u a / t r i a d i g i t a) engad.
dua (traia) dainta, sobres. *dua (trei) detta.*—Semánticamente
no se trata de un plural colectivo, puesto que se puede contar
(§ 609), sino de restos arcaicos de antiguas construcciones en
neutro plural.

Lat. *d u a m i l i a dio el sard. *dua midza*, engad. *duamilli*,
sobres. *duamelli* (§ 780). De igual modo t r i a m i l i a dio engad. *traiamilli*, sobres. *treimelli* (§ 780). Esta manera de contar pasó también análogamente en engad. y sobres. a 200 y
300 (§ 777).

Fonéticamente, la base de engad. *traia* es t r i a , pero no
lo es del sobres. *trei*, que representa una variante foneticosintáctica (§§ 451, 545) de *treis* y ha asumido supletoriamente (§ 583) la función del desplazado *treia.

2. *De 11 a 19* (§§ 766-767)

766. Panorama: rum. *únsprezece, dóisprezece* (masculino; *dóuăsprezece* [f.]), *tréisprezece, pátrusprezece, cíncispre-*
zece, şásesprezece (şáisprezece), şáptesprezece, óptsprezece,
nóuăsprezece; it. *úndici, dódici, trédici, quattórdici, quíndici,*
sédici, diciassętte, diciótto, diciannóve; sard. *úndighi, dóighi,*

tréighi, battórdighi, bíndighi, séighi, deghesette, degheotto, deghenóe; engad. *úndesch, dúdesch, trédesch, quattórdesch, quindesch, sáidesch, dischsét, dischdóch, dischnóuv;* sobres. *éndisch, dúdisch, trédisch, quitórdisch, quéndisch, sédisch, gissiát, schotg* [ž-], *schéniv* [ž-]; fr. *onze, douze, treize, quatorze, quinze, seize, dix-sept, dix-huit, dix-neuf;* prov. a. *onze, dotze, tretze, quatorze, quinze, setze, detz* e *set, detz* e *oit, detz* e *nou;* cat. *onze, dotze, tretze, catorze, quinze, setze, dissèt, divúit, dinóu;* esp. *once, doce, trece, catorce, quince, dieciséis, diecisiete, dieciocho, diecinueve;* port. *onze, doze, treze, catorze, quinze, dezasseis, dezassete, dezoito, dezanove.*—Sintácticamente, estos numerales tienen en todas las lenguas (como en latín) valor de adjetivos.

767. En rumano, los numerales se recomponen (§ 757) con ayuda de s u p e r > *spre,* con lo que el rumano concuerda análogamente con el albanés y búlgaro.

En cuanto al resto de los idiomas, las voces latinas ú n d e c i m , d u ó d e c i m (§§ 251, 344), t r é d e c i m , q u a t- t u ó r d e c i m (§ 251), q u í n d e c i m y s é d e c i m se mantienen en it., sard., engad., sobres., fr., prov. y cat. mientras que el esp. y port. sólo mantienen esas formas para 11-15. El esp. a. todavía tenía *seze* < s é d e c i m .

Los demás numerales se recomponen sobre d e c e m mediante composición asindética (sard., fr. m., cat.) o sindética (con ayuda de las conjunciones e t [engad., sobres., fr. a., prov., esp.] o a c [it. y port.]), y ello a partir ya de la época latina. Una parte de las formas románicas demuestra claramente que la composición se efectuó en la época latina (1). Otra parte de las formas aparece como recomposición particular con las formas particulares de cada una de las lenguas románicas (2):

1. Conocemos por documentos latinos la composición asindética (d e c e m n o v e m: CIL V 4370) y la composición sindética con ayuda de e t (d e c e e t o c t o: CIL IX 2272). Las lenguas románicas nos dejan comprobar con exactitud la supervivencia de algunas de estas formas latinas compuestas:

a) De las denominaciones del número 17 se pueden reconocer como composiciones latinas las siguientes formas:

α) Lat. v. *d è c e ⌣ e t s é p t e perdura en esp. a. _diz y siete,_ como lo prueba el tratamiento átono (§ 253) de d e c e, a! paso que el español moderno ha recompuesto la forma con ayuda del esp. _diez_ (cf. abajo, número 2).

β) Lat. v. *d è c e ⌣ a c s é p t e pervive en it. _diciassette,_ como lo prueba e! tratamiento átono (§ 253) dado a d e c e.

γ) Lat. v. *d è c e s é pt e permanece en engad. _dischsét,_ como lo prueba el tratamiento átono (§ 253) dado a d e c e. De la misma base proviene el sobres. _gissiát,_ que se formó de d è c e s é t t e pasando por la vocalización (pretónica [§ 253] o analógica de la forma diptongada tónica _diesch_ [§ 759], esto es *_dìžsiát_) y la palatalización normal de la consonante inicial (§ 309: sobres. _gi_ 'día' < d i e), a saber *[_ǧižsiát_], y mediante la desaparición disimilatoria de la silbante [ž] (cf. la disimilación inversa en las formas de 18, 19; cf. más abajo, letras b-c). Esa misma forma básica latina la encontramos asimismo en el cat. _dissét_ (pues d e- c e m da, como tónico, _deu_).

b) De los nombres del número 18 se pueden reconocer como composiciones latinas las siguientes formas:

α) Lat. v. d e c e e t o c t o perdura (para la estructura fonética de e t, cf. § 551) en it. (Italia central) _dicidotto,_ norteit. _disdotto,_ engad. _dischdóch,_ como lo prueban el voca-

lismo pretónico de d e c e y el tratamiento intertónico (§ 292)
de e t .

β) Lat. v. d e c e o c t o se mantiene en it *diciotto*, sobres.
schotg [*žoč*], disimilado de **ǧižóč*, basado éste en **dizóč*
(cf. arriba, número 1 a γ), cat. *divuit*, como lo prueban a una
el vocalismo y el consonantismo.

c) De las denominaciones del número 19 se reconoce
como el más antiguo estrato latino el sobres. *schéniv*, procedente de lat. v. **d è c é t n o v e*, que pasó por la etapa
[*dižénəf*] > [*ǧižénəf*] y perdió su primera sílaba por razones de disimilación (cf. arriba, número 1 a γ). La acentuación **d e c é t n o v e* corresponde todavía de lleno, por ser
breve la vocal radical de n o v e m , a las leyes de acentuación latina [1]. Un estrato más reciente (que corresponde a la
cualidad vocálica del it. *figliuolo* : § 149, 2) muestra el tipo
de acentuación d è c e ⌣ e t n ó v e , pues éste no observa ya
las leyes de acentuación cuantitativa latina y prefiere la diafanidad etimológica de la palabra. Este tipo de acentuación
ocurre :

α) en la combinación **d è c e a c n ó v e* en el it. *diciannóve* (con vocalismo pretónico de d e c e m);

β) en la combinación d è c e n ó v e en engad. *dischnóuv*,
cat. *dinóu* (con tratamiento pretónico de d e c e m).

2. Son recomposiciones recientes, aunque seguramente
basadas en ininterrumpida tradición latina de la misma combinación sintáctica, los nombres de 17, 18 y 19 en fr., prov. a.
y esp. m., así como el nombre esp. y port. de 16 (pues aquí
fue desplazada la antigua forma s e d e c ĭ m). En fr. a. (hasta

---

[1] También **c a n t á r a b e t* > gascón *cantára* (§ 149) muestra todavía la observancia de las leyes de acentuación latina, lo mismo que
napol. *figliúlo, caióla* (§ 149, 2). Sobre otro vestigio de la cantidad vocálica latina, cf. § 494. Cf. también §§ 700; 846.

el s. XVI) se utiliza la conjunción *et* (*dis et set* [*huit, nuef*]);
cf. § 774.

3. Se basan en tradición antigua, aunque sincrónica-
mente todavía conservan su vitalidad como compuestos, los
nombres sard. y port. de 17, 18 y 19.

3. *Decenas* (§§ 768-774)

768. Panorama: rum. *douăzéci, treizéci, patruzéci, cinci-*
zéci, şasezéci (*şaizéci*), *şaptezéci, optzéci, nouăzéci;* it. *vénti,*
trénta, quaránta, cinquánta, sessánta, settánta, ottánta, no-
vánta; sard. *bínti, trínta, baránta, kimbánta, sessánta, set-*
tánta, ottánta, noránta; engad. *váinch, trénta, quaráunta,*
tschinquáunta, sesáunta, settáunta, ocháunta, nonáunta; sobres. *vegn, trenta, curonta, tschunconta, sissonta, siatonta,*
otgonta, navonta; fr. a. *vint, trente, quarante, cinquante, sois-*
sante (*trois vinz*), *settante* (*trois vinz et dis*), *huitante* (*qua-*
tre vinz), *nonante;* fr. m. *vingt, trente, quarante, cinquante,*
soixante, soixante-dix, quatre-vingt, quatre-vingt-dix; prov. a
vint, trenta, quaranta, cinquanta, seissanta, setanta, quatre
vintz, nonanta; cat. *vint, trenta, quaranta* (*coranta*), *cinquan-*
ta, seixanta, setanta, vuitanta, noranta; esp. *veinte, treinta,*
cuarenta, cincuenta, sesenta, setenta, ochenta, noventa; port.
vinte, trinta, quarenta, cinqüenta, sessenta, setenta, oitenta,
noventa.—Sintácticamente, estos numerales tienen en rumano valor de sustantivos (§ 769), y el sustantivo contado se
les une con la preposición *de* (cf. §§ 775, 778). En las demás
lenguas los numerales tienen valor de adjetivos (como en
latín) desde el punto de vista sintáctico.

769. En rumano las decenas se recomponen (§ 757) por
multiplicación de d e c e m , convertido en sustantivo feme-

nino, con lo que el rumano coincide análogamente en la formación de las decenas con el albanés y búlgaro.—El francés antiguo y provenzal antiguo conocen una numeración vigesimal (muy extendida y basada en la numeración de las mercancías), la cual subsiste aún en el francés moderno 80, sobre el cual se recompusieron los números 70 y 90.

770. Lat. q u a d r a g i n t a pierde en todas las lenguas su -d- por disimilación con el siguiente grupo -nt-. Para q u i n- q u a g i n t a , cf. § 374.—La -u- de las formas s e p t u a g i n- t a , o c t u a g i n t a (en vez de o c t o g i n t a) desaparece en latín v. (§ 251).—La forma n o n a g i n t a conserva su -n- en alto engad., fr. a. y prov. a.; en cambio, en otras partes presenta una disimilación provocada por la vecindad (que aparece en la forma abreviada [§ 771]) de dos *n*, y esa disimilación desemboca en dos resultados: 1, en el resultado *-r-* en sard. y cat.; 2, en el resultado *-v-*, provocado por el influjo etimológico de n o v e m , en it., sobres., esp. y port. (así como en bajo engad. *novanta* y sard. [Bitti] *novanta*).—La *-s-* sencilla del engad. *sesáunta* y sard. (dialectal) *sesánta* se basa en el resultado de s e x (§ 759).

771. Los nombres de las decenas perduran con dos distintas estructuras: 1, con estructura plena (§ 772); 2, con estructura reducida (§ 773).

772. El número, originario y pleno, de sílabas de las formas v i g i n t i , q u a d r a g i n t a... lo encontramos en esp. a. *veínte*, *treínta*, *quaraénta*... (> esp. m. *véinte*, *tréinta* (§ 151), *cuarénta*...); port. a. *viinte*, *triinta*, *quaraenta*... (> port. m. *vinte*, *trinta*, *quarenta*...). Para el vocalismo de v i- g i n t i, cf. § 199. El vocalismo de t r i g i n t a se asimiló al de v i g i n t i .

773. Un número de sílabas reducido desde la época latinovulgar (v i n t i, *t r i n t a) es el que aparece en todo el resto de la Romania (sard., it., engad., sobres., fr., prov. y cat.).

En este punto hay que partir del hecho de que la secuencia fonética latinovulgar -i g i- (al lado de la posibilidad de conservar el número de sílabas [§ 772]: d i g i t u rum. *deget*, sudit. *jíritu;* f r i g i d u sard. [nuorés] *friɣiδu;* r i g i d u prov. *rege,* cat. *regeu;* s i g i l l u it. *suggello*) se reducía a una sílaba en latín vulgar [2].—La reducción presenta dos resultados: 1, -i̭- (pues -g i- > -ǵ- > -i̭-: §§ 395, 471); 2, -i- (pues -ii- se redujo a -i-).—El resultado -i̭- (con duplicación de consonantes: § 543) ocurre en f r i g i d a > *f r i i̭ d a (it. *fredda,* fr. *froide*: § 443), d i g i t a > d i i̭ t a (sobres. *detta*), v i g i l a r e >*v i i̭ l a r e (it. *vegliare,* sard. *bidzare,* fr. *veiller*). El resultado -i- ocurre en f r i g i d u > f r i d u (esp. *frío*), d i g i t u > d i t u (it. *dito,* sard. *didu,* esp. *dedo*), v i g i l a r e > v i l a r e (esp. *velar*). Además, la -i- latinovulgar puede ser cerrada (esp. *frío,* it. *dito*) o abierta (esp. *dedo, velar*): cf. § 164. Es importante el que el sardo (como se ve por la piedra de toque de los dialectos centrales: § 392) toma parte en la palatalización de la -g- en el grupo -i g i- (sard. [incluidos los dialectos centrales] *bidzare*), a menos que se mantenga la plena silabicidad del grupo (nuorés *friɣiδu*).

Esta reducción se produjo también en las voces v i g i n t i y t r i g i n t a, con lo que el acento se desplazó automáticamente sobre la primera parte del grupo así formado (v í i̭ n t i, t r í i̭ n t a) y después se redujo por entero a -i- (> v í n t i, t r í n t a). La pronunciación corriente t r í i̭ n t a fue causa de que los alumnos que habían de leer el latín

---

[2] Cf. *Archiv f. d. Studium der Neueren Sprachen,* tomo 195, 1959, pág. 213.

literario t r i g í n t a, lo pronunciasen (en contra de las leyes
de acentuación latina) como t r í g i n t a, vicio éste de que
nos habla el gramático Consencio (*Consentii Ars...*, edic. de
M. Niedermann, Neuchâtel, 1937, pág. 11).

El resultado románico del desarrollo son las formas básicas v ĭ n t i, t r ĭ n t a, y precisamente con -ĭ- latinovulgar
abierta (§ 164). Para la evolución ulterior de la vocal de v i n-
t i, cf. § 199. También el sardo (con los dialectos centrales)
participa de esta abreviación (que presupone la palatalización de la -g- en el grupo -i g i-).

Como para 30 coexistían las formas potestativas t r í g i n-
t a / t r í n t a una al lado de la otra, se le creó también a q u a-
r a g i n t a el doblete analógico *q u a r á ị n t a > q u a r á n-
t a, con lo que se impuso el sufijo -á n t a para los números
40-90 (incluso en sardo junto con los dialectos centrales, pero
no en español y portugués: § 772).

774. Las unidades se posponen a las decenas, ora asindé-
ticamente (it. y sard.), ora sindéticamente con ayuda de e t
(fr. a., prov. a., esp. y port.) En rumano corresponde la conjunción *şi* (< s i c).—En español se hace distinción gráfica
entre v i g i n t i e t u n u, v i g i n t i e t d u o s (esp. *veintiu-
no, veintidós*) y las demás decenas (que terminan en -a:
treinta y uno, treinta y dos).

La formación es asindética en engad. y sobres., donde, sin
embargo, se hace distinción entre v i g i n t i, que acaba en
consonante, y el resto de las decenas que acaban en vocal,
pues v i g i n t i recibe la -a final analógica ante las unidades
que comienzan por consonante (21, 28, 31, 38): engad. *vain-
chün, vainchoch, trentün, trentoch;* sobres. *ventgin, ventgotg,
trentin, trentotg;* (22, 32) engad. *veinchaduos, trentaduos;*
sobres. *ventgadus, trentadus.*

El francés moderno especializó la conjunción e t para la unidad siguiente a la decena (21, 31...; excepto en *quatre-vingt-un, quatre-vingt-onze;* pero *soixante et onze).* Además, *vingt,* que acaba en consonante, recobra una posición especial, ya que mantiene su consonante final *-t* (heredada del fr. a. *vint e deus, vint e trois)* en la pronunciación (*vingt-quatre* [vĕtkátrə]).

4. Centenas (§§ 775-777)

775.   Panorama: rum. *o sută, două sute, trei sute, patru sute...;* it. *cento, duecento, trecento, quattrocento...;* sard. *kentu, dughentos, treghentos...;* engad. *tschient, duatschient, traiatschient, quattertschient...;* sobres. *tschien, duatschien, treitschien, quatertschien...;* fr. *cent, deux cents, trois cents, quatre cents...;* prov. a. *cent, docent, trecent, quatre cent...;* cat. *cent, doscents, trescents, quatrecents...;* esp. (esp. a.) *ciento, doscientos* (*dozientos*), *trescientos* (*trezientos*), *cuatrocientos, quinientos, seiscientos, setecientos, ochocientos, novecientos;* port. *cento, duzentos, trezentos, quatrocentos, quinhentos, seiscentos, setecentos, oitocentos, novecentos.—* Sintácticamente, estos numerales son sustantivos (§ 776) en rumano, y el sustantivo contado se les agrega con la partícula *de* (§§ 768, 778). En las demás lenguas los numerales tienen (como en latín) valor sintáctico de adjetivos. Además, los números 200-900 tienen en cat., port. y esp. (como en latín) una moción ('200 cabras' cat. *doscentes cabres,* port. *duzentas cabras,* esp. *doscientas cabras)* que perdieron en it., sard., engad., sobres., prov. y fr.

776.   En rumano, el lat. c e n t u m fue sustituido por el eslavo *sută,* que como sustantivo femenino forma las demás centenas por multiplicación.

777. En las demás lenguas se conservó lat. c e n t u m .— De los numerales latinos 200-900 se conservaron: 1, d u c e n- t i en sard., esp. a. y port. (así como en dialectos norteit. y tosc. en la forma *dugento*); 2, t r e c e n t i en it., sard., esp. a. y port.; 3, q u i n g e n t i en esp. y port.

El resto de los numerales 200-900 se recomponen por mul- tiplicación de c e n t u m (así en dialectos it. también *treccen- to*: § 543).—Para los números 200, 300 en engad. y sobres., cf. § 765.

5. *Mil* (§§ 778-781)

778. Panorama (1000, 2000): rum. *o mie, două mii;* it. *mille, due mila;* sard. *milli, dua midza;* engad. *milli, dua- milli;* sobres. *mélli, duamelli;* fr. a. *mil, deus milie (deus mile, deus mil);* fr. m. *mille (mil), deux mille;* prov. a. *mil, dos milia;* cat. *mil, dos mil;* esp. (esp. a.) *mil, dos mil (dos vezes mil);* port. (port. a.) *mil, dois mil (dous vezes mil).*— En lat. m i l l e se trataba sintácticamente como adjetivo, y el plural m i l i a como sustantivo.—En rum. *mie* es siempre (1000, 2000...) sustantivo femenino, y el sustantivo contado se le agrega mediante la partícula *de* (cf. §§ 768, 775).—En las demás lenguas todas las formas (1000, 2000...) tienen valor sintáctico de adjetivos.

779. El lat. m i l l e pervive en it., sard., fr., prov. a., cat., esp. y port. El fr. m. *mille* es también una grafía latinizante del fr. a. *mil* (< m i l l e), la cual ciertamente cobra también realidad lingüística en el número de sílabas (Racine, *Iphigé- nie*, 1, 1, 28). En la grafía de número de años se mantiene la forma *mil* hasta el fr. m.—El sardo presenta en la final (§ 272) asimilación a la vocal tónica.

780. El lat. m i l i a se conservó como plural en el sardo *midza* y en el rum. a. *mie* (como plural). La transferencia de *mie* al singular trajo como consecuencia la formación analógica del plural neorrum. *mii.* La forma *m i l a es la base del it. y fr. a. y m. *mille.* El fr. a. *milie* y prov. a. *milia* son latinismos. La forma d u a m i l i a es la base de 2000 en sard., engad. y sobres.; en engad. y sobres. la base de 3000 es asimismo t r i a m i l i a (§ 765).

781. De la construcción plural del tipo t r i a m i l i a p a s s u u m nace el sustantivo plural m i l i a 'millas' (it. *miglia;* cf. el topónimo *Ventimiglia*). El singular o bien se rehace por analogía con la declinación (it. *miglio*: cf. § 615), o bien se emplea m i l i a como singular (sard. *midza*, prov. *milha*, cat. *milla*, esp. *milla*) y entonces recibe un nuevo plural del tipo *m i l i a s (sard. *midzas*, prov. *milhas*, cat. *milles*, esp. *millas*).

B) ORDINALES (§§ 782-786)

782. Panorama (1.º, 2.º, ..., 10.º): rum. *întîiul, al doilea, al treilea, al patrulea, al cincilea, al şaselea, al şaptelea, al optulea, al nouălea, al zecelea;* it. *primo, secondo, terzo, quarto, quinto, sesto, settimo, ottavo, nono, dècimo;* sardo *su de unu, su de duos...;* engad. *prüm, seguond, terz, quart, quint / tschinchével, sesével [-z-], settevel, ochevel, nouvevel, deschevel [-ž-];* sobres. *emprem, secund, tierz, quart, tschunavel, sisavel [-z-], siatavel, otgavel, novavel, dieschavel [-ž-];* fr. a. *premier, secont (autre), tierz, quart, quint, sist, seme, huitisme, nueme, disme;* fr. m. *premier, second (deuxième), troisième, quatrième, cinquième, sixième...;*

prov. a. *primier, segon, tertz, quart, quint, sest, setén, ochén, novén, detzén;* cat. *primer, segón, terç (tercer), quart, cinquè (quint), sisè (sext), setè (sèptim), vuitè (octáu), novè, desè (dècim);* esp. (esp. a.) *primero, segundo, tercero, cuarto, quinto, sexto (siesto), séptimo (sietmo), octavo (ochavo), noveno / nono, décimo (diezmo);* port. (port. a.) *primeiro, segundo, terceiro, quarto, quinto, sexto (sesto, seismo), sétimo (seitimo), oitavo, nono (novēo), décimo (dezimo).*—En it., engad., sobres., fr., prov., cat., esp. y port. las formas citadas aparecen con el artículo determinado (§ 743). Para el rum. y sard., cf. §§ 783-784.

783. El rumano *întîiu* procede de *antāneu (cf. a n-t e). Los demás ordinales están formados de los cardinales con ayuda de la anteposición y posposición deíctica del artículo determinado.

784. El sardo forma los ordinales con ayuda del artículo determinado y la preposición *de* antepuestos a los cardinales.

785. En las demás lenguas, junto a las pocas formas populares (§ 141) y las numerosas formas cultas (§ 142) aparecen posibilidades de formación productiva románica de los ordinales. Los idiomas románicos tienden en este punto a encomendar a sufijos tónicos la formación de los ordinales.

1. De la relación o c t o / o c t a v u s (sobres. *otg / otgável*) se crea en engad. y sobres. el sufijo ordinal corriente -ā v u s (engad. *-evel*, sobres. *-avel*). El número o c t a v u s era fácil de recordar por razones litúrgicas.

2. El sufijo distributivo latino -ē n i asumió, por su tonicidad y fácil acoplamiento a los números cardinales, la función de sufijo ordinal en dialectos norteit., así como en prov. y cat.—El modelo arquetípico, como se ve por esp. y port. a.,

fue el numeral n o v ē n u s, que era también fácil de recordar por razones litúrgicas.

3. El italiano tomó el sufijo ordinal latino -ē s i m u s en la forma culta -ę́ s i m o (*il trentèsimo* 'el trigésimo').

4. De *disme* (< d e c i m u; cf. todavía fr. m. *dîme* 'tributo en especie abolido por la Revolución francesa') se formó en francés un sufijo -*isme (li huitismes* 'el octavo'). La pronunciación occidental-normanda de este sufijo es -*iesme,* -*ième* (d e c i m u *diesme,* l e c t u *liét;* § 201), y esta pronunciación, por su asonancia con lat. -ē s i m u s, prevaleció como normandismo literario en el francés escrito.

786. Aún perduran hoy en día los popularismos de uso litúrgico: 1, q u a d r a g e s i m a ('la época de ayuno que comienza cuarenta días antes de Pascua') en la forma *q u a r e-s i m·a (de acuerdo con la modificación q u a d r a g i n t a > q u a r a n t a: §§ 700, 773): rum. *părésimi,* it. *quaresima,* engadino *quaraisma,* sobres. *cureisma,* fr. *carême,* prov. a. *caresma,* cat. *coresma,* esp. *cuaresma,* port. *quaresma;* 2, q u i n-q u a g e s i m a 'fiesta de Pentecostés (πεντεκοστή), que se celebra cincuenta días después de Pascua de Resurrección' (atestiguado en el *Itinerarium Egeriae)* en la forma *c i n-q u e s i m a (conforme a la modificación q u i n q u a g i n t a > *c i n q u a n t a: §§ 770, 773): engad. *Tschinquaisma,* sobres. *Tschuncheismas* (como plural por la duración de varios días), valón *cinqüème,* esp. a. *Cincuesma.*—El plural en rum. *părésimi* sirve para expresar la duración de cuarenta días.

En grisón perdura *c i n q u e s i m a (engad. *tschinquaisma,* sobres. *tschuncheisma)* también como unidad de medida 'braza (fr. *toise)'* (= 3 *bratscha;* cf. § 765), llamada así porque esta unidad era la quincuagésima parte de una unidad de medida mayor (no identificada todavía). **Según ama-**

ble comunicación de Andrea Schorta (cf. § 682), la 'braza' servía de medida de longitud (ca. 1,98 m.) para cuerdas y maromas de cuero, como medida de superficie (ca. 3,92 m²) para fincas y como medida de volumen (ca. 7,762 m³) para **almiares.**

CapÍtulo VI

VERBO (§§ 787-948)

787. Las cuatro conjugaciones del latín clásico se conservaron en rum., it., engad., sobres., fr., prov. y cat.:

1.ª CONJUGACIÓN: (c a n t-, i u r-) -ā r e > rum. *-áre* (*-á*), it. y sard. *-are,* alto engad. *-er* (§ 175), bajo engad., sobres., prov. a., cat., esp. y port. *-ar,* fr. *-er* (§ 174).

2.ª CONJUGACIÓN: (h a b-, t a c-) -ē r e > rum. *-ére* (*-eá*: § 197), it. *-ére,* engad. *-air* (§ 170), sobres. *-ér,* prov. a., caṫ., esp. *-er,* port. *-êr,* fr. *-oir.*

3.ª CONJUGACIÓN: (v é n d-, ú n g-) -ĕ r e > rum. *ᴗ-ere* (*ᴗ-e*), it. y sard. *ᴗ-ere,* engad. y sobres. *ᴗ-er,* prov. a. y cat. *ᴗ-er* y *ᴗ-re* [1], fr. *ᴗ-re.*

4.ª CONJUGACIÓN: (d o r m-, s e n t-) -ī r e > rum. *-íre* (*-í*), it. y sard. *-íre,* engad., sobres., fr., prov., cat., esp. y port. *-ir.*

En rumano (cf. arriba), así como en dialectos suditalianos y norteitalianos hay una forma de infinitivo abreviada (sin la sílaba *-re*); esta forma abreviada de los dialectos suditalianos guarda con la forma plena del infinitivo la relación

---

[1] Para las condiciones que regulan la presencia de una u otra desinencia, cf. § 890.

de forma breve frente a forma larga (cf. § 532, nota). En rumano, la forma plena se usa como sustantivo femenino (*cîntáre* 'canción, canto'), al paso que la forma reducida oficia de infinitivo verbal (las más veces con *a* < a d: *a cîntá* 'a cantar').

788. En español y portugués, y también en macedorrumano (§ 23), solamente se conservan tres conjugaciones latinas, y ello debido a la pérdida de la 3.ª conjugación (-ĕ r e), cuyos verbos pasaron casi todos a la 2.ª conjugación latina (v é n d e r e > esp. y port. *vender;* c ú r r e r e > esp. y port. *correr*), y algunos también a la 4.ª conjugación latina (p é t e- r e > esp. y port. *pedir;* ú n g e r e > esp. y port. *ungir;* i ú n- g e r e > esp. *uncir,* port. *jungir*) (cf. § 791).

789. También el sardo conoce sólo tres conjugaciones, y ello debido al siguiente proceso de fusión entre la 2.ª y 3.ª conjugaciones latinas: 1, como infinitivo prevaleció el tipo de la 3.ª conjugación (v i d ē r e, m o v ē r e > sard. *bíere, móe- re*); 2, en las formas finitas se impusieron en parte las formas de la 2.ª conjugación y en parte las de la 3.ª (cf. §§ 810, 868, 871, 874).

790. La fusión total de la 2.ª y 3.ª conjugaciones latinas en español, portugués y macedorrumano, por un lado (§ 788), y en sardo, por otro (§ 789), es la consecuencia extrema de las tendencias latinas (atestiguadas ya por los gramáticos latinos) y del románico común a fusionar precisamente las dos conjugaciones predichas. Esas tendencias se manifiestan en el paso recíproco de grupos, más o menos numerosos, de verbos de una a otra conjugación:

1. El paso, frecuente en todas partes, de verbos de la 2.ª conjugación a la 3.ª en catalán (d e b ē r e > *d é b e r e > cat. *déure,* m o v ē r e > *m ó v e r e > cat. *móure*) y en provenzal (dialectal) (d e b ē r e > prov. a. *devér,* *d é b e r e > prov. a. *déure;* m o v ē r e > prov. a. *movér,* *m ó v e r e > prov. a. *móure*) es la continuación geográfica de la tendencia sarda a confundir el infinitivo de ambas conjugaciones [2]. En algunos verbos en particular, ese paso de una a otra conjugación es ya del románico común (con excepción del español y portugués; cf. arriba): r e s p o n d ē r e > r e s p ó n d e r e > rum. *răspúnde,* it. *rispóndere,* engad. *respúonder,* sobres. *rispúnder,* fr. *répondre,* prov. a. y cat. *respóndre;* m o r d ē r e > m ó r d e r e > it. y sard. *mọrdere,* sobres. y engad. *mórder,* fr. y prov. *mordre;* m i s c ē r e > m í s c e r e > it. *méscere,* prov. a. *méisser;* t o n d ē r e > t ó n d e r e >rum. *tunde,* it. a. (y dialect.) *tóndere,* engad. *túonder,* sobres. *túnder,* fr., prov. y cat. *tondre;* t o r q u ē r e > t ó r c e r e (§ 479) > rumano *toárce,* it. *tọrcere,* sard. *tórkere,* fr. *tordre,* prov. a. *tórser,* cat. *tòrcer.*

2. Algunos verbos pasaron ya en románico común de la 3.ª a la 2.ª conjugación: s á p e r e > *s a p ē r e > it. *sapére,* engad. *saváir,* sobres. *savér,* fr. *savoir,* prov. a., cat., esp. y port. *sabér;* c á d e r e (> cat. *cáure:* cf. arriba, número 1) > *c a d ē r e > rum. *cadeá,* it. *cadére,* fr. *cheoir,* prov. a. *cazér,* esp. y port. a. *caér.* En este cambio de conjugación han intervenido eficazmente influencias analógicas (§ 136) en cada caso; así, en el caso de s a p e r e , c a d e r e el paralelismo con los verbos h a b ē r e , t a c ē r e , que contienen igualmente la vocal radical -a- (cf. también la formación de perfecto: §§ 903-904).

---

[2] Para las relaciones entre sardo y catalán, cf. § 743.

3. En las formas finitas se pueden comprobar en amplias zonas de la Romania fusiones entre la 2.ª conjugación latina y la 3.ª (§§ 868, 874, 879, 880, 891).

791. Es frecuente en románico común el paso a la 4.ª conjugación latina de aquellos verbos de la tercera que en la primera persona tienen una -i̯- antes de la desinencia personal (§ 926, 2 b β). Por la misma razón se da también el paso de verbos de la 2.ª a la 4.ª conjugación (§§ 921, 2; 926, 2 b β; 788).

792. Las conjugaciones se dividieron ya en latín vulgar en conjugaciones productivas e improductivas. Es productiva la conjugación que tolera y permite la creación de nuevas formaciones verbales.

La 1.ª conjugación se muestra productiva ya desde el románico común (fr. *borner* de *borne*). En rum., sudit., engad. y sobres. esta productividad está limitada a la conjugación, con radical ampliado, del tipo -í d i o .

Una segunda clase de conjugación productiva está escindida geográficamente en románico, pues a la formación productiva en -e s c e r e del sard., esp. y port. (§ 921, 1) corresponde en rum., it., engad., sobres., fr., prov. y cat. la conjugación ampliada del tipo f l o r é s c o / f l o r í r e (§ 921, 2).

Los deponentes clásicos pasan a la conjugación activa: m i n a r i > m i n a r e 'amenazar (con el cayado al ganado al arrearlo), conducir (ganado)' > rum. *mînă* 'conducir (ganado), guiar', fr. *mener* 'llevar, acompañar'; s e q u i > s e q u e r e > fr. *suivre* (§ 481), prov. *segre;* s e q u i > s e q u i r e (§ 481) > it. *seguire*, esp. y port. *seguir;* n a s c i > n a s c e r e > it. *náscere*, fr. *naître*, esp. *nacer;* m o r i > m o r ī r e (§ 791) > it. *morire*, fr. *mourir*, prov., cat. y esp. *morir.*—Cf. además § 859, 1.

793. Por lo que se refiere a la semántica de las formas verbales, aludiremos sucintamente a los siguientes fenómenos:

A. Hay formas finitas y formas infinitas. La diferencia afecta al compromiso de las formas con personas o cosas mentadas como sujeto de la acción:

1. Las formas finitas se hallan comprometidas, en la situación de que se trata, con personas o cosas consideradas como sujeto de la acción. Partiendo de la situación de que se trata, se distinguen tres clases de sujeto de la acción: el que habla como primera persona ('yo determino', 'yo mando'); aquel con quien se habla como segunda persona ('dices la verdad', '¡ven acá!'); el asunto u objeto de que se trata como tercera persona ('ayer me ofendió') o como cosa ('el tiempo mejora').—Todas estas clases de sujeto pueden ponerse en plural, con lo que en la primera persona el que habla aparece como representante de un grupo ('queremos reparar el puente'), mientras que en la segunda persona se dirige la palabra a un grupo ('habéis tomado una buena determinación') y en la tercera persona se hace referencia a varios objetos de que se trata, sean personas ('han desempeñado bien su cometido') o bien cosas ('las manzanas han caído del árbol').—Nótese que la segunda y tercera persona, sin menoscabo de su carácter gramaticalmente finito, están menos determinadas que la primera persona; y nótese también que el plural es, del mismo modo, más vago y menos definido que el singular. Es éste el presupuesto en que se asienta el hecho de que puedan emplearse como medios para expresar sujetos indefinidos (§ 685) la tercera persona singular (con un sujeto nominal indeterminado: fr. *on dit*), la primera y segunda personas del plural (fr. *Qu'on hait un enemi quand il est près de vous! Quand on se plaint de tout, il ne*

vous arrive rien de bon), y la tercera persona plural (lat. *dicunt* 'se dice'; fr. *ils ont encore augmenté les impôts*).— Las tres formas personales del verbo son grados de proximidad a los que se coordinaron los grados de proximidad del pronombre demostrativo (§ 738).

2. Las formas infinitas (infinitivo, gerundio, participios) están libres para comprometerse a voluntad con personas o cosas de la situación de que se trata. Las formas infinitas se finitizan en la oración al comprometerse en cada caso con el sujeto mentado de la acción, sujeto que no tiene por qué ser el sujeto de la oración (expresado por las formas finitas). Las formas infinitas están, pues, disponibles ahí para convertirse en finitas. La finitización de las formas infinitas ha creado en algunas lenguas determinadas formas gramaticales (§ 835).

B. Los tiempos sirven para expresar la relación temporal respecto al que habla. Los grados elementales del tiempo son el presente del acto de hablar, el pasado con relación al acto presente de hablar y el futuro con relación al acto presente de hablar. Dentro de los tiempos fundamentales del pasado y del futuro pueden además expresarse diferencias temporales, y ello tanto por medios de expresión no verbales (adverbiales: 'primero robaste la estatua, después escapaste') como por medios de expresión propiamente verbales (pasado: 'después que robaste la estatua, escapaste'; futuro: 'después que hayas robado la estatua, escaparás').— Las formas verbales que sirven para la expresión del tiempo pueden utilizarse también para expresar el aspecto (cf. abajo, C 1) y el modo verbales (cf. abajo, C 2).

C. Hay dos modificaciones, con expresión lingüística, de la acción mentada, a saber: el aspecto como modificación que delimita el curso de la acción (1) y el modo como modificación subjetiva (2):

1. El aspecto subraya la fase de desarrollo de la acción. Cabe distinguir tres fases en el curso de la acción: comienzo, medio y fin. De estos tres estadios el comienzo y el fin son aspectos 'puntuales', mientras que el medio es un aspecto 'durativo'. El aspecto puntual mienta un cambio de estado (fr. *il arriva*, esp. *llegó;* fr. *il mourut*, esp. *murió*), al paso que el aspecto durativo alude a un estado sin tener en cuenta su comienzo ni su fin (fr. *il pleuvait*, esp. *llovía = la lluvia duraba*).

El sistema basado en la distinción 'puntual / durativo' es susceptible de afinarse a voluntad. Así, por ej., el aspecto durativo puede enriquecerse mediante la connotación del crecimiento paulatino de la intensidad de la acción (lat. *caelum albescit*, esp. *el cielo se va nublando*, fr. *le bruit va croissant*: § 819, 3). El perfecto perifrástico representa una combinación de ambos aspectos (§ 854). Los aspectos son posibles en todos los grados temporales.—El aspecto puede expresarse: a) por medios lexicales propios adicionales (puntual: 'murió en el acto'; durativo: 'murió en olor de santidad'); b) por formas verbales propias, es decir, mediante la disponibilidad de varias formas, diferenciadas por el aspecto, para un grado de tiempo (§§ 826; 854). Por su significación algunos verbos llevan infartado uno u otro de los aspectos. Cuando un verbo expresa con su significación el cambio puntual entre dos estados, entonces lleva también anejo el aspecto puntual: así, el verbo 'llegar' indica el cambio entre el estado de ausencia de un grupo y el estado de presencia en ese mismo grupo. Pero si la significación de un verbo designa un estado sin tener en cuenta su comienzo ni su fin, entonces ese verbo lleva aparejado el aspecto dura-

tivo ('yacer').—Con todo, es posible, incluso para las acciones de estos verbos, expresar el aspecto opuesto al aspecto
que les es inherente. Así, por ej., el verbo *condere* 'fundar
(una ciudad)' lleva de suyo anejo el aspecto puntual, pues
indica un cambio puntual entre el estado de inexistencia y
existencia de una ciudad. Pero los testigos presenciales pueden ampliar microscópicamente este cambio puntual y con-
vertirlo de ese modo en una transición que se produce paulatinamente (VERG., *Aen.*, 1, 446: *hic templum Iunonis ingens
Sidonia Dido / condebat*), que no es otra cosa más que una
variante del aspecto durativo.—Inversamente, un verbo que
lleva de suyo aparejado el aspecto durativo, puede transfor-
marlo en puntual; basta para ello distraer la atención del
espectador, de la realidad de la duración, y llevarlo a que
fije, sobre todo, su atención en el comienzo o conclusión de
la duración: 'la peste comenzó ahora (después de algunos
casos particulares) a hacerse endémica'; fr. *il attendit trois
heures*, esp. *durmió doce horas*.

2. El modo afecta a la relación, pretendida por la voluntad del que habla, con la acción expresada, la cual a su
vez se presenta como integrante de la realidad concreta
fuera del alcance del que habla. La conciencia del hablante
puede presentar, frente a la realidad concreta, dos relaciones: poder *(pouvoir)* o impotencia *(impuissance)*:

a) La conciencia del poder, con pretensión de validez,
frente a la realidad concreta se expresa mediante el imperativo (α) o el indicativo (β):

α) El imperativo está referido fundamentalmente a la
segunda persona (al interlocutor: '¡ven acá!'). El hablante
capacitado para ello por su posición social y consciente de
esa capacitación, expresa por el imperativo su voluntad *(voluntas)* de modificar el curso de la historia mediante la libre

ingerencia normativa en el mundo social (LUC., 7, 8: *dico...
servo meo 'fac hoc', et facit*). El imperativo reclama para
la *voluntas* una validez normativa de la realidad.

β) El indicativo está referido fundamentalmente a la
tercera persona (al asunto u objeto de que se trata: 'el perro ladra'). El hablante capacitado para ello por su superioridad judicial y consciente de esa capacitación expresa
por el indicativo su voluntad *(voluntas)* de renunciar a modificar el curso de los acontecimientos y de reconocer el
curso de los acontecimientos (la realidad concreta) juzgán-
dolos (como juez) o describiéndolos (epidícticamente) como
un hecho. Comparado con el imperativo, el indicativo es,
por tanto, más 'impotente', por cuanto renuncia a modificar
la realidad. Pero esta impotencia fáctica el hablante la transforma, mediante la conformidad consciente con la realidad
concreta, en una conciencia de poder co-creador (poético:
gracias al juicio o a la descripción) que reclama para la
voluntas enunciativa validez judicial (relación de verdad entre enunciación y realidad concreta).

b) La conciencia de la impotencia frente a la realidad
concreta se expresa en latín y románico por el subjuntivo,
cuya función primordial radica en el distanciamiento de la
pretensión de validez. Hay (de conformidad con la dicoto-
mía 'imperativo / indicativo': cf. arriba) dos zonas o planos
en el subjuntivo:

α) El subjuntivo es fundamentalmente un 'imperativo
distanciado' ('subjuntivo final'). La distancia puede estar en
la relación personal (I) o en el contenido del mandato (II):

I. La distancia de la relación personal ocurre cuando la
voluntas imperativa queda rota por ausencia del que ha de
recibir la orden (A) o por deficiente superioridad social del
que habla (B):

A. El subjuntivo es un imperativo que, en vez de dirigirse al interlocutor, lo hace por vía de apóstrofe a una tercera persona (ausente de la situación en que se habla): *veniat* 'que venga' (scil.: el ausente, el que no está presente en la situación en que se habla). Con ello el subjuntivo es la expresión de una orden a través de un intermediario, por tanto, la *oratio obliqua* del imperativo.

B. El subjuntivo es un imperativo que se dirige en la segunda persona a un interlocutor frente al cual el hablante no tiene la necesaria superioridad social requerida para una orden directa: *rogo, ut venias* 'te ruego que vengas'. El subjuntivo transforma la superioridad imperativa en insinuación afectiva. Es el modo de la *deprecatio* socialmente impotente.

II. La distancia del contenido de la orden ocurre cuando ese contenido *(voluntas)* pertenece a esferas que la experiencia enseña que no son susceptibles de modificación por el hombre: *sis felix!*

β) El subjuntivo se emplea análogamente como 'indicativo distanciado' ('subjuntivo de inseguridad'): expresa el distanciamiento de la validez (judicial) de la enunciación (fr. *il est rare que le succès réponde aux espérances; c'est la plus grande ville que je connaisse).*

γ) La *voluntas* semántica del subjuntivo puede expresarse: I, por un modo lingüístico propio (el subjuntivo); II, por una sustitución lingüística del modo, a saber: A, por la utilización catacrésica de una forma temporal, por ej., mediante una forma de pasado para el subjuntivo de presente (§ 808, 2) o mediante una forma de futuro para el subjuntivo de presente (§ 837); B, por medios perifrásticos, en especial, mediante verbos auxiliares modales (así, por ej., en alemán mediante el verbo auxiliar 'mögen': *er möge kommen* 'que venga').

794. Visto desde la formación, el sistema verbal abraza las formas del tema de presente (indicativo, subjuntivo, imperativo de presente; indicativo y subjuntivo de imperfecto; participio de presente; gerundio; infinitivo), las formas del tema de perfecto (indicativo y subjuntivo de perfecto; indicativo y subjuntivo de pluscuamperfecto; futuro perfecto; infinitivo de perfecto), el participio de perfecto en pasiva, las formas perifrásticas del románico (perfecto, futuro, pasiva).—Las cuestiones generales relativas a la formación y semántica de las formas se estudian al exponer la primera conjugación (§§ 795-867).

El cuadro sinóptico que sigue pretende dar una idea clara de los desplazamientos que el sistema verbal latino sufrió en románico. Los epígrafes de las columnas (perfecto indic., pluscuam. indic.) mientan las significaciones correspondientes a las formas del latín clásico. Las correspondencias románicas de las significaciones se indican por las formas latinas de *cantare*. Así, pues, cuando bajo el epígrafe de la columna 'imperf. subj.' en la línea correspondiente a lat. clás. aparece la forma *cantarem* y en la línea correspondiente a it. aparece la forma *cantavissem*, ello quiere decir que la significación expresada en lat. clás. por la forma *cantarem* se expresa en it. por una forma que corresponde al lat. clás. *cantavissem*. Como para el indicativo y subjuntivo de presente, así como para el indicativo de imperfecto (en su significación temporal) no se produjo en románico ningún desplazamiento, se omitieron esas formas en el cuadro sinóptico. Los subjuntivos (imperf. de subj., pluscuam. de subj.) del primer cuadro están pensados como subjuntivos con función de finalidad y de inseguridad (§ 793). El empleo del período condicional irreal (§§ 830, 2 b; 851) se les ha confiado a columnas especiales (período condicional irreal: presente / pasado).—El signo + (*cantavi* + *cantaveram*) indica la confusión de dos series de formas en el paradigma (sin que ésta tenga que ocurrir en la primera persona singular).—La rayita inclinada entre dos formas indica que estas formas se utilizan con la misma significación, aunque no en el mismo período de la historia de la lengua, o no en todas las condiciones semánticas y sintácticas.—La disposición de las columnas pretende facilitar, mediante la confrontación de las formas afectadas por el desplazamiento, una visión de conjunto.—Las formas románicas (en forma latina) que se emplean en su función significativa latina se imprimen e s p a c i a d a s, mientras que las formas románicas (en forma latina) que se emplean en una función significativa distinta (desplazada) de la latina van impresas *en cursiva*. Las innovaciones perifrásticas (§§ 839, 854) románicas van encerradas entre paréntesis angulosos, ⟨hubuissem cantatum⟩.

En las siguientes series de paradigmas (§§ 797-948) se omiten los pronombres personales sujetos. Recordemos una vez por todas que en fr., engad. y sobres. la presencia del pronombre sujeto es obligatoria, a menos que el sujeto venga expresado de alguna otra manera (por un sustantivo, etc.), pero no es obligatoria en imperativo, donde el pronombre sujeto no suele expresarse en románico: cf. § 706.—En la 2.ª, 3.ª y 4.ª conjugación hemos renunciado a exponer el perfecto perifrástico (§ 856), pues esta forma sólo se distingue en la forma del participio (§§ 911 ss., 945 ss.), que es propio de cada una de las conjugaciones.—En algunos paradigmas de las conjugaciones 2.ª, 3.ª y 4.ª (§§ 871-948) hemos renunciado a exponer todas las seis formas personales, y hemos dado en cada caso solamente un tipo característico de formas (generalmente, la tercera persona singular para un tipo de acento [*vidébat*], y la primera persona plural para otro tipo de acento [*videbámus*]).

	Imperf. subj.	Plusc. subj.	Plusc. indic.	Perf. indic.	Fut. perf. Subj. perf.
lat. cl.	CANTAREM	CANTAVISSEM	CANTAVERAM	CANTAVI	CANTAVERO CANTAVERIM
rum.	—	—	cantavissem	cantavi+ / cantaveram	cantavero+ / cantaverim
it.	cantavissem	⟨habuissem cantatum⟩	⟨habebam cantatum⟩	cantavi / ⟨habeo cantatum⟩	—
sard.	cantarem	—	—	cantavi	—
engad.	cantavissem	⟨habuissem cantatum⟩	⟨habebam cantatum⟩	cantavi / ⟨habeo cantatum⟩	—
sobres.	cantavissem	⟨habuissem cantatum⟩	⟨habebam cantatum⟩	⟨habeo cantatum⟩	—
fr. a.	cantavissem	cantavissem / ⟨habuissem cantatum⟩	cantavi / ⟨habebam cantatum⟩	cantavi	—
fr. m.	cantavissem / cantem	⟨habuissem cantatum⟩	⟨habebam cantatum⟩	cantavi / ⟨habeo cantatum⟩	—
prov.	cantavissem	cantavissem / ⟨habuissem cantatum⟩	⟨habebam cantatum⟩ / cantavi	cantavi	—
cat.	cantavissem	⟨habuissem cantatum⟩	⟨habebam cantatum⟩	cantavi+ / cantaveram	—
esp.	cantavissem	⟨habuissem cantatum⟩	cantaveram / cantavi / ⟨habebam cantatum⟩	cantavi	cantavero+ / cantaverim
port.	cantavissem	⟨tenuissem cantatum⟩	cantaveram / ⟨tenebam cantatum⟩	cantavi	cantavero+ / cantaverim

	Oración pral.	Orac. subr. (SI...)	Oración pral.	Orac. subr. (SI...)
lat. cl. rum.	CANTAREM *cantabam* / ⟨*habuerim cantare*+ *haberem cantare*⟩ / ⟨*cantare habui*⟩	CANTAREM como oración pral.	CANTAVISSEM *cantabam* / ⟨*habuerim (haberem) fieri cantatum*⟩	CANTAVISSEM como oración pral.
it.	*cantavissem*	*cantavissem*	⟨*habere habui cantatum*⟩ / *cantabam*	⟨*habuissem cantatum*⟩ / *cantabam*
sard.	⟨*habebam cantare*⟩	*cantabam* / cantarem	—	—
engad. y sobres.	*cantavissem*	*cantavissem*		
fr. a.	*cantavissem* / ⟨*cantare habebam*⟩	*cantavissem* / *cantaban*	cantavissem / ⟨*habuissem cantatum* / *habere habebam cantatum*⟩	cantavissem / ⟨*habuissem cantatum* / *habebam cantatum*⟩
fr. m.	⟨*cantare habebam*⟩	*cantabam*	cantavissem / ⟨*habuissem cantatum* / *habere habebam cantatum*⟩	cantavissem / ⟨*habuissem cantatum* / *habebam cantatum*⟩
prov.	*cantavissem* / *cantaveram* / ⟨*cantare habebam*⟩	*cantavissem* / *cantaban*	cantavissem / ⟨*habere habebam cantatum* / *habueram cantatum*⟩ / *cantabam*	cantavissem / ⟨*habuissem cantatum* / *habebam cantatum*⟩
cat.	⟨*cantare habebam*⟩	*cantavissem* / *cantaban*	⟨*habere habebam cantatum*⟩	⟨*habuissem cantatum*⟩
esp.	⟨*cantare habebam*⟩	*cantavissem* / *cantaveram*	⟨*habueram cantatum* / *habere habebam cantatum*⟩	⟨*habuissem cantatum*⟩
port.	*cantaveram* / ⟨*cantare habebam*⟩ / *cantabam.*	*cantavissem* / *taveram*	⟨*tenere habebam cantatum* / *tenebam cantatum*⟩	⟨*tenuissem cantatum* / *tenueram cantatum*⟩

A) PRIMERA CONJUGACIÓN: C A N T A R E (§§ 795-867)

795. La primera conjugación (c a n t a r e) comprende en románico numerosos verbos populares (§ 141), así como también abundantes verbos cultos en cada lengua (§ 142: fr. *modérer, accepter*). La primera conjugación se ha mantenido siempre como ampliamente productiva, pues en todas las lenguas románicas es la principal conjugación de las nuevas formaciones verbales (fr. *abriter* del fr. *abri*). En los idiomas citados en § 801 los cultismos y neologismos presentan ampliación radical en las formas del grupo de presente, las cuales, por lo demás, tienen acentuación radical. Cf. también § 792.

1. Formas del grupo de presente (§§ 796-822)

796. En el grupo de presente reviste importancia el cambio (que no practican algunos idiomas en determinados verbos: § 801) del emplazamiento del acento: llevan acentuación radical la 1.ª, 2.ª, 3.ª y 6.ª pers. de indicativo y subjuntivo de presente (§§ 797, 802), así como la 2.ª pers. de imperativo (§ 805). Todas las otras formas llevan acentuación desinencial (§§ 797-822).

A) INDICATIVO DE PRESENTE (§§ 797-801)

797. Formas: c á n t o, c á n t a s, c á n t a t, c a n t á m u s, c a n t á t i s, c á n t a n; rum. *cînt, cînţi, cîntă, cîntắm, cîntáţi, cîntắ;* it. *cánto, cánti, cánta, cantiámo (cantámo), cantáte, cántano;* sard. *kánto, kántas, kántat, kantámus, kantáðes* / Bitti - Nuoro *kantátes, kántant* / *kántan;* alto engad. *cháunt, cháuntast, cháunta, chantáins, chantáis, cháuntan;* bajo engadino *chánt, chántast, chánta, chantáin, chantáis, chántan;* sobres. *cóntel, cóntas, cónta, cantéin, cantéis, cóntan;* fr. a.

(fr. m.) *chánt (chante), chántes, chánte, chantóns, chantéz, chántent;* prov. a. *cant, cántas, cánta, cantám, cantátz, cántan / cánton;* cat. *cánto, cántes, cánta, cantém, cantéu, cánten;* esp. (port.) *cánto, cántas, cánta, cantámos, cantáis, cántan (cántam).*

En la siguiente lista las formas de cada idioma se retroproyectan sobre la forma latinovulgar para facilitar así su comprensión y estudio. Cf. las listas de los §§ 868, 878, 924:
1. c á n t o (rum., it., sard., engad., fr. a., cat., esp. y port.), c á n t o i l l u (sobres.); **2.** c á n t a s (rum., it., sard., sobres., fr., prov. a., cat., esp. y port.), c á n t a s t u (engad.); **3.** c á nt a t (rum., it., sard., engad., sobres., fr., prov. a., cat., esp. y port.); **4.** c a n t á m u s (rum., sard., esp. y port.), c a n t á m u (prov. a.) c a n t - ú m u s (fr.), c a n t é m u s (alto engad.), c a n t é m u (bajo engad., sobres. y cat), c a t i á m u s (it.); **5.** c a n t á t i s (rum., fr., prov. a., esp. y port.), c a n t á t e (it.), c a n t á t e s (sard.), c a n t é t i s (engad. y sobres.), c a nt é t e (cat.); **6.** c á n t a n t (sard. y prov. a.), c á n t a n (rum., it., sard., engad., sobres., cat., esp. y port.), c á n t u n t (fr.), c á n t u n (prov. a.).

798. El rum. mantiene en 1.ª pers. la final *-u* tras cons. + *l* y cons. + *r* (§ 275). En fr. la final -o se mantiene como *-e* tras ciertos grupos de consonantes (§ 275), así como en proparoxítonos (§ 286: d u b i t o *je doute).* Desde estos casos se extendió más tarde la *-e* a todos los verbos *(je chante),* con lo que se logró la isosilabicidad de las formas de acentuación radical (como en las otras conjugaciones). En sobres. se consiguió esta isosilabicidad mediante la sufijación mecanizada del pronombre personal i l l u m *(jeu cóntel).*

Para el sonido final -s, -t, -nt, en las pers. 2.ª-6.ª, cf. § 533, 539-545, 547-549, 552-557, 571.

En engad. (lo mismo que en dialectos norteit.) el pronombre pospuesto t u se acopló en forma estable a la desinencia de 2.ª pers. (§ 706).

En la 4.ª persona, el rum., sard., prov., esp. y port. (así como amplias zonas dialectales del it.: *cantámo)* continúan la desinencia latina -á m u s. Para el rum. *-ăm,* cf. § 190. En it. (Toscana, lengua literaria), en engad., sobres. y cat. el subjuntivo reemplazó al indicativo: el punto de contacto sintáctico entre ambas formas está en la forma interrogativa '¿hemos de...?': la aseveración rotunda en la forma 'nosotros' es menos frecuente que la pregunta deliberativa y la exhortación a la acción[3].

En engad., sobres. y catalán pasó a continuación el subjuntivo (§ 802), en it. el imperativo (§ 806), también a la 5.ª persona.—La terminación *-es* de la 5.ª pers. en sard. (en vez de *-is*: § 272) se basa en el influjo de la terminación de imperativo *-e* (§ 805). Posteriormente la terminación *-es* se aplicó en sard. a los restantes tiempos y modos en la 5.ª pers. Cf. la lista del § 805.

En dialectos it. *(cántono),* en prov. y fr., la 6.ª pers. se basa en la terminación -u n t (§ 880), a la que corresponde en fr. la 4.ª pers. con -ú m u s (§ 879).—En cat., la vocal *-e-* de 2.ª y 6.ª pers. es fonéticamente correcta (§ 277).—Para la terminación *-áis* en esp. y port., cf. § 378.—En fr. *-ez* < -ā t i s sustituye también las terminaciones -ē t i s, -ī t i s de las otras conjugaciones. Así, pues, el francés unificó para todas las conjugaciones (§§ 868; 878; 924) las formas del plural (-ú m u s, -á t i s, -u n t).

En fr. la terminación *-ent* de la 6.ª pers. era primitivamente nasalizada *(chantent* = fr. a. [ćãtət]); sin embargo,

---

[3] Inversamente, también el indicativo asume función exhortativa (§ 806).

la nasalización se perdió después [šãtə].—En dialectos franceses orientales y occidentales se mantiene la nasalización (en parte con el antiguo timbre -õ <-u n t, en parte con el timbre neutro [-ã]: la vocal nasalizada atrajo después a sí el acento de la palabra (champañés *il emménageont* 'ils emménagent').

799. Los temas monosilábicos de d a r e , s t a r e forman en latín vulgar la 1.ª pers. *s t á o (para no desfigurar el radical) > rum. *dáu, stáu;* sudit. *dáu, stáu;* centroit. e it. literario *dò, stò*: § 245.

800. Hay modificaciones del tema:

1. Por desplazamiento del acento: este desplazamiento constituye ya de suyo una modificación del tema, por cuanto éste se pronuncia con plena intensidad en las formas de acentuación radical y con una intensidad menor en las formas de acentuación desinencial. Esta diferencia de temas puede cristalizar, a tenor de las leyes propias de cada lengua, en diferencia de timbre vocálico (p o r t a r e > rum. *purtá;* p o r t o > rum. *port*: §§ 176, 253; p r o b a r e > fr. a. *prover;* p r o b a t > fr. a. *prueve)* o diferencia del volumen material de la palabra (p a r a b o l a r e > fr. a. *parler;* p a r a- b o l a t > fr. a. *il parole*: §§ 245, 293). Las diferencias de tema así originadas pueden quedar borradas (fr. m. *il prouve, il parle)* por nivelación analógica del tema (§ 137);

2. Por diferencia de las condiciones de armonización: p o r t o > rum. *port,* p o r t a t > rum. *poartă* (§ 176);

3. Por hallarse afectadas de distinta manera las consonantes del radical: c a n t o > rum. *cînt,* c a n t a s rum. *cînţi* (§ 378).

801. Ampliación del tema.—En rum. y en dialectos it. del sudeste (Apulia, Lucania) ('romanidad interadriática': § 375, nota) el desplazamiento acentual, que ponía en peligro la identificabilidad del tema (§ 800, 1) se evitó mediante el recurso de sustituir las formas de acentuación radical por otras formas ampliadas mediante el sufijo griego -i d i o (ίζω) (adstrato griego: cf. § 28). Cf. además §§ 835, 920.

Esta ampliación del tema, que no se aplica a los verbos antiguos (c a n t a r e, p o r t a r e, i u r a r e), afecta principalmente a aquellos verbos que derivan de un nombre o que se sienten como tales derivaciones (las más veces, con matiz frecuentativo), lo que se ajusta bien con la función semántica del sufijo -i d i a r e en las demás lenguas románicas (it. *guerreggiare* 'guerrear', fr. *guerroyer*, esp. *guerrear*), así como a aquellos otros verbos cuyo acento radical cargaría sobre la antepenúltima (§ 115). En rum. todos los neologismos se enrolan en este esquema.—Ejemplos: 1. apul.-lucan. *nivicáre* 'nevar' (que se sintió como derivado de *neve* 'nieve' y que además llevaría el acento radical sobre la antepenúltima sílaba: cf. it. *névica* 'nieva'), 3.ª pers. *nivichéĭa* 'nieva'; 2. rum. *lucrá* 'trabajar' (considerado como derivación de *lucru* 'trabajo'), que se conjuga: *lucréz, lucrézi, lucreáză, lucrắm, lucrắţi, lucreáză*.

De igual manera, en engad. y sobres., el sufijo -e s c o, -e s c i s (§ 921) reemplaza las formas de acentuación radical, y ello tanto en verbos que se sienten como derivados (engad. *megldrer* 'mejorar') como en neologismos (engad. *gratuler* 'felicitar', *orner* 'adornar'; sobres. *gratular, ornar*): engad. *gratulésch, gratuléschast, gratuléscha*, alto engad. *gratuláins* / bajo engad. *gratuláin, gratuláis, gratuléschan;* sobres. *gratuléschel, gratuléschas, gratuléscha, gratuléin, gratuléis, gratuléschan.*

B) SUBJUNTIVO DE PRESENTE (§§ 802-804)

802. Formas: c á n t e m, c á n t e s, c á n t e t, c a n t é-
m u s, c a n t é t i s, c á n t e n t; rum. *cînt, cînţi, cînte, cîntăm,*
cîntăţi, cînte; it. *cánti, cánti, cánti, cantiámo, catiáte, cánti-*
no; sard. *kánte, kántes, kántet, kantémus, kantéδes* / dial. c.
kantétes, kántent / *kánten;* alto engad. *cháunta, cháuntast,*
cháunta, chantáns, chantás, cháuntan; bajo engad. *chánta,*
chántast, chánta, chantán, chantát, chántan; sobres. *cónti,*
cónties, cónti, cantéien, cantéies, cóntien; fr. a. *chant, chanz,*
chant, chantons, chantez, chantent; fr. m. *chante, chantes,*
chante, chantions, chantiez, chantent; prov. a. *cant, cantz,*
cant, cantẹm, cantẹtz, cánten; cat. *cánti, cántis, cánti, can-*
tém, cantéu, cántin; esp. (port.) *cánte, cántes, cánte, canté-*
mos, cantéis, cánten (cántem).

803. En singular presentan evolución correcta: 1) la 1ª.,
2.ª y 3. ª pers. en sard., fr. a., prov. a., esp. y port.; 2) la 2.ª
y 3.ª pers. en rum., it. y cat. [4].

La 1.ª y 3.ª pers. se formaron en it. y cat. por analogía
con la 2.ª pers. El fr. m., engad. (§ 798) y sobres. presentan
a su vez otros procesos de nivelación.

En plural presentan desarrollo correcto: 1) la 4.ª, 5.ª y 6.ª
pers. en sard., prov. a., esp. y port.; 2) la 4.ª y 5.ª pers. en
cat.; 3) la 6.ª pers. en rum. y fr.—Para la 5.ª pers. en sardo,
cf. § 798.

Las formas de la 4.ª-5.ª pers. son idénticas en rum. y fr. a.
a las formas de indicativo (§ 798) y de imperativo (§ 805)
(para la fundamentación semántica, cf. § 798). En fr. m. se
ha producido una nueva diferenciación de las fomas.

---

[4] Como -a s en cat. se convierte en *-es* (§ 277), así lat. v. -ẹ s da
en cat. *-is,* que se mantiene, gracias a su función semántica, en el subj.
pres. de la conjugación en *-a,* al paso que en otras circunstancias pierde *-is* su silabicidad (d o r m i s > *dorms:* cf. §§ 272, 924).

Las formas it. en -*iamo,* -*iate* provienen de h a b e a m u s / h a b e a t i s (*abbiamo* / *abbiate*), s a p i a m u s / s a p i a- t i s *(sappiamo / sappiate)*, *s i a m u s / *s i a t i s *(siamo / siate*: §§ 187; 473; 477). Las formas del fr. m. en -*ions,* -*iez* derivan de *soyons, soyez* (§ 187).

Así como d o , s t o se ampliaron en *d a o , *s t a o (§ 799), así también algunas lenguas transformaron d e m , s t e m en *d é a m , *s t é a m (con subjuntivo en -*a*: § 871): it. *día, stía* (pero esp. *dé, esté* < d e m , s t e m —si bien esp. dial. [leonés] *dea, estea*—)

804. Para las consonantes finales de las desinencias, cf. § 798.—En las lenguas enumeradas en el § 801 se produce en los verbos correspondientes la ampliación del tema en la 1.ª, 2.ª, 3.ª y 6.ª pers.

c) IMPERATIVO (§§ 805-806)

805. Formas: (2.ª pers.) c á n t a, (4.ª pers.) c a n t é m u s, (5.ª pers.) c a n t á t e; rum. *cîntă, cîntăm, cîntáţi;* it. *cánta, cantiámo, cantáte;* sard. *kánta, kantémus, kantáδe* / dial. cent. *kantáte;* alto (bajo) engad. *cháunta (chánta), chan- táin, chantè (chantái);* sobres. *cónta, cantéien (lein cantár* [< *v o l e m u c a n t a r e]), *cantéi;* fr. *chante, chantons, chantez;* prov. a. *cánta, cantém, cantátz;* cat. *cánta, cantém, cantéu;* esp. (port.) *cánta, cantémos, cantád (cantái*: § 379).

Como entre la 5.ª pers. de indicativo de presente (§ 798) y la 5.ª pers. de imperativo median estrechas relaciones que tienen como consecuencia unas veces el influjo fonético por parte de la forma de indicativo (sard.), otras la ingerencia de la forma de imperativo en la función de indicativo (it.) o finalmente, la intrusión de la forma indicativa en la fun- ción imperativa (rum., fr., prov.), pondremos aquí un cua- dro retroproyectivo (cf. § 797) de ambas formas:

Función:	5.ª pers. indic. pres. (lat. c. c a n t a t i s)	5.ª pers. imp. pres. (lat. c. c a n t a t e)
Formas:	c a n t a t i s (rum., fr., prov., esp. y port.) c a n t a t e s (sard). c a n t a t e (it.) c a n t e t i s (engad. y sobres.) c a n t e t e (cat.)	c a n t a t i s (rum., fr. y prov.) — c a n t a t e (it., sard., español y port.) — c a n t e t e (engad., sobres. y cat.)

Nada impide (§§ 272, 542) poner en indicativo (§ 797) c a n-t a t e s en vez de c a n t a t i s, y eso en todas las lenguas (como en sard.), de suerte que con esa hipótesis el influjo del imperativo sobre el indicativo vendría dado de antemano. Las formas c a n t a t e s (indic.) y c a n t a t e (imperat.) sólo se distinguen en sard. esp. y port. (así como, sobre la base -e t e s /-e t e en engad. y sobres.), al paso que en el resto de la Romania la diferencia entre indicativo e imperativo se borra, bien en beneficio de la forma indicativa (rum., fr., prov.), bien en favor de la forma imperativa (it. y, sobre la base -e t e, cat.).—Para la división lingüística de la Romania, cf. § 920.

806. Tienen desarrollo regular: 1) la 2.ª pers. en todas partes; 2) la 4.ª pers. en sard., engad., prov. a., cat., esp. y port.; 3) la 5.ª pers. en sard., esp. y port.

En las formas de plural se logró, en el sentido de § 798, plena identidad entre indicativo e imperativo en rum., it. y fr.; en rum. y fr. precisamente sobre la base de las formas indicativas (§ 798).—Para la desinencia -s en la 4.ª pers., cf. § 798.

En las lenguas citadas en § 801 aparece en la 2.ª pers. de ciertos verbos la ampliación del radical de que se habla allí.

El imperativo negativo se expresa en latín clásico por medio de n e con el subjuntivo perfecto (n e c a n t a v e r i s, n e c a n t a v e r i t i s) o mediante perífrasis con ayuda de n o l l e (n o l i c a n t a r e, n o l i t e c a n t a r e). Estas dos formas de expresión son finitas. El imperativo infinito se expresa por el subjuntivo presente (n e d i c a s 'no se diga').—En románico primitivo ocurre en la 2.ª pers. la forma n e c a n t a v e-r i s > n e c a n t a r i s. Pero la partícula n e fue sustituida por n o n. Además, c a n t a r i s perdió la -s (por analogía con la relación del indicativo presente c a n t a s con el imperativo c a n t a). El resultado fue, pues, n o n c a n t a r e, y esta forma fue considerada como un infinitivo negativo hasta el extremo de que se aplicó a temas cuyo subjuntivo perfecto era distinto del infinitivo; y así, n e d i x e r i s fue reemplazado por n o n d i c e r e. El tipo n o n c a n t a r e aparece en rum., it., engad., fr. a. y prov. a.—La 5.ª pers. n e c a n t a-v e r i t i s > n o n c a n t á r i t i s se transformó en n o n c a n t a r é t i s (como v é n d i t i s > v e n d é t i s: § 879). También aquí cayó la -s (análogamente a la relación de indicativo presente c a n t a t i s con imperativo c a n t a t e). El resultado de n o n c a n t a r é t e (sentido y generalizado como "infinitivo + -e t e") aparece en bajo engad. *(nu chan-tarái)*.—En otras lenguas fue reemplazado n e c a n t a v e-r i s por n o n c a n t e s (cat., esp. y port.) o n o n c a n t a s-s e s (dialectos it.) y n e c a n t a v e r i t i s por n o n c a n t e-t i s (prov. a., cat., esp. y port.) o por el imperativo negativo n o n c a n t a t e (rum., it., alto engad. y fr.). El fr. y sobres. adoptan la consecuencia de negar simplemente el imperativo incluso en la 2.ª pers. (quizá por influjo de la sintaxis alemana). En sobres. se utiliza el relleno negativo afectivo *buca.*—Cuadro retroproyectivo (cf. § 797):

2.ª pers.	5.ª pers.
non cantáre (rum., it., engad., fr. a., prov. a.) non cántes (cat., esp. y port.)	non cantaréte (bajo engad.) non cantétis (prov. a., cat., esp. y port.)
non cantásses (dialectos it.) non íre cantándo (dialectos it.) non cantándo (dialectos it.) non cánta (fr.)	non cantáte (rum., it., alto engad. y fr.)
buca cánta (sobres.)	*buca* cantáte (sobres.)

D) INDICATIVO DE IMPERFECTO (§§ 807-808)

807. Formas: ⟨c a n t-⟩ -á b a m, -á b a s, -á b a t, -a b á-m u s, -a b á t i s, -á b a n t; rum. ⟨cînt-⟩ -ám, -ái, -a, -ám, -áṭi, -áu; it. ⟨cant-⟩ -áva (-ávo), -ávi, -áva, -avámo, -aváte, -ávano; sar. central (logudorés) ⟨kant-⟩ -ávo (-áo), -ávas (-ása), -ávat (-áδa), -avámus (-aiámus), -aváδes (-aiáɣes), -ávan (-ána); alto engad. (bajo engad.) ⟨chant-⟩ -áiva, -áivast, -áiva, -áivans (-áivan), -áivas (-áivat), -áivan; sobres. ⟨cant-⟩ -ável, -ávas, -áva, -ávan, -ávas, -ávan; fr. a. ⟨chant-⟩ -óe, -óes, -óe, -iiéns, -iiéz, -óent; fr. m. ⟨chant-⟩ -ais, -ais, -ait, -ions, -iez, -aient; prov. a. ⟨cant-⟩ -áva, -ávas, -áva, -avám, -avátz, -ávan (-ávon); cat. ⟨cant-⟩ -áva, -áves, -áva, -ávem, -áveu, -áven; esp. ⟨cant-⟩ -ába, -ábas, -ába, -ábamos, -ábais, -ában; port. ⟨cant-⟩ -áva, -ávas, -áva, -ávamos, -áveis, -ávam.

Lista retroproyectiva (cf. § 797): 1.ª -á v a (rum., it., fr. a., prov. a., cat., esp. y port.), -á v o (it. y sard.), -á v a i l l u (so-

bres.), -é v a (engad. y fr. m.); **2.**ª -á v a s (rum., it., sard., sobres., fr. a., prov. a., cat., esp. y port.), -é v a s (fr. m.), -é v a s
t u (engad.); **3.**ª -á v a t (rum., it., sard., sobres., fr. a., prov. a.,
cat., esp. y port.), -é v a t (engad. y fr. m.); **4.**ª -a v á m u s
(rum., it. y sard.), -a v á m u (prov. a.), -á v a m u s (esp. y
port.), -á v a m u (sobres. y cat.), -ē á m u s (fr. a.), -ē ú m u s
(fr. m.), -é v a m u s (alto engad.), -é v a m u (bajo engad.);
5.ª -a v á t i s (rum. y prov. a.), -a v á t e (it.), -a v á t e s (sardo), -á v a t i s (sobres., esp. y port.), -á v a t e (cat.), -é v a t i s
(alto engad.), -é v a t e (bajo engad.), **6.**ª -á v a n (it., sard., sobres., prov. a., cat., esp. y port.), -á v u n t (fr. a.), -á v u n
(rum. y prov. a.), -é v a n t (fr. m.), -é v a n (engad.).

808. Presentan desarrollo correcto: 1) todas las formas
en prov. a.; 2) la 1.ª, 2.ª, 3.ª y 6.ª pers. en sobres. cat., esp. y
port.; 3) la 2.ª, 3.ª, 4.ª, 5.ª y 6.ª pers. en italiano y en el dialecto
sardo central; 4) la 2.ª, 3.ª y 4.ª pers. en rumano.—Para las
consonantes finales, cf. § 798.—Para la 5.ª pers. en sardo, cf.
§ 798.

En engad., sobres., cat., esp. y port. el acento de la 4.ª y
5.ª pers. carga sobre la sílaba -á b-, característica del imperfecto, a la que corresponde de derecho el acento en las demás personas. Cf. también §§ 810, 827-829.

En engad. y fr. m. la terminación -ē b a m de la segunda
conjugación (§ 873) fue transferida a la primera.

La primera persona adoptó en it. (toscano y lengua literaria) y sard. la -o del presente (§ 798).—La forma it. -*avate*
está de acuerdo con el § 798.

En fr. a. la forma *c a n t á v u n t (prov. a. *cantávon;* cf.
§ 797) dio *c a n t á w u n t (§ 374) y ésta desembocó en *chan-
tóent* (§ 245). Sobre esta forma se rehizo analógicamente la
1.ª-3.ª pers. (que presentan dialectalmente las formas regu-

lares *-éve, -éves, -éve)*. Las personas 4.ª-5.ª se tomaron de la segunda conjugación (§ 873). Todas las formas del fr. m. proceden de la segunda conjugación.

En rum. las terminaciones están formadas análogamente al presente (1.ª pers. *-am*) de h a b e r e (§ 870).

Desde el punto de vista semántico, el indicativo imperfecto encuentra aplicación como aspecto (1) y como modo (2) (cf. § 793, C):

1. Como aspecto durativo, el imperfecto aparece ya en latín contrapuesto al perfecto puntual latino. En románico se mantiene tanto el aspecto durativo del imperfecto como su oposición al perfecto latino (en la medida en que éste permanece: § 826).

2. El pasado encaja en la oración condicional como expresión de la irrealidad, por cuanto el pasado se conoce como historia y su presencia condicionadora frente al estado real de la historia es clara irrealidad. Puede, pues, utilizarse un tiempo condicionador del pasado como expresión de la irrealidad justo en relación con el grado temporal del pasado. Este modo de expresión puede expresar también, por catacresis, la irrealidad del presente. En griego se emplea el imperfecto como expresión condicionadora de la irrealidad del presente, y el aoristo como expresión condicionadora de la irrealidad del pasado, con lo que los mismos tiempos aparecen también análogamente en la oración (principal) condicionada y son referidos como irrealidad a la oración condicionadora mediante la partícula modal ἄν. El románico presenta dos variantes en la semántica de la **irrealidad del imperfecto**:

a) El imperfecto sirve como expresión de la irrealidad del presente:

α) en la oración condicionante y condicionada en los dialectos del sudeste de Italia, debiendo considerarse esto como efecto del sustrato griego (§ 30);

β) en la oración condicionante en fr., prov. y cat., así como en dialectos sardos e italianos (fr. *si j'avais faim, je mangerais*: § 794).

b) El imperfecto sirve para expresar la irrealidad del pasado en la oración principal (condicionada) en it. y fr., debiendo buscarse el punto de partida de este empleo en el aspecto conativo *(imperfectum de conatu)* del propósito o intención de inminente realización ('estar a punto de, tener intención o propósito de') (RACINE, *Phèdre*, 3, 3, 837: *Je mourais ce matin digne d'être pleurée* 'esta mañana tenía el propósito de morir como persona honorable'). La falta de realización del intento (RACINE, *Phèdre*, 3, 3, 383: *J'ai suivi tes conseils: je meurs déshonorée* 'por seguir tus consejos, muero deshonrada') convierte el aspecto en expresión modal de la irrealidad ('esta mañana hubiera muerto como persona honrada'); *si sa robe ne s'était accrochée, la pauvre petite se brisait la tête sur le pavé*. En it. (y, a veces, también en fr.) este uso del imperfecto se extiende a la oración subordinada condicionante (it. *se potero, facero*).

<small>E) SUBJUNTIVO DE IMPERFECTO (§§ 809-812)</small>

809. Formas: ⟨cant-⟩ -arem, -ares, -aret, -arémus, -arétis, -arent; sard. ⟨kant-⟩ *-áre, -áres, -áret, -arémus, -aréδes, -árent;* port. ⟨cant-⟩ *-ar, -áres, -ar, -ármos, -árdes, -árem.*

810. La evolución fonética en sard. es correcta (para la 5.ª pers., cf. § 798). Por lo demás, en la mayoría de los dia-

lectos las terminaciones de la segunda conjugación (-ē r e: § 789) desplazaron las desinencias presentadas, que ofrecen un desarrollo regular.—En port. la retrotracción del acento (*c a n t á r e m u s, *c a n t á r e t i s) está de acuerdo con las formas correspondientes del imperfecto indicativo (§ 808).

811. La primitiva función sintáctica de la forma es la del subjuntivo (§ 793, C 2 b) en dependencia de un tiempo del pasado (lat. *imperavit, ut facerem*), así como la expresión de la irrealidad del presente (*facerem* 'yo lo haría'). Ambas funciones se conservan en sard. (precisamente, la función irreal de presente en la oración secundaria condicionante). En tanto que en el resto de la Romania estas funciones fueron asumidas por el pluscuamperfecto subjuntivo latino (§ 830), el sard. mantiene el antiguo imperfecto subjuntivo y perdió como forma el pluscuamperfecto de subjuntivo.

En la mayor parte de la Romania el imperfecto de subjuntivo cedió ante la 'forma hiperbólica', semánticamente más fuerte (§ 584), del pluscuamperfecto de subjuntivo (§ 830).

812. En port. la función latina del subjuntivo dependiente de un tiempo pasado constituye la base para una ampliación de función. La función (final y dubitativa: § 793 C 2 b) del subjuntivo latino es visible todavía en ejemplos como port. *não te era melhor ires para a cama?* '¿no te era mejor (que) fueras a la cama?' (< *n o n t i b i e r a t m e- l i o r, i r e s...*); *era pêna não termos mais tempo* 'era lástima (que) no tuviéramos más tiempo' (< *e r a t p o e n a ⟨q u o d⟩ n o n t e n e r e m u s...*).

El empleo asindético de la forma (uso que era ya en latín potestativo: *me rogavit facerem*) y su palpable derivación de la forma del infinitivo (c a n t a r e m / c a n t a r e, f a c e r e m / f a c e r e) hicieron que esta forma apareciese como una forma del infinitivo finitizada mediante la agregación de un pronombre-sujeto (§ 793, A). La agregación de un aparente pronombre-sujeto (2.ª pers. _cantares_, 4.ª pers. _cantarmos_, 5.ª pers. _cantardes_, 6.ª pers. _cantarem_) al aparente infinitivo era tanto menos sorprendente cuanto que pueden serle agregados también al infinitivo pronombres-objeto (§ 725, 2 b).

El concebir la forma como un infinitivo finitizado (port. _infinitivo pessoal_ 'infinitivo personal') tuvo como consecuencia el que dicha forma se desglosase de su condición de dependencia temporal y de su semántica subjuntiva. Mientras que el subjuntivo de imperfecto sólo podía emplearse en dependencia de un tiempo del pasado, esta forma, considerada como un infinitivo, puede aparecer incluso después de un tiempo presente (_é pêna não termos mais tempo_ 'es lástima que...'). El desglosamiento de su semántica conjuntiva deja la forma libre para todos los empleos propios del infinitivo (§ 822), en especial para los usos detrás de preposición (_antes de partirmos, hei-de falar com o secretário_ 'antes de que salgamos, tengo que hablar con el secretario').

La 1.ª y 3.ª pres. (_cantar_ < c a n t a r e m, c a n t a r e t) carecen de una desinencia indicadora del sujeto, pues esas personas se confunden totalmente con el simple infinitivo. Así se comprende que esas dos formas lleven antepuesto el sujeto como pronombre personal pleno: port. _depois de eu sair de casa, apareceu por fin o correio_ 'después de salir yo de casa, apareció por fin el correo'; _parei para êle me dizer o que tinha acontecido_ 'me paré para que me dijera lo que había pasado'.—Esta finitización del infinitivo mediante pronombres personales se da también en esp. y cat.

(§ 822): en port. constituye un fenómeno de supletismo (§ 583).

La coincidencia del infinitivo personal con el subjuntivo de perfecto latino en la conjugación regular es un azar (§ 826).

F) PARTICIPIO DE PRESENTE (§§ 813-815)

813. Algunos participios sueltos se conservaron en boca del pueblo como adjetivos de la tercera declinación (nom. sing. -a n t i s, acus. sing. -a n t e: § 675): *p e n s a n t e 'pesado' it. *pesante*, sobres. *pesont*, fr. *pesant*, cat. *pesant* (cf. también esp. *pesantez* < *p e s a n t i t i e); *c u r r e n t e 'corriente (del agua)' it. *corrente* 'corriente', engad *curraint* 'corriente', fr. *courant* 'corriente'; (a q u a) *s u r g e n t e 'borbollante (del manantial)' it. *sorgente* (f.) 'manantial'.—Participios populares de la primera conjugación sustituyen en dialectos it. (y, a veces, también en la lengua literaria) la terminación -a n t e por -e n t e de la segunda conjugación (§ 817): it. *tagliente* 'cortante' (de *tagliare* 'cortar, tajar').

El *abl. absolutus* del tipo p e n d e n t e l i t e 'estando el litigio pendiente aún de resolución, por tanto, durando aún como objeto de discusión' permanece como forma verbal petrificada en las preposiciones románicas del tipo fr. *pendant la guerre* (cf. p e n d e r e), it. *durante la guerra*, esp. *durante la guerra* (cf. d u r a r e).

814. En la tradición popular este participio fue reemplazado ya en latín tardío (a n g e l i c a n e n d o e u m d e f e-r u n t i n e x c e l s u m) por el *ablativus modi* del gerundio (§ 819, 2 a). Además, el uso predicativo-comitativo (§ 819, 2 a) se transforma con frecuencia en función atributiva ya del sujeto, ya del objeto, ya de otra parte nominal de la oración.

De este modo el gerundio (etimológico) se sintió en fr. como verdadero participio, y en fr. m. toma en el femenino la desinencia analógica (§ 676) femenina -*e* (*une femme charmante*). El uso del participio en función de predicado nominal (*il est charmant*) deriva de construcciones antiguas (§ 819, 3 a). La participialización del gerundio etimológico hay que considerarla como un cultismo gramatical (§ 142), puesto que resucita, según el modelo latino, el participio ya inexistente. Son cultismos totalmente lexicales los participios en it., esp. y port. (tipo: *cantante*).

Las condiciones en sobres. son idénticas a las que ocurren en fr.: sobres. *cun egls rients* 'con ojos rientes', *cun bucca rienta* 'con boca riente'.

815. El rum. utilizó el adjetivo en -t o r i u s (c a n t a t o- r i u s), derivado del *nomen agentis* latino (c a n t a t o r), para la formación mecánica de un adjetivo verbal que tiene una significación fundamental referida vagamente a la acción (c a n t a t o r i u > rum. *cîntător* 'relativo al cantar') y puede, por tanto, encargarse también de la función de un participio de presente ('el que canta', 'cantante').—De acuerdo con lo que pasa en el gerundio (§ 817), la forma -a t o r i u (> rum. -*ătór*) de la primera conjugación se extiende a la segunda y tercera conjugación (*tăcătór* de *taceá* < t a c ē r e; *făcătór* de *fáce* < f á c e r e), al paso que la cuarta conjugación (igual que el gerundio: § 817) mantiene el antiguo -i t o- r i u (rum. -*itór*: *iubitór* de *iubí* 'amar').

G) GERUNDIO (§§ 816-821)

816. En latín, el gerundio es una forma supletoria (§ 583) de la flexión del infinitivo (§ 822). Nótese que el infinitivo re-

presenta en sí la función del nominativo y del acusativo-objeto (§ 822), mientras que el gerundio representa el genitivo *(ars dicendi)*, el dativo *(scribendo adesse* 'estar presente en la redacción del protocolo'), el ablativo instrumental-modal *(hominis mens discendo alitur)* y el ablativo preposicional *(adhibenda est in iocando moderatio)*, así como el acusativo preposicional *(paratus sum ad dimicandum)*.

En románico se mantienen: 1, el ablativo instrumental-modal (§ 819); 2, el ablativo preposicional (§ 820); 3, el acusativo preposicional (§ 821).—Por otra parte, la declinabilidad del infinitivo en románico se encomendó en parte al infinitivo mismo (§ 822) y en parte al participio de perfecto (§ 832).

817. El ablativo del gerundio se conservó en románico: c a n t a n d o rum. *cîntînd;* it., sard., esp. y port. *cantando,* engad. *chantand,* sobres. *cantond,* fr. *chantant,* prov. a. *cantán,* cat. *cantand.*

El siguiente cuadro sinóptico retroproyectivo (cf. § 797) pone de manifiesto las mutuas relaciones de las formas de gerundio de las cuatro conjugaciones en románico (cf. también §§ 875, 889, 936).

En la mayoría de los dialectos sardos el gerundio termina en *-e* (en vez de en *-o*), donde se ha de ver una falsa restitución de la forma plena partiendo de las combinaciones surgidas por sinalefa como c u r r e n d o ⌣ i n d e > *kurrendinde.*

Al lado del ablativo (§§ 818-820), y en un área geográfica estrechamente relacionada con la en que se conserva aquél, se mantiene también el acusativo c a n t a n d u m (§ 821), que en románico vino a confundirse con el ablativo en su resultado fonético.

	1.ª conjug.	2.ª conjug.	3.ª conjug.	4.ª conjug.
lat.	-ando	-ando	-endo/-iendo	-iendo
rom	-a n d o (rum., it., sar., eng., s o b r e s., f r., prov., cat., español y port.)	-a n d o (rum., eng. y fr.)	-a n d o (rum., eng. y fr.)	-a n d o (fr.)
	-e n d o (dial. it., y sar.)	-e n d o (italiano, sar., sobres., p r o v., cat., e s p. y port.)	-e n d o (italiano, sar., sobres., p r o v., cat., e s p. y port.)	-e n d o (italiano, sar., sobres., prov. y esp.)
	—	—	—	-i n d o (rum., sar., eng., cat., y port.)
	—	-i̯-ando (rum.)	-i̯-ando (rum.)	—

818. El ablativo del gerundio (§ 817) se emplea en románico sin preposición (§ 819) y con preposición (§ 820).

819. El ablativo apreposicional del gerundio tiene en latín la función de un adverbio instrumental *(hominis mens discendo alitur; currendo et luctando corpus confirmatur).* Esta función constituye el arranque de una ramificación, visible ya en latín, de significación adverbial del gerundio apreposicional en románico.—En lo que sigue tomaremos el español como ejemplo-guía.

El ablativo apreposicional latino del gerundio tiene las siguientes funciones:

1. La función instrumental (esp. *el niño se divirtió rompiendo los libros que le regalaron*) constituye la función esencial de la forma (lat. *hominis mens discendo alitur*) y se mantiene viva en rum., it., sard., engad., sobres., prov. a., cat., esp. y port.

2. De la función instrumental deriva la función del *ablativus modi,* que expresa una acción concomitante que se desarrolla simultáneamente con la acción principal, sin que esta acción concomitante sea un instrumento de la acción principal. Esta función relajada es ya corriente también en latín (VERG., *Aen.* 2, 6: *quis talia fando... temperet a lacrimis*) y se mantiene viva en las lenguas enumeradas arriba (número 1) (esp. *hablaban gesticulando enérgicamente*).—El *ablativus modi* sigue después dos caminos en su evolución: el camino de la transformación sintáctica hacia el nombre (a) y el camino del enriquecimiento semántico (b):

a) El gerundio en el *ablativus modi* designa una acción secundaria realizada por el sujeto simultáneamente con la acción principal. Gracias a esta referencia equilibrada al sujeto y al verbo principal el gerundio equivale, en cuanto a su semántica sintáctica, a un adjetivo comitativo-predicativo del sujeto: el gerundio en *Socrates subridendo venenum hausit* (fr. *de nombreux ouvriers, chantant et le bras nu, travaillaient*) equivale al adjetivo en *Socrates laetus venenum hausit.* De esta manera el gerundio puede asumir la función comitativo-predicativa de un participio de presente (§ 813). Efectivamente, el participio de presente ocurre en latín equiparado sintácticamente al gerundio (TAC., *ann.* 15, 38: *incendium, ... in edita adsurgens et rursus inferiora populando, anteiit remedia velocitate mali*).—A esta luz se comprende que el gerundio amplíe sus posibilidades de referencia a un sustantivo análogamente a las del participio de presente y que pueda, por tanto, referirse sintácticamente incluso al objeto (it. *quivi trovarono i giovani giuocando;* esp. *encontramos a nuestra hermana paseándose con algunas amigas;* esp. *vi un pájaro volando por el aire).* Esta relajación se puede observar también, aunque con distinta frecuencia de uso, en las lenguas citadas más arriba (número 1).—El francés saca la consecuencia extrema de la total participialización del gerundio (§ 814).—También el rum. conoce el empleo del gerundio como un adjetivo verbal *(lébădă muríndă* 'el cisne moribundo').* Cf. también esp. *el agua hirviendo.*

b) El *ablativus modi* puede aparecer semánticamente enriquecido, en las lenguas mencionadas arriba (número 1), con todas las especializaciones significativas de la determinación adverbial (temporal, causal, concesiva, condicional) (esp. *¿cómo puedes negarlo, sabiendo que todos lo han visto?).*

3. La combinación de ciertos verbos (§ 835) expresivos de movimiento o reposo con el *ablativus modi* de un gerundio sirve en románico para expresar determinados aspectos verbales (§ 793, C 1). Tales combinaciones son, por ej.:

a) Para expresar una acción en curso de desarrollo, la combinación e s s e + gerundio (rum. a. y sardo: sard. *est ploéndo* 'llueve, está lloviendo') y la combinación s t a r e + gerundio (it., cat., esp. y port.: esp. *yo estaba escribiendo cuando me llamaron).* La antigua combinación e s s e + gerundio se considera hoy en fr. como una combinación participial *(vous êtes toute la nuit miaulant comme des chats de gouttière)* (cf. § 814).

b) Para expresar una acción que se halla en curso de desarrollo y cuya intensidad va creciendo paulatinamente, la combinación i r e + gerundio en it., fr., prov., cat., esp. y port. (esp. *su fortuna iba disminuyendo;* fr. *le bruit va croissant).*—Esta combinación ha perdido en amplia medida su especialización semántica en cat. y port., viniendo a quedar reducida a una perífrasis cuya significación coincide casi con el verbo simple.

820. La combinación de la preposición i n con el ablativo del gerundio designa originariamente (sobre la base de la significación local de i n) la esfera en que se desarrolla la acción principal *(virtutes cernuntur in agendo)*.

Este uso continúa en it. (it. a. y dialectal), así como en prov., esp. y port.; continúa precisamente como expresión puntualizadora de la simultaneidad (esp. *en viajando se olvidan las preocupaciones*) o de la sucesión inmediata, expresada como simultaneidad [5] (port. *em aparecendo a luz, temos de abalar,* esp. *en amaneciendo, tenemos que salir*). En francés la combinación de *en* + gerundio ha asumido las funciones fundamentales del gerundio (§ 819, números 1, 2, 2 b), al paso que el gerundio apreposicional se limita a la función comitativo-predicativa (§ 819, número 2 a) y a la combinación con verbos que describen un aspecto (§ 819, 3 a-b). La combinación c u m + gerundio en toscano *(con pagando* = it. *col pagare* 'pagando, con el pago') revela la significación instrumental que tiene la preposición c u m en románico (it. *col martello* 'con el martillo').—Lat. s i n e + gerundio perdura en dialectos italianos como *senza* + gerundio (umbro antiguo *mangiavano senza pane avendo).*—Para la relación del gerundio con el infinitivo, cf. § 822.

821. El acusativo del gerundio se usaba en latín después de preposición. En románico se conservan:

1. La combinación a d + gerundio en dialectos italianos (umbro *stasera me ne voglio jire a cantando* 'esta tarde

---

[5] Se trata de la 'hipercaracterización' mencionada en § 583.

quiero ir a cantar') y en sobres. *(els vegnan a mirond l'aura* 'vienen a contemplar el tiempo').

2. La combinación p e r + gerundio en dialectos italianos (corso *per essendo zitella, è abbastanza astuta* 'para lo niña que es, es bien astuta').

H) INFINITIVO (§ 822)

822. Para la forma fonética del infinitivo, cf. § 787.—En latín, el infinitivo tenía las funciones sintácticas de sujeto (m e n t i r i t u r p e e s t) y de objeto (v i n c e r e s c i s, v i c t o r i a u t i n e s c i s). Ambas funciones permanecen en románico común (fr. *mieux vaut attendre; je sais nager*).

Además, el genitivo (a r s s c r i b e n d i) expresado en latín mediante el gerundio (§ 816) se expresa en románico común mediante la combinación d e + infinitivo (fr. *l'art d'écrire;* it. *l'arte dello scrivere*). Con ello se propaga, en general, en románico (prescindiendo de restos de construcciones gerundiales: §§ 820-821) la sustitución del ablativo preposicional y del acusativo preposicional del gerundio (§ 816) por la construcción 'preposición + infinitivo', con lo que el infinitivo, reforzado por preposiciones (especialmente, d e y a d), penetra también en las funciones de sujeto y objeto del infinitivo (fr. *et de penser à toi me soutiendra; il craint de perdre son argent*).—Para el 'supino' en rum., cf. § 832.

En cat., esp. y port. el infinitivo puede aparecer finitizado mediante la adición del pronombre-sujeto en su forma plena o del sustantivo-objeto (§ 793, A), yendo el sujeto antes del infinitivo en cat., esp. a. y port., y después del verbo en esp. m.: cat. *en jo parlar, tots van aixecar-se* 'al hablar yo, todos se levantaron', esp. a. *sería mayor derecho yo con ella morir;* esp. a. *sin yo saberlo;* esp. m. *el decirlo tú;* esp. m. *el latir los perros.*—Esta especie de finitización se emplea en port. en 1.ª y 3.ª pers. como forma supletiva del 'infinitivo personal' (§ 812). Para el empleo del infinitivo en formas perifrásticas, cf. §§ 836-852.

2. *Formas finitas del grupo de perfecto* (§§ 823-830)

823. En latín (§ 891) hay que distinguir en la 1.ª, 2.ª y 4.ª conjugación entre formaciones de perfecto 'débiles' (c a n t-á v i, con acentuación desinencial en la 1.ª pers. del indic. perf.) y formaciones de perfecto 'fuertes' (v é t u i, con acentuación radical en la 1.ª pers. del indic. perf.). En la 3.ª conjugación el latín tiene sólo perfectos fuertes (d í x i).—De las formas del tema de perfecto se mantienen en r)mánico: el indic. perf. (§ 824), los dos modos del pluscuam. (§§ 828-829), el fut. perf. que se confunde con el subj. perf. (§ 827). No se conserva en románico el infinitivo (c a n t a s s e), pues coincidió fonéticamente con la 1.ª pers. del subj. pluscuam. (§ 829).

A) INDICATIVO DE PERFECTO (§§ 824-826)

824. Formas débiles: ⟨c a n t-⟩ -ái, -ásti, -áut / -áit, -áimus / -ámmus, -ástis, -árunt; rum. ⟨cînt-⟩ -ái, -áṣi, -ắ, -árắm, -árắṭi, -árắ; it. ⟨cant-⟩ -ái, -ásti, -ò, -ámmo, -áste, -árono; sard. ⟨kant-⟩ -ái, -ásti, -áit, -ámis, -áγis, -áini; alto engad. (bajo engad.) ⟨chant-⟩ -ét, -éttast, -ét, -éttans (-éttan), -éttas (-éttat), -éttan; fr. ⟨chant-⟩ -ai, -as, -a, -âmes, -âtes, -èrent; prov. a. ⟨cant-⟩ -ẹ́i, -ẹ́st, -ẹ́t, -ẹ́m, -ẹ́tz, -ẹ́ron; cat. ⟨cant-⟩ -í, -áres, -á, -árem, -áreu, -áren; esp. ⟨cant-⟩ -é, -áste, -ó, -ámos, -ásteis, -áron; port. ⟨cant-⟩ -éi, -áste, -óu, -ámos, -ástes, -áram. Exceptuados d e d i y s t e t i (§ 825), todos los demás perfectos latinos fuertes de la primera conjugación (l a v i, c r e-

p u i, v e t u i...) pasaron en románico a la formación débil de perfecto (it. *lavái, vietái*...).

Lista retroproyectiva (§ 797): **1.**ª -á i (rum., it., sard., fr., esp. y port.), (d ḙ d i >) -ḙ i (prov. a.), (s t ḙ t u i >) -ḙ t u̯ i (engad.), -í i (cat.); **2.**ª -á s t i (it., sard., esp. y port.), -á s t i + vocal (rum.), -á s (fr.), -á r a s (cat.), -e t u̯ i s t i > -é t u̯ i s t u (engad.), -ḙ i s t i > -ḙ s t i (prov. a.); **3.**ª -á u t (it., esp. y port.), -á i t (sard.), -á t (rum., fr. y cat.), -ḙ i t > -ḙ t (prov. a.), -ḙ t u̯ i t (engad.); **4.**ª -á i m u s (sard.), -á m m u s (it., fr., esp. y port.), -á r a m u s (rum. y cat.), -ḙ i m u s > -é m m u s (prov. a.), -é t u̯ i m u s (alto engad.), -é t u i m u (bajo engad.); **5.**ª -á s t i s (fr. esp. y port.), -á s t e (it.), -á i t i s (sard.), -á r a t i s (rum. y cat.), -e í s t i s > -ḙ s t i s (prov. a.; § 882), -ḙ t u̯ i t i s (alto engad.), -ḙ t u̯ i t e (bajo engad.); **6.**ª -á r u n t (fr.), -á r u n (it., esp. y port. a.), -á i n (sard.), -á r a n (rum., cat. y port.), -ḙ e r u n > -ḙ r u n (prov. a.), -ḙ t u̯ u n (engad.).

La desaparición, potestativa ya en latín, de la -v- en 2.ª, 5.ª y 6.ª pers. (c a n t a s t i=c a n t a v i s t i) tiene su modelo fonético en la conjugación en -i (§ 938). En románico, las formas de 1.ª, 2.ª, 4.ª, 5.ª y 6.ª pers. se basan en la desaparición de la -v-, mientras que en la 3.ª pers. dicha desaparición es la base de sólo una parte de las formas (rum., sard., fr. y cat.). El desplazamiento acentual en c a n t a v í s t i(s) > c a n t á s t i(s) corresponde al que hay en e c c u í s t u > *e c c ú s t u (§ 740, B), c a n t a í l l u > *c a n t á l l u (§ 728). Como -ĕ r u n t de la 6.ª pers. tiene -e- breve (§ 149, 4), no sorprende la contracción c a n t á r u n t.—En la 3.ª pers. aparece en sardo -a i t sin modificación, con la forma reducida -*á t (de acuerdo con -a s t i) en rum. y fr., al paso que it., esp. y port. presentan la reducción -á v i t > *-a u t (§ 245).—La 4.ª pers. todavía ofrece la forma -*á i m u s como *-áimis* en dialectos sardos. La reducción de -*á i m u s da -*á m m u s, que todavía se ve claramente en it. (cf. § 543) y se puede reconocer asimismo en fr. (§ 275).

Tienen desarrollo correcto en cada lengua: 1) todas las formas en it.; 2) la 1.ª-5.ª pers. en port.; 3) la 1.ª-4.ª y 6.ª pers. en esp.; 4) la 1.ª y 3.ª-6.ª pers. en fr.; 5) la 1.ª-3.ª pers. en sardo. **En rum.** la 2.ª pers. presenta desarrollo antevocálico (§ 455).—La -*r*- de la 6.ª pers. pasó en rum. a la 4.ª-5.ª pers., donde hay, sin duda, una ingerencia supletiva (§ 583) del pluscuam. (§ 828).—En port. a. todavía se halla documentada la forma en -*árom* en la 6.ª pers., forma que posteriormente se vio desplazada por -*áram* del pluscuam. (828).—El -*eis* de la 5.ª pers. en esp. procede del esquema de presente (§ 792).—La -*í* de la 1.ª pers. en cat. proviene de las otras conjugaciones (§ 894).—El sistema del prov. a. está tomado de d e d i (§ 894), y el sistema del engad. está tomado de *d e t u i (§ 825).

En sard., el perfecto latino sólo se conservó en una parte de los dialectos, y aun aquí se vio expuesto a fuertes modificaciones analógicas en plural. El resto de los dialectos utilizan el perfecto compuesto (§ 856).

825. Formas fuertes: d é d i, d e d í s t i, d é d i t, d é d i- m u s, d e d í s t i s, d é d e r u n t; rumano *dedéi, dedéşi, déde, déderăm, déderăţi, déderă;* it. *diędi, dęsti, dięde, dęm- mo, dęste, diędero;* alto engad. (bajo engad.) *dét, déttast, dét, déttans (déttan), déttas (déttat), déttan;* prov. a. *dięi, dęst, dęt, dęm, dętz, dęron;* esp. *dí, díste, dió, dímos, dísteis, diéron;* port. *dęi, dęste, dęu, dęmos, dęstes, dęram.*

La forma plena d e d i pervive en it. en 1.ª, 3.ª y 6.ª pers., así como en rum. en 2.ª, 3.ª y 6.ª pers. (mientras que las demás personas en rum. ofrecen una formación analógica). La forma transformada *d e t u i (según *s t e t u i: § 904) se conserva en engad., así como en formas secundarias italianas y rumanas (it., 1.ª pers. *dẹtti*, 3.ª pers. *dẹtte*, 6.ª pers. *dẹttero;* rum. 3.ª pers. *déte* < *d e t u i t, de donde el paradigma *détéi, détéşi, déte, déterăm, dẹterăţi, déteră).*

El italiano arranca de un sistema de formas en que la sílaba radical átona desaparece por disimilación haplológica (§ 135): *diedi, dẹsti, diede, diedimo, dẹste, diedero* (así en dialectos toscanos). En la lengua literaria (y dialectos toscanos) la 4.ª pers. se abrevia análogamente a la 5.ª pers. por haplología y recibe la vocal de la 5.ª pers. (*dẹmno*). También en prov., esp. y port. se parte de la disimilación haplológica de las formas con acentuación radical (*d ẹ i, *d í s t i, *d ẹ i t, *d ẹ i m u s, *d i s t i s, *d ẹ e r u n t), con lo que la vocalización quedó sometida a frecuente nivelación analógica.—Para el papel de d e d i (*d e i) en la formación del perfecto en la tercera conjugación, cf. § 892.

El perfecto s t e t i perdura: 1, como *s t e t u i (§ 904) en rum. *stete* 3.ª pers. < *s t e t u i t (de donde se formó el paradigma *stetéi, stetéşi, stéte, stéterăm, stéterăţi, stéteră),* it. *stetti,* engad. *stet;* 2, como *s t e i, nivelado al disimilado *d e i (§ 825), en el prov. *estiei;* 3, en una forma, igualada a los verbos auxiliares h a b u i, t e n u i (§ 903), en cat. *estiguí,* esp. *estúve,* port. *estíve.*

826. Semánticamente, el perfecto latino se distingue ya en latín como aspecto puntual del aspecto durativo (§ 793, C 1) del imperfecto (§ 808, 1). Esta diferencia se mantiene en románico.—Al perfecto latino le nace un competidor en el perfecto perifrástico (§ 854). Los dos perfectos se distinguen semánticamente por el aspecto (§ 855); sin embargo, en algunos idiomas el perfecto perifrástico suplantó al perfecto latino, por ej., en la mayoría de los dialectos sardos,

en el habla coloquial en engad., en sobres. y en el fr. conversacional moderno.

Existe asimismo una competencia entre el perfecto y el pluscuamperfecto latinos, pues, por una parte, el perfecto era ya en latín una 'forma económica' del pluscuamperfecto mentado (sobre todo en dependencia sintáctica: Liv. 1, 1, 1; 2, 30, 15; y así aun en fr. a., prov. a. y esp.; cf. esp. *allí reposaban las cenizas de una niña que murió a la corta edad de dos años*... 'que había muerto'...), y, por otra parte, el pluscuamperfecto se empleaba como 'forma hiperbólica' del perfecto mentado (§ 824, 1 b). Esta mutua competencia llevó en rum. y catalán a la fusión supletiva (§ 583) de las dos formas. El moderno portugués presenta también identidad de formas en la 6.ª persona.

B) SUBJUNTIVO DE PERFECTO Y «FUTURUM EXACTUM» (§ 827)

827. Formas: ⟨cant-⟩ -árim (-áro), -áris, -árit, -árimus, -áritis, -árint; rum. a. ⟨cînt-⟩ -áre (-áru), -ári, -áre, -árem, -áret, -áre; esp. ⟨cant-⟩ -áre (esp. a. -áro), -áres, -áre, -áremos, -áreis, -áren port. ⟨cant-⟩ -ár, -áres, -ár, -ármos, -árdes, -árem.

Formalmente ocurre clarísimamente una fusión del *futurum exactum* latino con el subjuntivo perfecto latino, como prueban las dobles formas de la 1.ª pers.—Para la abreviación -av- > -a-, cf. § 824.—Latín déderim da, previa la forma disimilada (§ 825) *déeri, esp. *diere*, port. *der*.—Latín steterim da, por asimilación con *haber, tener* (§ 825), esp. *estuviere*, port. *estiver*.

Semánticamente, tanto en rum. a. como también en esp. y port., la forma continúa en oraciones secundarias (condicionales o que entrañan una condición) la función del *futurum exactum* latino.—Además, el hecho de que en esp. y port., en los casos en que este tiempo se emplea en su uso tradicional, pueden utilizarse también otras formas (español *cuando* + subj. pres.; esp. *si* + indic. pres.) hace aparecer el *futurum exactum* ('cuando hubieres pasado el Halis') como un dificultamiento de la condición, pues mienta la conclusión futura de la acción y no sólo la acción futura. Así resulta que este tiempo sólo se emplea cuando se quiere subrayar especialmente la inseguridad o la mera posibilidad de la acción condicionante, viniendo así a tener esta forma el valor de un subjuntivo dubitativo reforzado. Este tiempo conserva aún hoy cierta vitalidad en port. (port. *tudo quanto disser, há-de ser examinado rigorosamente* 'todo lo que él pudiere decir, debe examinarse rigurosamente'), mientras que en esp. es menos frecuente y suele limitarse a afirmaciones condicionantes generalizadoras (sentenciosas) que entrañan un alto grado de problemática eventualidad: esp. *quien se quemare que sople; quien tal afirmare, no dice verdad.*

La identidad de las formas de este tiempo con el infinitivo personal en port. (§ 812) está circunscrita a aquellos verbos que no tienen un tema especial de perfecto (*cantárdes* < c a n t a r e t i s, c a n t a r i t i s), mientras que la diferencia en los verbos con distinto tema de perfecto es evidente (d i c e r e t i s > *dizerdes;* d i x e r i t i s > *disserdes*: § 909).

c) INDICATIVO DE PLUSCUAMPERFECTO (§ 828)

828. Formas: ⟨c a n t-⟩ -á r a m, -á r a s, -á r a t, -a r á m u s, -a r á t i s, -á r a n t; prov. a. ⟨*cant-*⟩ -*ę́ra*, -*ę́ras*, -*ę́ra*, -*erám*, -*erátz*, -*ę́ran;* esp. (port.) ⟨*cant-*⟩ -*ára*, -*áras*, -*ára*, -*áramos*, -*árais*, -*áran* (-*áram*).

Lat. d e d e r a m da, a través del disimilado (§ 825) *d ę e r a, prov. a. *dęra,* esp. *diera,* port. *dera.*—Lat. s t é t e r a m da, a través de *st é e r a* nivelado con d e d e r a m , prov. a. *estéra*, al paso que en esp. y port. se produjo asimilación a *haber, tener* (§ 825) (esp. *estuviera*, port. *estivera).*—El vocalismo del prov. a. *cantera* deriva de *dera* (cf. § 824).—Para la retrotracción del acento en 4.ª-5.ª pers. en esp. y port., cf. § 808.

Esta forma tiene en románico una significación temporal (1) y una significación modal (2):

1. La significación temporal en latín aparece ya escindida estilísticamente:

a) La significación propia es la del pasado. Con limitaciones estilísticas, esta significación perdura en esp. y port.

b) El latín clásico conoce ya el empleo del pluscuam. con la significación del perfecto: se trata de una superación estilística del pasado, cuyo rápido transcurso se quiere subrayar (VERG., *Aen.* 12, 430). Este uso del pluscuam. se puede comprobar en latín clásico (VERG., *Aen.* 5, 397), sobre todo en verbos auxiliares, con una función mecanizada ya (esto es, sin propósito de superación estilística). Esto explica que el primitivo fr. a. conozca la forma del pluscuam. latino, pero con la significación del perfecto *(avret* 'tuvo' < h a b u e- r a t ; *firet* 'hizo' < f e c e r a t [con el vocalismo de *fis;* § 900]). Cf. además § 826. Cf. también § 583.

2. La significación modal de la irrealidad está limitada originariamente a la oración principal (condicionada) y arranca de los verbos modales de poder, deber (usados normalmente en indicativo: VAL. MAX., 4, 3, 13: *potuerat, nisi maluisset).* Se designa el irreal del pasado al que en la oración secundaria condicional corresponde el subjuntivo pluscuam. Como el subj. pluscuam. se usa en románico para la irrealidad del presente (§ 830), el indic. pluscuam. toma también en el tipo oracional *si venisset, cantaveram* la significación

de la irrealidad del presente ('si él viniera, yo cantaría').
Como irreal de presente el pluscuam. indic. latino se conserva en dialectos italianos, así como en prov., esp. y port., con lo que el empleo analógico de la forma irrumpe también en la oración secundaria condicionante (esp. *si él lo supiera*). En prov. a. se conserva aún, potestativamente, también la referencia latina al pasado: *cantęra* 'yo habría cantado' y 'yo cantaría'.

D) SUBJUNTIVO DEL PLUSCUAMPERFECTO (§§ 829-830)

829. Formas: ⟨c a n t-⟩ -á s s e, -á s s e s, -á s s e t, -a s s é-m u s, -a s s é t i s, -á s s e n t; rum. ⟨cînt-⟩ *-ásem, -áseşi, -áse, -ásem, -áseţi, -áse;* it. ⟨cant-⟩ *-assi, -assi, -asse, -ássimo, -aste, -ássero;* alto (bajo) engad. ⟨chant-⟩ *-éss, -éssast, -éss, -éssans* (·*éssan*), *-éssas* (*-éssat*), *-éssan;* sobres. ⟨cant-⟩ *-áss, -ásses, -áss, -ássen, -ásses, -ássen;* fr. a. ⟨chant-⟩ *-ásse, -ásses, -ást, -issóns, -isséz, -ássent;* fr. m. ⟨chant-⟩ *-asse, -asses, -ât, -assions, -assiez, -assent;* provenzal a. ⟨cant-⟩ *-ę́s, -ę́sses, ·ę́s, -essę́m, -essę́tz, -ę́ssen* (*-ę́sson);* cat. ⟨cant-⟩ *-és, -éssis, -és, -éssim, -éssiu, -éssin;* esp. ⟨cant-⟩ *-áse, -áses, -áse, -ásemos, -áseis, -ásen;* port. ⟨cant-⟩ *-ásse, -ásses, -ásse, -ássemos, -ásseis, -ássem.*

Lat. d e d i s s e da rum. *dedésem.* El disimilado (§ 825) *d e í s s e da (según se resuelva el hiato -ĕi- en -i̯- o en -ę́-), por un lado *d ĭ s s e (it. *dęsse*), y por otro, *d ę s s e (engad. y sobres. *dess*, prov. a. *dęss*, esp. *diese*, port. *dęsse*).—Latín s t e t i s s e da rum. *stetésem.* Transformado análogamente a d e d i s s e, da, por un lado, *s t ĭ s s e (it. *stęssi*), y por otro, *s t ę s s e (engad. y sobres. *stess*, prov. a. *estę́ss*, cat. *estę́s*). Las formas española *(estuviese)* y portuguesa *(estivesse)* se basan en *haber* y *tener* (§ 825).

Para la retrotracción del acento en 4.ª-5.ª pers. en engad., sobres., cat., esp. y port., cf. § 808.—El vocalismo en engad.,

sobres., prov. y cat. procede de la conjugación *dedi* (§ 892).—
Para la -*m* de la 1.ª pers. en rum., cf. § 870.—La vocal -*i*- en
4.ª-5.ª pers. en fr. a. muestra (en vez de *chantessons: § 295)
asimilación a la 4.ª conjugación (§ 944). En fr. m. prevaleció
la -*a*- de las restantes formas.

830. La forma expresa en latín el pasado con semántica
conjuntiva (c a n t a s s e m 'yo habría cantado, yo hubiera
cantado'). La semántica de la forma se bifurca en románico
en dos direcciones geográficamente separadas:

1. La dirección temporal encuentra una continuación
en rum. Ya en lat. la forma no se había mantenido especializada para el grado de tiempo antepretérito, pues el
antepasado, como expresión hiperbólica estilística del pasado, encontró empleo aun sin ello (§ 828). El pluscuam. subj.
latino se empleó además (ya en el sentido de antepretérito,
ya en el de pretérito, sin relación de anterioridad) en oraciones sintácticamente subordinadas. El peso principal de
su empleo gravita también claramente en (primitivo) rum.
sobre oraciones sintácticamente subordinadas, y ello sin
especialización semántica para el antepretérito (semánticamente muy posible). El hecho de desglosarse de la dependencia sintáctica constituye un proceso relativamente reciente. La significación en rum. es la de un indicativo de
pluscuamperfecto 'yo había cantado' (cf. § 797).

2. La dirección modal encuentra una continuación en
el resto de la Romania. Como el pluscuamperfecto es una
expresión hiperbólica del pretérito (§ 828), la especialización
temporal para el antepasado se pierde en todas partes, aunque la significación del antepasado ocurre todavía potestativamente en los períodos primitivos de las lenguas (fr. a. y
prov. a.). El resultado es un desplazamiento de la signifi-

cación hacia la significación del imperfecto subjuntivo latino (§ 794). La función semántica puede dividirse en dos zonas:

a) El pluscuamperfecto subjuntivo latino asumió las funciones de 'finalidad' y de inseguridad (§ 793, C 2 b), que correspondían al imperfecto subjuntivo latino, en dependencia de un tiempo del pasado, con lo que la relación temporal es la de simultaneidad (lat. *imperavit ut cantarem* = it. *egli volle che io cantassi*).—Por lo demás, el sobres. creó para esta función conjuntiva (mediante la adición de una -*i*- de conformidad con el subjuntivo presente: § 802) una forma especial (distinta de la forma de la función condicional): ⟨*cant*-⟩ -*assi, -assies, -assi, -assien, -assies, -assien.*

b) El pluscuamperfecto subjuntivo latino tenía la función de irrealidad condicional en el pasado (s i v e n i s s e s, c a n t a v i s s e m 'si hubieras venido, yo habría cantado'), y ello tanto en la oración condicionante como en la condicionada. En románico, la forma penetra en la función del imperfecto subjuntivo latino (§ 794) y (prescindiendo de restos de uso potestativo para el pasado: cf. más abajo) sirve para expresar la irrealidad del presente ('yo cantaría'). Cabe establecer en este punto dos grados en la amplitud de la aplicación en románico (cf. § 794):

α) El mayor grado de amplitud en la aplicación se da en latín, donde la forma se emplea tanto en la oración (principal) condicionante como también en la condicionada. Este grado de amplitud continúa como irreal de presente ('si él viniera, yo cantaría') en dialectos suditalianos, en dialectos norteitalianos lindantes con la zona retorromana, en ladino central, así como en engad., sobres., fr. a. y prov. a.—Hay que subrayar que el período fr. a. *s'il venist, je chantasse* = prov. a. *si el vengués, que ieu cantés* tiene tanto sentido presente ('si él viniera, yo cantaría') como también (conforme al latín) sentido pasado ('si él hubiera venido, yo habría cantado').—El grado mayor de amplitud se conserva aún hoy en fr. m. en la forma perifrástica (§ 853) del pasado *(s'il fût venu, j'eusse chanté)*, si bien sólo en un estilo atildado.

β) El grado menor de amplitud en la aplicación consiste en la limitación del pluscuam. subj. latino (como irreal del presente) a la oración (secundaria) condicionante, mientras que la oración principal irreal va en pluscuam. indic. latino (§ 828) o en condicional (§ 851, 2). Este grado de amplitud es corriente en it., prov., cat., esp. y port.

3. Participio de perfecto (§§ 831-833)

831. Hay que distinguir entre participios débiles (con acentuación desinencial) y participios fuertes (con acentuación radical).

Formas débiles: ⟨c a n t-⟩ -a t u s / -a t u, -a t a, -a t i / -a t o s, -a t a s; rum. ⟨cînt-⟩ -at, -ata, -aţi, -áte; it. ⟨cant-⟩ -áto, -áta, -áti, -áte; sard. ⟨kant-⟩ -áu, -áδa, -áδos, -áδas; alto engad. ⟨chant-⟩ -ò, -eda, -òs, -edas; bajo engad. ⟨chant-⟩ -à, -áda, áts, -ádas; sobres. ⟨cant-⟩ -áus / -áu, -áda, -ái, -ádas; fr. ⟨chant-⟩ -é, -ée, -és, -ées; prov. a. ⟨cant-⟩ -át, -áda, -átz, -ádas; cat. ⟨cant-⟩ -át, -áda, -áts, -ádes; esp. y port. ⟨cant-⟩ -ado, -ada, -ados, -adas.

De los participios fuertes sólo se conservan d a t u (rum. *dat*, it. *dato*, sard. *dáu*, alto engad. *dò*, bajo engad. *dà*, sobres. *dáu*, prov. a. *dat*, esp. y port. *dado)* y s t a t u (rum. *stat*, it. *stato*, sard. *istáu*, alto engad. *stò*, bajo engad. *stà*, sobres. *stáus*, fr. *été*, prov. y cat. *estát*, esp. y port. *estado).* Los demás participios fuertes pasaron a la formación débil (v e t it u s it. *vietáto*). En a d i u t a r e (it. *aiuntare*, fr. *aider*, esp. *ayudar*), d o m i t a r e (fr. *dompter*) aparecen intensivos latinos derivados de los participios fuertes.

832. En rum. el participio neutro (invariable) se emplea como sustantivo verbal atemporal (de presente) después de preposiciones; por tanto, como forma flexiva del infinitivo (§ 822): *mă duc la cîntát* 'voy a cantar', *apă de băút* 'agua para beber', *uşór de făcút* 'fácil de hacer'. No está claro hasta qué punto este empleo del participio puede estar relacionado etimológicamente con el supino.

833. En todas las lenguas el participio oficia de atributo y de predicado. Pero obsérvese que varía de género y número en la función de atributo (a tenor de la palabra a que se refiere), y en la función de predicado (a tenor del sujeto) (fr. *une porte fermée; la porte est fermée*). En sobres. el participio en función de predicado nominativo toma la forma predicativa *-aus* en masculino singular y *-ai* en masculino plural (§ 670).—Como predicado acusativo se atiene primitivamente en románico común al género y número del acusativo-objeto (fr. *je l'ai fermée* [scil.: *la porte*]). Pero esta variabilidad se ha limitado en cada lengua a determinadas condiciones (en engad., fr. y cat. a la condición de que vaya pospuesto al objeto: fr. *j'ai fermé la porte*; pero *je l'ai fermée*) o desapareció totalmente en la formación mecanizada [6] del perfecto (sobres., esp. y port.; esp. *la he cerrado* [scil. *la*

---

[6] En combinaciones no mecanizadas hasta ese extremo, en las que el verbo finito conserva su significación plena, se mantiene también la variabilidad (esp. *ha dejado abandonados a sus niños*).

*puerta]; * port. *a tenho cerrado).*—Para la formación del perfecto y de la pasiva con ayuda del participio, cf. §§ 853-867.

4. Formas analíticas (§§ 834-867)

834. Una forma analítica es aquella cuyos elementos constitutivos tienen vida propia en la lengua como palabras independientes y convierten la forma en etimológicamente transparente para el sentido lingüístico sincrónico. Así, el futuro fr. *je vais chanter* (§ 842) es una formación analítica, pues tanto *je vais* como también *chanter* existen en fr. como voces independientes que convierten la forma en etimológicamente transparente para la conciencia sincrónica de la lengua.—En cambio, una forma sintética es aquella cuyos elementos integrantes o no tienen vida propia en la lengua como palabras independientes o, en todo caso, aunque la tengan, no convierten la forma en etimológicamente transparente para la conciencia lingüística sincrónica. Así, el futuro *cantabis* es una forma sintética, pues sus elementos (en la medida en que se pueden analizar sus componentes) o no existen ambos en la lengua como palabras independientes (*cant-/-abo*) o, si existen como tales voces independientes (*canta, bis*) no convierten la forma en etimológicamente diáfana.—Cf. además § 584.

Por lo que se refiere a la independencia de los elementos integrantes como palabras, nótese que ésta está de acuerdo con el grado de independencia que corresponde a cada parte de la oración. Y así, las formas analíticas compuestas con una preposición muestran, por lo que a ésta se refiere, la falta de independencia aneja a la preposición. Así pues, cuando la forma sintética latina (*illius*) *amici* es sustituida en románico por la forma analítica *de illu amicu*

(§ 587), el elemento integrante *de* no puede ostentar sino la falta de independencia inherente en general a toda preposición. De esta manera están formalmente próximas a las formas sintéticas aquellas formas analíticas en las que ocurren como elementos constitutivos tipos de palabras generalmente privados de independencia (como las preposiciones).

La independencia o dependencia semántica de los elementos constitutivos como nota diferenciadora entre formas analíticas y sintéticas es sólo un *signum* externo (que falta en casos-límite, como, por ej., en el caso de las preposiciones) del grado de plenitud semántica, y nótese que el grado de carga semántica de las formas sintéticas es 'normal-gramatical' y el de las formas analíticas 'rico'. Esta distinción, por cierto, sólo es posible en una época en que tanto la forma sintética como también la forma analítica de un sentido mentado están vivas en la lengua. Así, la carga semántica de las formas sintéticas *amici, cantabis* es 'normal-gramatical', al paso que la de las formas analíticas *de illu amicu, cantare habeo* es 'rico': las formas analíticas no se hallan circunscritas a la esfera gramatical normal de sus correspondencias sintéticas, sino que tienen su punto de gravedad semántico en otros contenidos (*de illu amicu* en el contenido de la esfera o plano a que se extiende [*loquitur de amico* conservado todavía en fr. *il parle de son ami; de muro se deicere* conservado todavía en fr. *il vient de Paris*]; *cantare habeo* en el contenido del propósito subjetivo 'tengo la intención de cantar'). Cuando estos otros contenidos penetran en la función de la esfera a que normalmente alcanza la gramática (*de illu amicu* como genitivo, *cantare habeo* como futuro), la enriquecen semánticamente, igual precisamente que cuando se utiliza la palabra *testa* 'casco' en vez del término normal 'cabeza': *testa* significa después 'cabeza', enriquecida con la connotación metafórica 'casco'.

Cierto que el contenido así enriquecido se desgasta por el uso entrañado en la mecanización (§ 583): en fr. m. *tête* significa 'cabeza' a secas, sin ninguna clase de enriquecimiento metafórico. Tampoco entrañan ya una semántica enriquecida de algún modo las formas del fr. m. *de l'ami* en su empleo de genitivo y *je chanterai* usado como futuro. Más aún: en el caso del futuro fr. *je chanterai* se perdió, además del enriquecimiento semántico, también la diafanidad semántica, pues la forma no transparenta ya su composición del infinitivo y h a b e o, sino que se compone ya del tema [*šāt*] y de la terminación [*ré*]: la que fue en un tiempo forma analítica se ha convertido ya en forma sintética, y como tal no se distingue ya del latín c a n t a b o (cf. §§ 584, 846 b β).

835. Como base para las formas analíticas se presentan, sobre todo, las formas infinitas (infinitivos, participios y gerundios: § 793, A), pues esas formas infinitas están libres para una finitización (§ 793, A). Y, además, las formas infinitas están libres también para ser empleadas como modo y aspecto, ya que de por sí no están fijadas modalmente y permiten también una cierta libertad de movimiento en la faceta del aspecto. La finitización de las formas infinitas puede, conforme a esto, realizarse mediante verbos finitos que, justo en virtud de esa función finitizadora, son 'verbos auxiliares finitizadores *(necatus* 'matado, muerto' [forma infinita], *necatus est* 'está muerto, es muerto' [forma finitizada por el verbo auxiliar finitizador *est*]). Pero los verbos auxiliares finitizadores tienen también, automáticamente, un modo y un aspecto; por ello, automáticamente también son

verbos temporales, modales, aspectuales (en la oración *neca-tus est* la forma *est* es un indicativo de presente con el aspecto de estado durativo como resultado de una acción [§ 864]).—Para las formas compuestas con gerundio, cf. § 819, 3.

Una variante mitigada de la síntesis la constituye la ampliación del tema mediante un sufijo (§§ 801, 923).

A) FORMAS COMPUESTAS CON EL INFINITIVO (§§ 836-852)

836. El verbo auxiliar *habeo* forma con el infinitivo en amplias zonas de la Romania el futuro (§§ 837-846) y el condicional (§§ 847-852). Al exponer estas formas se estudiarán también en lo que sigue las demás formaciones románicas del futuro y del condicional.

α) Futuro (§§ 837-846)

837. El futuro latino (excepto *ero*: § 918) no perdura en románico.—Los motivos de la desaparición de este tiempo son:

1. La diferente formación del futuro *(cantabo, delebo, vendam, audiam, vendes, audies)*; y obsérvese que esa debilidad del sistema iba acompañada de debilidades semánticas:

a) Varias formas se confunden por el cambio -b- > -v- (§ 373) con las formas del perfecto (§ 824): c a n t á b i t, c a n t á b i m u s > c a n t á v i t, c a n t á v i m u s ;

b) Varias formas se confunden con las formas del indicativo presente, ya sea por cambios fonéticos (pues en rum. y en 'latín vulgar' el sistema vocálico final del presente v e n-d i t suena igual que el futuro v e n d e t: § 272), ya sea por modificación sistemática de la vocal temática (-*et* en vez de -*it* en sardo: § 869);

2. La superfluidad del futuro ('principio de economía': 584), pues está expresado con suficiente claridad por el contexto *(cras venit)* (como en el *Itinerarium Egeriae* y en sud-it.: § 838);

3. La posibilidad de una expresión más clara por medio de perífrasis (§ 839).

Sin embargo, la sustitución del futuro no se llevó a cabo de manera uniforme en toda la Romania. Cabe distinguir dos clases de tipos en la sustitución románica del futuro: 1, la catacresis (§ 838); 2, la perífrasis (§§ 839-846).

El futuro, tanto latino como románico, se emplea (§ 793, B-C) como tiempo (para indicar una acción futura: § 843) y como modo conjuntivo (en representación del imperativo [§ 793, C 2 b α: lat. *festinationi meae ignosces,* fr. *tu me le pardonneras*]), y como representación del indicativo (§ 793, C 2 b β: lat. *an cetera mundus habebit omnia, hoc unum non habebit?,* fr. *Pour qui donc a-t-on sonné la cloche des morts? Ah! ce sera pour Mme Rousseau).*

838. Por catacresis se ha de entender el empleo de una forma lingüística, que no llama la atención en su función tradicional y corriente, para sustituir una función que carece de forma lingüística y que, sin embargo, es necesaria para la expresión de la *voluntas* del hablante (cf. H. LAUSBERG, *Handbuch der lit. Rhetorik,* 1960, § 1246, s. v. *catachrèse).*—Así, en algunos dialectos suditalianos el presente, que no choca en su función tradicional, se utiliza como sustituto del futuro (que no existe como forma lingüística): *canto* 'cantaré' (y 'canto').

839. La perífrasis es más prolija, pero también más clara, que la catacresis (que es de suyo equívoca); cf. § 838.

Como sustitutos para la expresión del futuro son muy propios los verbos modales (= los verbos que modifican el aspecto a la manera de un modo verbal [§ 793, C 2]), que entrañan significación futura. En románico se utilizan como verbos modales con significación futura para la expresión del futuro: v e l l e (§ 840), d e b e r e (§ 841), v e n i r e (§ 842), h a b e r e (§ 843). La significación futura de estos verbos se basa: 1, en el movimiento del agente preparatorio de la acción *(venire);* 2, en la *voluntas* subjetiva del agente *(velle);* 3, en la forma que dirige la actuación del agente *(debere, habere).*

840. El verbo modal v e l l e se emplea en rum. (sin duda por influjo de la formación de futuro en griego tardío con ayuda de θέλω). Se usa ante el infinitivo presente (en algunos dialectos puede ir detrás): *v o l e o c a n t a r e > *vóiu cîntá,* v e l i s c a n t a r e > *vei cîntá,* *v o l e t c a n t a r e > *va cîntá (va* como resultado de desarrollo pretónico), *v o l e m u s c a n t a r e > *vom cîntá (vom* como resultado de desarrollo pretónico), *v o l e t i s c a n t a r e > *veți cîntá,* v o l u n t c a n t a r e > *vor cîntá.*

841. En sardo ocurre junto a h a b e o (§ 843) el verbo auxiliar d e b e o para la formación del futuro *(deppo cantare).*

842. La perífrasis v e n i o a d c a n t a r e aparece como formación única de futuro en sobres., donde el futuro suena así: *jeu végnel a cantar, ti vegns a c., el vegn a c., nus vegním a c., vus vegnís a c., els végnan a c.*—También el engad. conoce en la lengua hablada esta formación de futuro, al paso que la lengua escrita (en alto y bajo engad.) prefiere la formación c a n t a r e h a b e o (§ 844), influida o, al menos, apoyada por el italiano.

Como la pasiva en engad. y sobres. está también formada con v e n i r e (§ 866), resulta que el verbo v e n i r e tiene exactamente las funciones del alemán *werden* (fut. act. *ich werde singen* 'yo cantaré', presente de pasiva *ich werde geschlagen* 'yo soy golpeado').

Una formación reciente de futuro (§ 834) la constituye el tipo fr. *je vais chanter*, esp. *yo voy a cantar*, que designa un futuro inminente.

843. La perífrasis del futuro con ayuda de h a b e o está documentada en latín como correspondencia del futuro -u r u s s u m (símbolo *Quicumque*, H. DENZINGER, *Enchiridion Symbolorum*, edic. 18ª, 1932, núm. 40, *ad cuius adventum omnes homines resurgere habent cum corporibus suis et reddituri sunt de factis propriis rationem*). Es éste el tipo románico de futuro en it., sard., engad., fr., prov., cat., esp. y port.—Nótese que h a b e o puede ir antepuesto (1) o pospuesto (2):

1. La anteposición de h a b e o ocurre en los tipos de futuro:

a) h a b e o c a n t a r e en norteit. a., sudit. *(aggio cantá)* y dialectos sardos;

b) h a b e o d e c a n t a r e en port. *(hei-de cantar*: § 844), donde este tipo alterna a voluntad del hablante con el tipo c a n t a r e h a b e o (§ 844);

c) h a b e o a d c a n t a r e en dialectos sudit. *[aġġ a kkantá]* y sard. *[app a kkantáre]*.

2. La posposición de h a b e o constituye la formación de futuro mecanizada en it., engad., fr., prov., cat., esp. y port. (§§ 844-846).

844. Formas (§§ 843, 2): it. ⟨*canter-*⟩ *-ò, -ái, -á, -ęmo, -ęte, -ánno*; alto engad. ⟨*chantar-*⟩ *-ò, -òst, -ò, -óns, -ós, -ón*; bajo

engad. ⟨*chantar-*⟩ *-à, -ást, -à, -án, -át, -án;* fr. ⟨*chanter-*⟩ *-ai, -as, -a, -ons, -ez, -ont;* prov. a. ⟨*cantar-*⟩ *-ái, -ás, -á, -ę́m, -ę́tz, -án;* cat. ⟨*cantar-*⟩ *-é, -ás, -á, -ém, -éu, -án;* esp. ⟨*cantar-*⟩ *-é, -ás, -á, -émos, -éis, -án;* port. ⟨*cantar-*⟩ *-éi, -ás, -á, -émos, -éis, -ão;* port. (§ 843, 1 b) *hei-de cantar, hás-de cantar, há-de cantar, hemos (havemos) de cantar, heis (haveis) de cantar, hão-de cantar.*—Para el engad., cf. § 842. En alto engad., además de *chantarò*, existe la formación de futuro del tipo c a n t a r e h a b e a m (*chantarégia*), que tiene valor de subjuntivo de futuro (*futur dal conjunctiv*), pero que en el uso tiene el mismo valor que el indicativo de futuro.

845. Para las formas del verbo h a b e r e (empleadas aquí como desinencias del futuro), § 870.—La 4.ª-5.ª pers. muestra en todas partes la desaparición de la sílaba intertónica *hab-*. Las terminaciones del futuro son a veces más conservadoras que las del verbo autónomo h a b e r e (§ 870), pues éste está más expuesto a los procesos analógicos generales: it. *cantéremo* < c a n t a r e h a b ē m u s (pero it. *abbiamo*: § 870); fr. a. *chanteróiz* < c a n t a r e h a b ē t i s (pero *avez*: § 869).

La unión del infinitivo con la forma finita de h a b e r e en una palabra con el acento sobre la forma de h a b e r e (§ 846 b) coloca todas las sílabas del infinitivo en posición átona: la primera sílaba del infinitivo se queda con el acento secundario, y las demás sílabas (incluida la terminación del infinitivo) quedan intertónicas (§ 252). Por ello la *-a-* de la terminación del infinitivo se convierte en *-e-* en italiano (§ 293).

846. La yuxtaposición c a n t a r e h a b e o pasa a formar una sola palabra en una época en que todavía estaban en vigor las cantidades latinas (§ 154). Teniendo en cuenta las

leyes de acentuación latina, las formas del futuro suenan así en latín vulgar: 1, *c a n t a r á b e o (> *c a n t a r á į i o: § 476); 2, *c a n t á r a b e s (> *c a n t á r a s: § 149); 3, *c a n t á r a b e t (> c a n t á r a t: § 149); 4, *c a n t a r a b é m u s (> *c a n t a r é m u s: § 815); 5, *c a n t a r a b é t i s (> *c a n t a r é t i s: § 815); 6, *c a n t á r a b e n t / *c a n t á r a b u n t (> *c a n t á r a n t / *c a n t á r u n t: §§ 149; 870).

Con esto la 1.ª, 4.ª y 5.ª pers. llevan el acento sobre el verbo auxiliar, mientras que la 2.ª, 3.ª y 6.ª lo llevan sobre la terminación del infinitivo del verbo principal. El desplazamiento acentual en esta distribución de formas es inusitado para la conciencia tradicional de la lengua latina, pues no coincide ese cambio con ningún otro sistema de desplazamiento acentual (indic. pres., indic. perf.) [7]. Cf. el cuadro siguiente.

Dado lo inusitado de ese desplazamiento acentual, se fija el sitio del acento para todas las formas del futuro, pero no de manera uniforme, en todo el espacio de formación del futuro *cantare habeo*:

a) En los dialectos gascones de la Haute Bigorre (§ 149) el acento se fija en la terminación del infinitivo. Por eso, en estos dialectos el pluscuam. indic. latino, que, por otra parte, en gascón como en español se emplea como condicional (§ 828), tiene que morir, pues la 2.ª, 3.ª y 6.ª pers. del futuro suenan igual que el pluscuam. latino (c a n t á r a s, c a n t á r a t, c a n t á r a n t). Cf. también § 912.

b) En el resto de la Romania donde se emplea el futuro c a n t a r e h a b e o el acento se fijó sobre el verbo auxiliar (§ 844). A ello contribuyó el hecho de que en el condi-

---

[7] En el cuadro sinóptico siguiente las letras *x* e *y* designan dos sílabas consecutivas que pueden ser portadoras del acento, por ej.: *x́y = cánto, díco, díxi; xý = cantámus, dixísti.*—Cfr. §§ 149, 700, 728, 767 (número 1 c).

cional del tipo c a n t a r e h a b é b a m el acento estaba de antemano fijado sobre el verbo auxiliar (§ 848). Además, esta fijación permite al pluscuam. indic. latino una vitalidad segura como tiempo y como modo (§ 828).—La unidad formada por el futuro c a n t a r e h a b e o no es, por lo demás, igual de compacta y resistente en todas partes:

α) En port., como en esp. a. (y todavía en el Siglo de Oro) y en prov. a., los pronombres personales átonos (§§ 723-737) se intercalan anficlíticamente (§ 724) entre el infinitivo y el verbo auxiliar (port. *comprá-lo hei* 'lo compraré'). Nótese que la plena vitalidad de esta intercalación y, por ello, de la mayor independencia del verbo auxiliar en port. es una consecuencia de la existencia del tipo secundario h a b e o d e c a n t a r e (§ 843), con el que el tipo c a n t a r e h a b e o se halla en relación de intercambiabilidad condicionada por razones de fonética sintáctica. Las mismas condiciones encontramos en dialectos antiguos norteitalianos.

β) En it., engad., fr., cat. y esp. m. el infinitivo y el verbo auxiliar se han fundido en una unidad inseparable.

	*cantarábeo	canto (§ 797)	dixi (§ 901)
1.ª pers.	xý	x́y	x́y
2.ª pers.	x́y	x́y	xý
3.ª pers.	x́y	x́y	x́y
4.ª pers.	xý	xý	x́y
5.ª pers.	xý	xý	xý
6.ª pers.	x́y	x́y	x́y

β) Condicional (§§ 847-852)

847. En amplias zonas de las formaciones de futuro con h a b e o (§§ 843-846), al futuro, visto desde el presente, c a n -

tare habeo (§ 843, 2) o habeo (de, ad) cantare
(§ 843, 1) se le formó análogamente un *futurum praeteriti*,
visto desde el pasado, que presenta los siguientes tipos:

1. Con el verbo auxiliar antepuesto (§ 843, 1) los tipos
habebam cantare (dialectos antiguos norteit., sudit. y
sard.), habebam de cantare (port.), habebam ad
cantare (dialectos sudit. y sard.);

2. Con el verbo auxiliar pospuesto los tipos cantare
habebam (dialectos it., fr., prov., cat., esp. y port.), y
cantare habui (it.).—La separabilidad de los componentes de estas formas corresponde a la del futuro (§ 846 b α).—
Para el rum., cf. § 852.

848. Formas: 1. Cantare habebam: fr. a. ⟨chan-
ter-⟩ -oie, -oies, -oit, -iiens, -iiez, -oient; fr. m. ⟨chanter-⟩ -ais,
-ais, -ait, -ions, -iez, -aient; prov. a. ⟨cantar-⟩ -ía, -ías, -ía, -iám,
-iátz, -ían; cat. ⟨cantar-⟩ -ía, -íes, -ía, -íem, -íeu, -íen; esp. (port.)
⟨cantar-⟩ -ía, -ías, -ía, -íamos, -íais (-íeis), -ían (-íam).—2. Cantare habui: it. ⟨canter-⟩ -ęi, -ęsti, -ębbe, -ęmmo, -ęste,
-ębbero.—3. Habebam de cantare: port. *havía de cantár, havías de cantar, havía de cantár, havíamos de cantár,
havíeis de cantár, havíam de cantár.*—Para el rum., cf. § 852.

849. El tipo cantare habebam (así como cantare habui) lleva de antemano el acento siempre sobre el
verbo auxiliar, y en la mayor parte de la Romania ese tipo de
acentuación se aplicó también al futuro (§ 846 b).—La desaparición de la sílaba hab- concuerda con la respectiva desaparición en la 4.ª-5.ª pers. de futuro de análoga estructura
(§ 845).

850. Se desconoce la formación del condicional:

1. En las zonas donde no se conoce la formación de futuro con h a b e o , por tanto, en dialectos sudit. (§ 838) y en sobres. (§ 842);

2. En las regiones en que la formación del futuro con h a b e o no es autóctona: en ladino central y engad. (§§ 830, 2 b; 842; 844).

851. La forma (llamada 'condicional' por su empleo modal) se usa:

1. Como *futurum praeteriti*, pues al futuro en fr. *j'espère qu'il viendra* corresponde análogamente el *futurum praeteriti* al trasponer la oración principal al pasado: fr. *j'espérais qu'il viendrais;*

2. Como modo de la irrealidad en la oración principal del período condicional irreal: it. *se sapessi cantare, canterei;* fr. *si je savais chanter, je chanterais.* Cf. el cuadro sinóptico del § 794.—En algunos dialectos italianos ocurre el empleo del condicional tanto en la oración principal irreal como también en la oración secundaria irreal: en esos dialectos el tipo más antiguo s i -i s s e m , -i s s e m (§ 830, 2 b α) se transformó totalmente al asumir la reciente forma condicional.—Para la idoneidad fundamental de una forma de pasado como expresión de la irrealidad, cf. § 808, 2.

852. El condicional modal del rum. (usado en oración principal y secundaria) practica la anteposición (conforme al futuro: § 840) y la posposición del verbo auxiliar:

1. Anteposición del verbo auxiliar: *aş cîntá, ai cîntá, ar cîntá, am cîntá, aţi cîntá, ar cîntá;*

2. Posposición del verbo auxiliar: *cîntare-aş, cîntare-ai, cîntare-ar, cîntare-am, cîntare-aţi, cîntare-ar.*

No está dilucidado si la base de las formas del verbo auxiliar la constituye el imperfecto de v o l e r e (conforme al

futuro: § 840) o un subjuntivo (h a b u i s s e m, h a b u e r i s,
h a b u e r i t, h a b u e r i m u s, h a b u e r i t i s, h a b u e r i n t)
de h a b e r e. Cf. W. Rothe, *Einführung in die hist. Laut- u.
Formenlehre des Rm.*, Halle 1957, pág. 117; S. Pop, *Grammai-
re roumaine*, Berna 1948, pág. 260.

B) FORMAS COMPUESTAS CON EL PARTICIPIO DE PERFECTO (§§ 853-867)

853. El participio de perfecto se utiliza en románico para
la formación de una forma perifrástica de perfecto (§§ 854-
861) y para la formación de la pasiva (§§ 862-867).

α) Perfecto perifrástico (§§ 854-861)

854. El participio de perfecto ha sido utilizado para formar en combinación con los verbos auxiliares h a b e r e
(§§ 855-857) y e s s e (§ 858) una forma de perfecto activo.
Obsérvese que, de acuerdo con su significación, h a b e r e
se limita al principio a los verbos transitivos, mientras que
e s s e forma el perfecto de los verbos intransitivos (§ 858).

855. La combinación del verbo h a b e r e con un participio de perfecto referido al objeto sirve ya en latín clásico
para expresar un aspecto —sentido todavía de manera con-
cretamente etimológica— del verbo participial *(equitatum
ex omni provincia coactum habeo* [Caes. *Gall.* 1, 15, 1]), y
precisamente de un aspecto que mienta, por un lado, la conclusión de la acción expresada en el participio *(coactum)*, y
por otro, prolonga y continúa este acabamiento de la acción
mediante un resultado duradero que llega hasta el presente
y que cobra así expresión también presente *(habeo)*. La expresión de este aspecto mediante el verbo *habeo* se halla limitado primitivamente a las acciones principales cuyo tér-

mino desemboca en la posesión expresable por *habere* (*habeo coactum, habeo occupatum*). La transferibilidad metafórica del verbo *habere* (*compertum habeo*) y, sobre todo, la mecanización (§ 583) permiten finalmente el empleo de la perífrasis con *habeo* incluso para expresar el resultado de acciones que no desemboca en una posesión. Por este camino se llegó en románico común a un perfecto perifrástico del tipo h a b e o   c a n t a t u m, cuyo aspecto experimentó un ligero desplazamiento respecto a su primitivo centro de gravedad, ya que la construcción latina con h a b e o (h a b e o o c c u p a t u m, h. c o m p e r t u m) tiene su centro de gravedad semántico en la indicación del estado (h a b e o) siguiente a la acción, mientras que el perfecto románico del tipo h a-b e o c a n t a t u m tiene su centro de gravedad semántico en la expresión de la acción pasada (*j'ai chanté* 'he cantado'), limitándose a aludir al estado conseguido por la acción; pero, eso sí, alude a él con tal claridad, que el perfecto del tipo h a b e o c a n t a t u m se distingue del perfecto del tipo c a n-t a v i (§ 826), que es meramente histórico (pues no incluye el resultado):

1. El perfecto histórico del tipo c a n t a v i en la frase fr. *Christophe Colomb découvrit l'Amérique* trata el descubrimiento de América como un hecho del pasado, visto en la serie histórica de otros acontecimientos —sin subrayar especialmente su significación para el presente—. El perfecto histórico responde a la pregunta '¿qué sucedió después?'.

2. El perfecto perifrástico del tipo h a b e o c a n t a t u m en la oración fr. *Christophe Colomb a découvert l'Amérique* trata el descubrimiento de América como un hecho del pasado que desde su entrada en la historia como resultado ha tenido ininterrumpidamente (hasta el momento en que se pronuncia esta frase) un valor nunca más invalidado: 'Colón

ha descubierto América, y desde ese momento América ha estado siempre presente ante nuestros ojos'. Así, pues, el verbo auxiliar h a b e o designa el resultado de la acción, resultado nunca interrumpido desde el momento de la acción. Ese resultado ininterrumpido puede ser una propiedad de que puede disponer la sociedad (por ej., en el caso del descubrimiento de América) o, en todo caso, una propiedad de la *memoria,* presentada como importante. La importancia de la propiedad de la *memoria* puede adoptar diferentes grados de intensidad afectiva. Finalmente, la intensidad afectiva puede desgastarse por el uso, pues la forma mienta sólo el pasado capaz de grabarse en la memoria en general *(aujourd'hui, hier, cette anné)* y, finalmente (comenzando por ser hipercaracterización: § 583) se utiliza (§ 826) en el francés coloquial como tiempo del pasado en general (en vez del tipo de perfecto c a n t a v i).

856. Formas: rum. *am, ai, a, am, aţi, au* ⟨cîntát⟩ y también con inversión ⟨cîntát⟩ *-am, -ai, -a, -am, -aţi, -au;* it. *ho, hai, ha, abbiamo, avete, hanno* ⟨cantato⟩; sar. ⟨kantáu⟩ *appo, as, aδa, amus, aγis, ana;* alto engad. *he, hešt, hò, aváins, aváis, háun* ⟨chantò⟩; bajo engad. *ha, hast, ha, aváin, aváis, han* ⟨chantà⟩; sobres. *hai, has, ha, vein, veis, han* ⟨cantáu⟩; fr. *ai, as, a, avons, avez, ont* ⟨chanté⟩; prov. a. *ai, as, a, avęm, avętz, an* ⟨cantát⟩; cat. *he, has, ha, havém (hem), havéu* ⟨heu⟩, *han* ⟨cantát⟩; esp. *he, has, ha, hémos, habéis, han* ⟨cantádo⟩; port. *tenho, tens, tem, temos, tendes, teem* ⟨cantádo⟩.

El verbo auxiliar va en sard. después del participio al modo latino (§ 853: *coactum habeo),* mientras que en rumano ordinariamente le precede, aunque puede también seguirle (por razones de ritmo oracional y dialectalmente).—En port. el verbo t e n e r e, semánticamente más fuerte, desplazó al verbo auxiliar h a b e r e (hipercaracterización: § 583).

857. El tipo de perfecto h a b e o c a n t a t u m se halla limitado en sus comienzos etimológicos (§ 855) a los verbos transitivos, cuando llevan consigo un acusativo-objeto *(equitatum coactum habeo;* por tanto, el tipo *habeo cantatum cantum* 'he cantado una canción'). De aquí por mecanización (§ 583) en románico común el empleo de este tipo de perfecto incluso con verbos transitivos empleados absolutamente (sin acusativo-objeto: tipo *habeo cantatum,* fr. *j'ai chanté* 'he cantado', referido sólo a la acción, sin indicación de un contenido u objeto). De aquí nace después la aplicación que se hace de este tipo de perfecto a verbos intransitivos (fr. *j'ai couru)* (cf. § 858).

858. El verbo auxiliar h a b e o no es de suyo apto, por necesitar un objeto (§ 857), para la formación de perfecto de verbos intransitivos, los cuales, en su origen, utilizaban todos, análogamente, sin duda el verbo intransitivo de estado e s s e, pues éste se utilizó ya en pasiva (§ 864) y con los deponentes (m o r t u u s s u m > it. *sono morto,* fr. *je suis mort;* n a t u s s u m > it. *sono nato,* fr. *je suis né),* así como en expresiones pasivo-intransitivas (r e s c o g n i t a e s t) para expresar el estado resultante.

Por otra parte, había en románico la posibilidad de extender a los verbos intransitivos el verbo auxiliar h a b e r e, utilizado ya con los verbos transitivos usados absolutamente (sin objeto expreso: § 857). Así, pues, en la formación de perfecto de los verbos intransitivos concurren los dos verbos auxiliares h a b e r e y e s s e. El resultado de esta competencia varía según las lenguas particulares:

1. En rum., cat., esp. y port. prevalece el verbo auxiliar h a b e r e, que forma, por tanto, el perfecto de todos los verbos intransitivos, viéndose a su vez el verbo auxiliar h a b e r e sustituido en port. por el verbo auxiliar t e n e r e (§ 856): 'he venido' rum. *am venít,* cat. *he vingút,* esp. *he venido,* port. *tenho vindo.* En su extensión a todos los verbos intransitivos el verbo h a b e r e tenía por aliado el uso primitivo de h a b e r e con los verbos reflexivos (§ 859, 2).

2. En it., sard., engad., sobres., fr. y prov. la lucha acaba con una partición de la zona total de los verbos intransitivos en una zona de e s s e y otra zona de h a b e r e. Pero la distribución léxica de ambas zonas no es uniforme en todas las lenguas aludidas:

a) Es primitivo y común a todas las lenguas citadas el empleo del verbo auxiliar e s s e con los verbos que tienen inherente el aspecto puntual (§ 793, C 1). La razón de ello radica en el hecho de que el verbo auxiliar e s s e se utilizaba ya en latín clásico para expresar el aspecto puntual (m o r t u u s   s u m). En todas las lenguas citadas se dice *sum v e n u t u s > it. *sono venúto,* sard. *bénnidu so,* alto engad. *eau sun gnieu,* bajo engad. *eu sun gni,* sobres. *jeu sun vegnius* (con -s predicativa: § 670), fr. *je suis venu,* prov. a. *soi vengutz.*

b) En los verbos de aspecto no puntual la elección del verbo auxiliar no es uniforme en todas las lenguas. Así, el fr. se atiene al tipo *j'ai couru,* mientras que el it. distingue el aspecto durativo *(ho corso a lungo)* del aspecto puntual *(sono corso a Roma).* Cf. también en fr. *j'ai couru* como designación de la clase del movimiento frente a *je suis accouru* como indicación de la llegada al término del movimiento [8].—El participio s t a t u s se une en fr. y algunos

---

[8] La distinción entre *j'ai couru* no puntual 'he realizado la acción

dialectos it. con h a b e o (fr. _j'ai été),_ en prov. a. ya con h a b e o, ya con s u m (_ai estát, soi estatz_), en it., sard., engadino y sobres., sólo con s u m (it. _sono stato)._

859. Los verbos reflexivos presentan en latín vulgar dos tipos, por lo que se refiere al _genus verbi_: 1, el antiguo medio-pasivo latino _(levari, levor, levatus sum); 2,_ el reflexivo pronominal _(levare se, me levo, *me habeo levatum)._— La primitiva diferencia semántica entre ambos tipos la demuestra CIC. _Rep._ 6, 25, 27: _quod se ipsum movet..., nunquam ne moveri quidem desinit._—El desarrollo ulterior discurre en dos direcciones:

1. La antigua medio-pasiva puede mantenerse, pues las formas simples pasan a la activa (como en los deponentes: § 792), y en el perfecto compuesto el tipo s u m l e v a t u s se mantiene. Este es el caso de varios verbos en engad. y sobres.: 'levantarse' alto engad. _alver,_ bajo engad. _alvar,_ sobreselvano _levar;_ 'yo me levanto' alto engad. _eau leiv,_ bajo engad. _eu leiv,_ sobres. _jeu lev;_ 'yo me he levantado' alto engad. _eau sun alvò,_ bajo engad. _eu sun alvà,_ sobres. _jeu sun leváus_ (con _-s_ predicativa: § 670).

2. El reflexivo (transitivo-) pronominal del tipo l e v a r e s e forma originariamente el perfecto como los verbos transitivos (§ 857) según el tipo m e h a b e o l e v a t u m. La ulterior evolución sigue dos caminos:

a) El tipo m e h a b e o l e v a t u m se mantiene, a saber:

α) en las lenguas que incluso en los verbos intransitivos no conocen otra formación que con h a b e o (§ 858, 1; rum., cat., esp. y port.);

---

de correr' y _j'y suis couru_ puntual 'he llegado allí como corredor' aparece en RACINE, _Bérénice_ 2, 1, 328-330.

β) en engad. (en la medida en que los verbos no se deciden por la medio-pasiva: cf. arriba, número 1), aunque el engad. practica con e s s e la formación de perfecto con verbos intransitivos (§ 858, 2): 'yo me he lavado' (*m e h a b e o l a v a t u m), 'yo me he acostumbrado' (*m e h a b e o a d u-s a t u m) alto engad. *eau m'he lavò, eau m'he adüsò;* bajo engad. *eu m'ha lavà, eu m'ha adüsà.*

b) El tipo medio-pasivo s u m l e v a t u s (número 1) y el tipo pronominal m e h a b e o l e v a t u m (número 2), que en engad. permanecen lexicalmente separados (número 1, número 2 a β), se confunden en it., sobres., fr. y prov. con el resultado de m e s u m l e v a t u s: it. *mi sono alzato,* fr. *je me suis levé,* prov. a. *ieu me soi levatz,* sobres. *jeu sun selegraus* 'me he alegrado' (§ 732).—En it. y fr. los verbos intransitivo-reflexivos (en los que el reflexivo es un dativo) se adhieren a la formación de perfecto con e s s e ('me he comprado un sombrero' it. *mi sono comprato un capello,* fr. *je me suis acheté un chapeau),* al paso que el prov. a. limita la formación del perfecto con e s s e (de acuerdo con el origen de esta formación de perfecto) a los verbos transitivo-reflexivos (en los que el reflexivo es un acusativo) y conjuga en perfecto los verbos intransitivo-reflexivos con h a b e r e .

860. Para la variabilidad del participio, cf. § 833.

861. El participio se une ya en latín clásico (§ 855) no sólo con el presente de h a b e r e y e s s e, sino también con otros tiempos y modos de estos verbos. La mecanización de los perfectos *h a b e o c a n t a t u m (§ 855), *s u m v e n u t u s (§ 858, 2 a), *m e s u m l e v a t u s (§ 859, 2 b) conduce a la mecanización también de los restantes tiempos y modos (fr. *j'ai chanté, j'avais chanté, j'eusse chanté, j'eus*

chanté, j'aurai chanté, j'aurais chanté, j'ai eu chanté; je sois venu, j'étais venu...; je me suis levé, je m'étais levé...), de suerte que nace un sistema completamente estructurado.

β) Pasiva (§§ 862-867)

862. Las formas pasivas latinas del tema de presente (l a u d o r 'soy alabado') no tienen continuación en románico, al paso que permanece, aunque con distinta significación (§ 864), el perfecto pasivo (l a u d a t u s s u m 'he sido alabado').

863. El reflexivo (§ 859) constituye el sustituto de la pasiva más antiguo y con vitalidad en toda la Romania (exceptuados el engad. y sobres.: § 866). Como en la 1.ª-2.ª pers. de singular y de plural, el reflexivo semánticamente es considerado casi sólo como reflexivo real (fr. *je me lave* 'yo me lavo': § 859), la significación pasiva del reflexivo está circunscrita en amplia medida a la 3.ª pers. de singular y plural, siendo aquí especialmente idóneo para sujetos representados por cosas, pues éstas no encajan bien en un reflexivo real: esp. *el grano se muele*, rum. *grâul se macină*, it. *il grano si macina*, fr. *le grain se moud*.

864. Así surgió la necesidad de encontrar una pasiva que se prestase a ser empleada en la 1.ª-2.ª pers. del singular y del plural, así como en la 3.ª pers. singular y plural con sujetos personales. El echar mano de una formación perifrástica con ayuda de una forma infinita finitizable (§ 793, A) estaba al alcance de la mano. La forma infinita apropiada era el participio de perfecto en pasiva c a n t a t u s, l a u d a t u s (§ 831). La finitización corrió a cargo del verbo auxiliar e s s e en románico común. La formación pasiva con

e s s e tiene ya vitalidad en románico común (rum., it., sard.,
fr., prov., cat., esp. y port.), exceptuando el engad. y sobres.
(§ 866).

Cierto que la construcción del tipo l a u d a t u s s u m en
latín clásico designaba la acción acabada, bien sea con inclusión del proceso ('he sido alabado'), bien limitándose al
estado resultante *(porta clausa est* 'la puerta está cerrada').
La significación presente 'soy alabado' de la construcción
l a u d a t u s s u m es, pues, una solución de urgencia; era,
por tanto, imprescindible dar con una forma pasiva de presente, susceptible de conjugarse en todas las personas. Quien
no quería contentarse con el malentendido 'me alabo a mí
mismo' (§ 863), tenía que aceptar el malentendido s u m l a u-
d a t u s 'he sido alabado' (en vez de 'soy alabado', que era
lo que quería expresar).

La labilidad semántica en la expresión del grado temporal sigue alojada en el tipo l a u d a t u s s u m del románico
común (con excepción del esp. y port.; cf. más abajo), puesto
que también se mantiene en románico común el tipo expresivo del estado resultante p o r t a c l a u s a e s t 'la puerta
está cerrada' (rum. *poárta e închísă,* it. *la porta è chiusa,*
fr. *la porte est fermée).* Solamente el esp. y port. expresan
el estado resultante mediante el verbo auxiliar s t a r e (esp.
la puerta está cerrada) y puede así reservársele al tipo pasivo l a u d a t u s s u m el sentido del pasivo presente (esp.
la puerta es cerrada).

865. Vitalidad declaradamente popular no la tiene la
formación pasiva del tipo s u m l a u d a t u s en ninguna lengua románica, y en rum. menos que en ninguna.—Por ello,
pervive todavía en románico común un tercer tipo de sustitución para la pasiva: la manera de expresarse en activa,
manera que, por lo demás, hace imprescindible indicar un

agente de la acción. Si no hay agente conocido, se expresa mediante el impersonal 'se, uno' (fr. *on;* it. en la 3.ª pers. de plural). Una construcción activa se conoce que es sustitución de la pasiva en que el objeto (como sujeto conceptual) precede, para ser después insertado en la frase mediante la reasunción pronominal: 'el caballo fue comprado por mi amigo' rum. *cálul l'-a cumpărát priétenul meu,* it. *il cavallo l'ha comprato il mio amico.*

866. Para evitar la labilidad semántica del grado temporal del tipo s u m l a u d a t u s (§ 864), algunas lenguas echan mano de los verbos de movimiento i r e y v e n i r e como verbos auxiliares indicadores del proceso. En engad. y sobres. el único verbo auxiliar en la formación de la pasiva es el verbo v e n i r e (§ 842).

Formas: 'soy alabado' it. *vengo lodato,* alto engad. *eau vegn ludò,* bajo engad. *eu vegn lodà,* sobres. *jeu vegnel ludáus,* cat. *vaig llohát.*—La construcción italiana *vado lodáto* tiene sentido modal (§ 793, C 2) 'debo ser alabado'.

867. El agente de la acción de la pasiva, que va en latín precedido de a b, lleva en románico las preposiciones d e a b , d e y p e r. Las preposiciones se distribuyen así: en rum. aparece siempre *de* (< d e), en it., engad. y sobres. siempre *da* (nótese que it. *da* procede de d e a b, al paso que engad. y sobres. *da* tanto pueden provenir de d e a b como también de d e), mientras que las demás lenguas utilizan ya p e r, ya d e, precisamente con el siguiente reparto semántico:

a) La preposición d e (fr., prov. a., cat., esp. y port. *de)* se usa con verbos que denotan una relación sentimental duradera (fr. *j'étais aimé de mes sujets),* una decoración permanente (fr. *une vaste rue décorée de riches boutiques)*

y. sobre todo, un estado (fr. *nous sommes écrasés d'impôts*).
Las reglas del empleo de la preposición *de* en cada lengua
encierran una rica matización de detalles.

b) Con todos los demás verbos se emplea p e r (fr. *par*,
prov. a. y cat. *per*), que en esp. y port. está sustituido por
p r o (esp. y port. *por*). Por lo que atañe al fr., compárese
il avait été écrasé par un camion, que designa un proceso,
con la oración citada más arriba, que denota un estado.

La pasiva s u m l a u d a t u s (§ 865), v e n i o (v a d o)
l a u d a t u s (§ 866) se convierte en todas las lenguas en un
sistema de pasiva con todos los tiempos y modos (fr. *que
je sois loué; j'ai été loué; j'aurais été loué*, etc.). Donde existe la formación pasiva tanto con s u m como con v e n i o
(v a d o), la formación de tiempos presenta a veces diferencias semánticas (it. *vado lodato* 'debo ser alabado', *il libro
andò perduto* 'se perdió el libro'), o tiene ciertas limitaciones en el uso idiomático (it. *sono stato lodato* 'he sido alabado': los tiempos compuestos no se forman con el verbo
auxiliar *venire*).

B) SEGUNDA CONJUGACIÓN: V I D E R E (§§ 868-877)

1. Formas del grupo de presente (§§ 868-875)

A) INDICATIVO DE PRESENTE (§§ 868-870)

868. Formas: v í d e o, v í d ē s, v í d e t, v i d é m u s, v i-
d é t i s, v í d e n t; rum. *văz/văd, vézi, véde, vedém, vedéţi,
văd;* it. *véggio/védo, védi, véde, vediámo, vedéte, védono;* sard.
*bído, bídes, bídet/bídede, bidéınus/bidímus, bidídes, bídent/
bídene;* alto engad. (bajo engad.) *véz, vézzast, vézza, vzáins
(vezzáin), vzáis (vezzáis), vézzan;* sobres. *vésel* [-ẓ-], *vésas, vé-
sa, veséin, veséis, vésan;* fr. a. (fr. m.) *voi (vois), vois, voit,
veons (voyons), veez (voyez), voient;* prov. a. *vei, ves, ve,*

vezém, vezẹ́tz, vézon; cat. *veig, véus, véu, veiém, veiéu, veuen;* esp. *véo, ves, ve, vémos, véis, ven;* port. *vêjo, ves, ve, vémos, védes, véem.*—Para las generalidades, cf. §§ 798-800. En el siguiente cuadro sinóptico retroproyectivo (cf. § 797) se confronta la 2.ª conjugación con la 3.ª y 4.ª (§§ 878, 924), pues hay entre las tres conjugaciones vivas relaciones de intercambio [9]. Este cuadro sinóptico retroproyectivo se encontrará en el § 869.

869. Originariamente la 1.ª pers. se distingue por su -dị̣- (§ 456) de la estructura del tema de las otras personas (-d-). La distinción de tema "-dị̣- (1.ª pers.) / -d- (restantes pers.)" se mantiene en rum. *(vắz, vezi, vede),* en dialectos it. *(veggio, vedi),* en sard. a. *(vio, vides),* fr. a. (donde se hizo irreconocible en el tema *voi),* prov. a., cat., esp. (donde es irreconocible en el tema *ve-)* y port.

La final temática -dị̣- pasó en engad. y sobres. a todas las personas.—La extensión de la final temática -d- a la 1.ª pers. en rum. *(vắd),* it. (literario y dialectal *vedo),* sard. *(bido)* representa una fusión con la terminación de la 3.ª conjugación (§ 878), como demuestran la terminación de la 6.ª pers. -u n t en rum. e it. y la fusión de la 2.ª y 3.ª conjugación en sardo (§ 789).—El rum. distingue en la 4.ª-5.ª pers. la 2.ª conjugación, con acentuación desinencial, de la 3.ª conjugación, con acentuación radical (§ 879).—En fr. la terminación de la 4.ª pers. procede de la 3.ª conjugación (§ 879), y la de la 5.ª pers. *(-ez* por *-oiz)* proviene de la 1.ª conjugación (§ 798). El prov. a. *-ẹtz* (por *-ẹtz)* en la 5.ª pers. deriva de ẹ s t i s (§ 882). La 6.ª pers. lleva la terminación -u n t de la 3.ª conjugación (§ 880) en rum., it., prov. a. y fr., mientras que el iberorromano se mantiene fiel a la terminación -e n t.

---

[9] Cf. H. Lüdtke, *Vox Romanica,* 15, 1956, págs. 39-53.

	2.ª conjugación	3.ª conjugación	4.ª conjugación
1.ª	vídio (rum., it., sard. a., engad., fr., prov. a., cat., esp. y port.) vído (rum., it. y sard.)	véndio (rum.) véndo (rum., it., sard., engad., fr., prov. a., cat., español y port.)	dórmio (port.) dórmo (rum., it., sard., engad., fr., prov. a., cat. y esp.)
	vídio illu (sobres.)	'éndo illu (sobres.)	dórmo illu (sobres.)
2.ª	vídes (rum., it., sard., fr., prov. a., cat., esp. y port.) — — — vídi-es (sobres.) vídi-es tu (eng.)	véndes (rum., it., sobres., fr., prov. a., cat., español y port.) véndes (sard.) vendes tu (eng.) —	dórmes (rum., it., sobres., fr., prov. a., cat., español y port.) — dórmes tu (eng.) dórmis (sard. y sudit.) —
3.ª	vídet (rum., it., sard., fr., prov. a., cat., esp. y port.) — — 'ídi-et (engad. y sobres.)	véndet (rum., it., engad., sobres., prov. a., fr., cat., esp. y port.) véndet (sard.) —	dórmet (rum., it., engad., sobres., fr., prov. a., cat., esp. y. port.) — dórmit (sard. y sudit.) —
4.ª	— — vidémus (rum., sard., esp. y portugués)	véndimus (rumano) vendémus (sardo, alto engad., esp. y port.)	— —

	2.ª conjugación	3.ª conjugación	4.ª conjugación
	vidému (prov. a. y cat.)	vendému (bajo engad., sobres., prov. a. y cat.)	—
	vidímus (sard.)	vendímus (sardo)	dormímus (rumano, sard., alto engad., esp. y port.)
	—	—	dormímu (bajo engad., sobres. y cat.)
	vidúmus (fr.)	vendúmus (fr.)	dorm-úmus (fr.)
	vid-eámus (it.)	vend-iámus (it.)	dorm-iámus (it.)
	vidi-émus (alto engad.)	—	—
	vid-émus (bajo engad. y sobres.)	—	—
	—	—	dorm-ému (prov. a.)
5.ª	—	vénditis (rum.)	—
	vidétis (rum., esp. y port.)	vendétis (engad., sobres., español y port.)	—
	vidéte (it., cat.)	vendéte (it. y cat.)	—
	vidítes (sard.)	vendítes (sard.)	dormítes (sard.)
	vid-átis (fr.)	vend-átis (fr.)	dorm-átis (fr.)
	vidi-étis (eng. y sobres.)	—	—
	—	—	dormítis (rumano, engad., sobres., esp. y port.)

	2.ª conjugación	3.ª conjugación	4.ª conjugación
	—	—	d o r m í t e (it. y cat.)
	vid- + -estis (prov. a.)	vend-éstis (prov. a.)	dorm-estis (prov. a.)
6.ª	v í d e n t (sard., esp., port. y fr.?)	v é n d e n t (sard.)	—
	v í d e n (sard. y cat.)	v é n d e n (sard., cat., esp., port.)	d ó r m e n (cat.,español y port.)
	v í d u n t (fr.)	v é n d u n t (fr.)	d ó r m u n t (fr.)
	v í d u n (rum., it. y prov. a.)	v é n d u n (rum., it., engad., sobres. y prov. a.)	d ó r m u n (rum., it., sobres., engad. y prov. a.)
	v í d i̭-en (engad. y sobres.)	—	—
	—	—	d ó r m i n t (sard. y sudit.)

870. Formas: h á b e o, h á b e s, h á b e t, h a b é m u s, h a b é t i s, h á b e n t; rum. *am, ai, are, avem, aveți, au;* it. *ho, hai, ha, abbiamo, avete, hanno;* sard. *appo, as, at, amus, aghis, ant / ana;* alto engad. *he, hest, ho, avains, avais, haun;* bajo engad. *ha, hast, ha, avain (vain), avais (vais), han;* sobres. *hai, has, ha, havein (vein), haveis (veis), han;* fr. *ai, as, a, avons, avez, ont;* prov. a. *ai, as, a, avę́m, avę́tz, an / aun;* cat. *he, has, ha, havem (hem), haveu (heu), han;* esp. *he, has, ha, hemos, habéis, han;* port. *hei, hás, há, havemos (hemos), haveis (heis), hão.*

Lista retroproyectiva (§ 797): 1.ª, a b i o (sard.), a i o (alto engad., fr., prov. a., cat., esp. y port.), a o (it., bajo engad.), a o + -m (rum.); 2.ª, a s (rum., it., sard., fr., prov. a., cat., esp. y port.), a s t u (bajo engad.), á e s t u (alto engad.); 3.ª, a t (it., sard., sobres., bajo engad., fr., prov. a., cat., esp. y port.), a t + (v o-) l e t (rum.), a u t (alto engad.); 4.ª, a v em u s (rum., sard., alto engad., esp. y port.), a v e m u (bajo engad., prov. a., cat.), a v ú m u s (fr.), a b i á m u s (it.); 5.ª, a v é t i s (rum., sard., engad., fr., prov. a., esp. y port.), a v é-t e (it. y cat.), á t i s (sard.); 6.ª, á v u n t (fr.), á v u n (rum., alto engad., prov. a.), a n t (sard.), a n (it., sard., bajo engad., prov. a., cat., esp. y port.).

El grupo -bi̯- de la 1.ª pers. permanece en sard. como -_pp-_. En el resto de la Romania dicho grupo se simplificó en -i̯- (§ 476). La caída de la -b- en a i̯ o acarreó la caída de la -b- en las demás formas con acentuación radical, con lo que las formas con hiato *á e s, *á e t, *á e n t se transforman en las formas monosílabas á s, á t, á n t. En fr., alto engad. y prov. a. la 6.ª pers. se basa en á v u n t (§ 880).—La -_m_ de la 1.ª pers. en rum. es probablemente de origen eslavo.—La 4.ª-5.ª pers. pierden su sílaba radical como verbo auxiliar del futuro (§ 845). Esta abreviación pasa a veces (cat., esp. y port.) al verbo autónomo.

B) SUBJUNTIVO DE PRESENTE (§ 871)

871, Formas [10]: 3.ª v i d e a t, 4.ª v i d e a m u s; rum. _vază/vadă, vedém;_ it. _veggia / veda, veggiamo / vediamo;_ sard. _bi-(d)at, bi(d)amus;_ alto engad. (bajo engad.) _vezza, vzans (vez-zán);_ sobres. _vési, veséien;_ fr. a. (fr. m.) _voie, voiiens (vo-yions);_ prov. a. _véia, veiám;_ cat. _végi, vegém;_ esp. _véa, veá-mos;_ port. _véja, vejámos._

La conservación del grupo palatal -di̯- está ligada a la existencia de la forma v i d e o en indicativo (§ 868) en rum. _(vază),_ it. _(veggia),_ engad., fr., prov., esp. y port.—A un v i d o de indicativo (§ 868), formado según la 3.ª conjugación

---

[10] En lo que sigue, en vez de paradigmas completos, se dan sólo formas representativas de ciertos tipos de formas (cf. § 794).

(§ 878), responde el subjuntivo v i d a t en rum. *(vadă)*, it.
(veda) y sardo.—El subjuntivo de la 1.ª conjugación (§ 802)
es el modelo formal de las formas subjuntivas de la 2.ª conjugación en sobres. y cat.—En rum., la 4.ª pers. de subj. suena sencillamente igual que la de indicativo (conforme a
§ 802).

c) IMPERATIVO (§ 872)

872. Formas: 2.ª v i d e, 5.ª v i d e t e; rum. *vezi, vedeţi;* it.
vedi, vedete; sard. *bi(d)e, bi(d)íde;* alto engad. (bajo engad.)
vezza, vzè (vezzái); sobres. *vesa, vesèi;* fr. a. (fr. m.) *voi (vois),*
veez (voyez); prov. a. *ve, veez;* cat. *vès, vegéu;* esp. *ve, ved;*
port. *vê, vêde.*

D) INDICATIVO DE IMPERFECTO (§ 873)

873. Formas: 3.ª v i d é b a t, 4.ª v i d e b á m u s; rum. *ve-*
deá, vedeám; it. *vedéva, vedevámo;* sard. *bi(d)íat, bi(d)iámus;*
alto engad. (bajo engad.) *vzáiva (vezzáiva), vzáivans (vezzái-*
van); sobres. *veséva, vesévan;* fr. a. *veóit, veiiéns;* fr. m.
voyait, voyions; prov. a. *vezía, veziám;* cat. *véia, véiem;* esp.
veía, veíamos; port. *vía, víamos.*—Para observaciones generales, cf. § 808.

La terminación plena -e v a con -v- ocurre en it., sobres. y
quizá en rum. (donde -v- desaparece regularmente: § 373).—
La -v- de la terminación -e v a desapareció, ya en la época
latinovulgar, en dialectos it., así como en fr., prov., cat., esp.
y port. El motivo de esta sustitución general de -e v a por
*-é a fue, sin duda, la disimilación en verbos que tienen -v-
en el tema (cf. v i v e n d a fr. *viande*): h a b é b a m > *a v é a,
v i v é b a m > *v i v é a, b i b é b a t > *b e v é a, d e b é b a t
> *d e v é a (it. dialectal *dovéa*). En prov., cat., esp. y port.
(así como en dialectos it.) *-é a da -ía (cf. § 187).—El sardo

presenta en la 2.ª-3.ª conjugación (§ 789) las terminaciones de la 4.ª conjugación (§ 934). En los dialectos centrales la -v- desapareció únicamente en las formas tónicas en *-í* (1.ª-3.ª y 6.ª pers.), mientras que las formas con acento en *-á-* (4.ª-5.ª pers.) la conservan. En el resto de los dialectos la -v- desaparece en todas las formas.

E) SUBJUNTIVO DE IMPERFECTO (§ 874)

874. Formas: 3.ª v i d é r e t, 4.ª v i d e r é m u s; sard. *bi(d)éret, bi(d)erémus;* port. *ver, vermos.*—Generalidades en §§ 809-812.—La confusión de la 2.ª conjugación con la 3.ª (§ 789) se realiza en el subjuntivo imperfecto de suerte que en la mayoría de los dialectos sardos prevalece la acentuación de la 2.ª conjugación *(biéret, bendéret* [§ 888]). Son pocos los dialectos que se deciden (de acuerdo con el infinitivo: § 789) por la acentuación de la 3.ª conjugación latina *(bieret, bén-deret).*

F) GERUNDIO E INFINITIVO (§ 875)

875. Formas (gerundio): v i d e n d o: rum. *văzînd;* it. *vedendo;* sard. *bi(d)-énde / -índe;* alto engad. (bajo engad.) *vzand (vezzánd);* fr. a. *veant;* fr. m. *voyant;* prov. a. *vezén;* cat. *veiént;* esp. *viendo;* port. *vendo.*—Cf. § 817.—En rum., en aquellos verbos que en la 1.ª pers. del indicativo presente tienen (por la -i̯- de la 2.ª conjugación: § 869) final temática palatalizada *(văz),* esa final temática palatalizada aparece ante la terminación (-a n d o) del gerundio *(văzînd).* En cambio, en aquellos verbos que carecen, en la 1.ª pers. indicativa presente, de final temática palatalizada (conforme a la 3.ª conjugación: § 878), aparece la final temática no palatalizada ante la terminación del gerundio *(tac* 'yo callo', por tanto: *tăcînd).*—Para el infinitivo, cf. §§ 787-822.

2. *Formas finitas del grupo de perfecto y participio de perfecto* (§ 876)

876. La formación de perfecto del tipo d e l e v i y el participio del tipo d e l e t u s no perduran en románico. Los demás tipos de perfecto y participio del latín clásico, si permanecen (v i d i, r i s i, p l a c u i; v i s u s, m i x t u s), no se distinguen de los correspondientes tipos de la 3.ª conjugación, razón por la que los estudiaremos junto con éstos (§§ 891-917).

3. *Futuro* (§ 877)

877. Formas: v i d e r e h a b e o: it. *vedrò;* alto engad. *vzarò;* bajo engad. *vezzarà;* fr. *verrai;* prov. a. *veirai;* cat. *veuré;* esp. *veré;* port. *verei.*—La atonía del infinitivo (§ 845) genera los correspondientes cambios fonéticos (§ 293).—Generalidades, cf. §§ 836-852.

c) TERCERA CONJUGACIÓN: V E N D E R E (§§ 878-918)

1. Formas del grupo de presente (§§ 878-890)

A) INDICATIVO DE PRESENTE (§§ 878-883)

878. Formas: v é n d o, v é n d i s, v é n d i t, v é n d i m u s, v é n d i t i s, v é n d u n t; rum. *vînd/vînz, vinzi, vinde, víndem, víndeți, vînd;* it. *véndo, véndi, vénde, vendiámo (vendémo), vendéte, véndono;* sard. *béndo, béndes, béndet / béndede, bendémus / bendímus, bendídes, béndent / béndene;* alto engad. (bajo engad.) *vend, véndast, vénda, vendáins (vendáin), vendáis, véndan;* sobres. *véndel, véndas, vénda, vendéin, vendéis,*

véndan; fr. a. (fr. m.) *vent (vends), venz (vends), vent (vend),
vendons, vendez, vendent;* prov. a. *ven, vens, ven, vendém,
vendétz, vendon;* cat. *venc, vèns, vèn, veném, venéu, vènen;*
esp. (port.) *vendo, vendes, vende, vendemos, vendéis, ven-
den (vendem).* En algunas lenguas, los verbos f a c e r e y
d i c e r e (por ser muy frecuentes) conservan la acentuación
f á c i m u s (fr. a. *fáimes,* pr. *fáim,* cat. *fem,* esp. a. *femos,*
eng. *fáins/fáin),* d í c i m u s (fr. a. *dímes).*

879. El parentesco entre la 2.ª y 3.ª conjugación es singularmente estrecho (cf. § 787 y la lista retroproyectiva del
§ 869). La diferencia fundamental entre una y otra consiste
en el distinto emplazamiento del acento en la 4.ª-5.ª pers.
(v i d é m u s, v i d é t i s; v é n d i m u s, v é n d i t i s). Esta diferencia se mantiene en unas partes de la Romania (número 1)
y se olvida en otras (número 2).—Además, en el desarrollo
de la 4.ª pers. hay que distinguir las lenguas que dan un desarrollo palatal a la cualidad de la vocal medial latina -i- en
los paroxítonos ante -m- (números 1 a, 2 a), de aquellas otras
lenguas que presentan una evolución velar de esta misma
vocal medial (números 1 b, 2 b). Cf. sobre esto, § 137.—En la
5.ª pers. (número 3) únicamente es posible evolución palatal.—En particular[11]:

1. El emplazamiento del acento en latín de la 4.ª pers.
se conserva en dialectos lombardos y en rum., pero con distinta base:

a) El rum. presenta la base palatal de la vocal medial
en v é n d i m u s (rum. *víndem);*

b) La base velar de la vocal medial en *v é n d u m u s
aparece en dialectos lombardos *(véndom),* que aplicaron

---

[11] Las ideas de los siguientes números 1 b, 2 b (cf. también § 137)
las he tomado de un trabajo, no publicado aún, de mi discípulo Walter Hermann.

esta formación de la 4.ª pers. a la 2.ª y 4.ª conjugación *(vé-dom* < *v í d u m u s; [*véñom*] < *v e n i̯ - u m u s); algunos dialectos la transfirieron incluso a la 1.ª conjugación ([*ća-mum*] < *c l á m u m u s) (cf. § 798).

2. El emplazamiento latino del acento de la 4.ª pers. se olvida, y la acentuación (por analogía con la 1.ª, 2.ª y 4.ª conjugación: §§ 797, 868, 924) se desplaza sobre la terminación en el resto de la Romania. También aquí hay que distinguir entre base palatal (a) y base velar (b). El desplazamiento del acento en sí, que no se ha de considerar como mero trueque de las terminaciones de la 2.ª ó 4.ª conjugación, presupone (claramente en la base velar: cf. más abajo, letra b) la desaparición del sentimiento de la cantidad vocálica (§§ 149, 155): v é n d ĭ m u s > *v e n d í m u s.—En particular:

a) La variante palatal v é n d i m u s > v e n d í m u s ocurre con dos vocalizaciones:

α) En sardo (§§ 158, 250) *v e n d í m u s da fonéticamente *bendímus,* cuya terminación coincide con la de la 4.ª conjugación (§ 924).—Pero en una parte de los dialectos sardos esa terminación fue reemplazada por la terminación -ē m u s *(bendémus)* de la 2.ª conjugación: y como en sardo la 2.ª conjugación se confunde con la 3.ª (§ 789), una parte de los dialectos se decidió por el -ĭ m u s de la 3.ª conjugación, y otra parte prefirió el -ē m u s de la 2.ª.

β) En las regiones del llamado sistema vocálico 'latino-vulgar' (§§ 156, 250), justamente en dialectos italianos *(ven-démo),* así como en engad., sobres., prov., cat., esp. y port., la base es v e n d é m u s.

b) La variante velar *v é n d u m u s > *v e n d ŭ m u s se presenta en dialectos norteit., en ladino central, así como en francoprovenzal y fr. *(vendons).* En estas regiones la terminación se aplicó a las demás conjugaciones (§§ 798, 869, 925): cf. además § 880.

3. La 5.ª pers. conserva en rum. el mismo emplazamiento acentual que en latín (rum. *vindeţi)*, mientras que en todas las demás lenguas el acento carga sobre la terminación. El resultado en sardo (§§ 158, 250) es *-i t i s (> logudorés *-ides*, dialectos centrales *-ites*: para la final *-es* cf. § 798), por tanto, coincidencia con la 4.ª conjugación (§ 924), mientras que en el espacio lingüístico del sistema vocálico 'latinovulgar' (§§ 156, 250) la base es -ẹ t i s, que de hecho se confunde con la terminación de la 2.ª conjugación (§ 686): así en it., engad., sobres., cat., esp. y port.—En fr. -ā t i s sustituye a -ē t i s (§ 798).—La vocal *ę* en prov. a. procede de e s t i s (§ 882). En algunas lenguas, los verbos f a c e r e y d i c e r e (§ 878) conservan la acentuación f á c i t i s (fr. *faites*, pr. *fatz*, cat. *fèu*, esp. a. *feches*, eng. *fáis*, it. *fate*), d í c i t i s (fr. *dites*, pr. *ditz*, it. *dite*).

880. La terminación *-ono* (< u n: § 553) de la 6.ª pers. pasó en it. a la 2.ª y 4.ª conjugación (§§ 869, 925), y en algunos dialectos it. *(cántono)* también a la 1.ª conjugación (§ 798). La misma generalización de -u n t (d i c u n t > fr. a. *dient*: § 401) aparece en fr. y prov. (prov. *canton*: § 798), como demuestran los dialectos con pronunciación nasalizada (§ 798) y el tratamiento de la terminación de imperfecto *a v u n t (§ 808). Las formas francesas que contradicen esto *(plaisent;* n e c a n t > *noient)* son formaciones analógicas (como fr. m. *disent* en vez de fr. a. *dient)*. La pronunciación -u n t de la 6.ª pers. tiene en fr. (y en otros espacios lingüísticos) la pronunciación -u m u s en la 4.ª pers. (§ 879) como correspondencia. También las pronunciaciones s u m u s / s u n t (§ 882) forman parte del esquema como modelo de atracción (pero sin que *vendons* [§ 879] pueda explicarse exclusivamente por s u m u s).—Para las variantes de forma -u n t, -u n, -u, cf. §§ 274, 553.

881. En la 1.ª pers. el rum. *vînz* (junto a *vînd* < v e n d o) muestra el influjo de la 2.ª conjugación (§ 869; ; *v e n d e o). Para los verbos latinos con -i o , -i u n t , cf. § 926.

882. El verbo auxiliar e s s e (*e s s e r e) tiene el siguiente indicativo presente: s u m, e s, e s t, s u m u s, e s t i s, s u n t; rum. *sînt/s, eşti, este/e, sîntem, sînteţi, sînt/s;* it. *sono, sei, è, siamo, siete, sono;* sard. *so, ses, est, semus, seghis, sunt / sunu;* alto (bajo) engad. *sun, est, ais, éssans (éschan), éssas (éschat), sun;* sobres. *sun, eis, ei, éssan, éssas, ein;* fr. a. (fr. m.) *sui (suis), es, est, sons / somes (sommes), estes (êtes), sont;* prov. a. *sǫi, ęst, ęs, ęm, ętz, son;* cat. *so, éts, és, som, sou, són;* esp. (port.) *soy (sou), eres (és), es (é), somos, sois, son (são).*

La 1.ª pers. puede conservar su -m como -n (§ 530), y con paragoge (§ 528) da la base s u n u , que es de donde salen it., engad. y sobres. Si la -m de s u m desaparece, resulta entonces la base s u , que perdura en cat. y en la forma abreviada del rumano. Con vocal paragógica la base sonaba s u e o s u u , que es de donde arrancan las formas de prov. a., esp. y port. En fr. (y prov. a.) encontramos influjo de f u i . La forma sarda está influida en su vocal (cf. § 158) por d o , s t o (sard. *do, ísto*).

La 6.ª pers. s u n t (§ 556) puede conservar su -t (rum., sard. y fr.) o convertirse, perdida aquélla, en s u n (rum., it., sard., engad., prov., cat., esp. y port.). Ambas formas se hallan en sardo separadas dialectalmente; en rum. están diferenciadas por razones semánticas y de fonética sintáctica, pues *s* (< s u: §§ 533, 556) es la forma de acentuación débil en fonética sintáctica. Para la 1.ª pers. *sînt* en rum., cf. § 556, nota.

Para la 3.ª pers., cf. §§ 542, 557. La coincidencia, producida por la caída de la -t en e s t, de la 2.ª pers. con la 3.ª la afrontan las diversas lenguas de diferente manera: 1, en sobres. y port. e s se especializa para la 2.ª pers., mientras que é (§ 539) se encarga de la 3.ª.—2, el esp. sale del paso mediante el empleo supletivo (§ 538) del futuro e r i s (que había quedado sin función al crearse un nuevo futuro: § 918) para la 2.ª pers.—3, en it., la 2.ª pers. (análogamente a la 1.ª) contiene la inicial s-.—4, en cat. se usa como 2.ª pers. la que fue originariamente 5.ª pers.

Son formaciones nuevas en rum. 4.ª-5.ª pers., en it., esp. y port. la 5.ª pers.

En prov. a. la 5.ª pers. *ętz* nació regularmente de e s t i s, pasando por **ests* con disimilación (cf. § 505). La 4.ª pers. *ęm* (< *ęm*: § 234) se formó por analogía con la 5.ª pers. La secuencia 4.ª-6.ª pers. *ęm, ętz -on* se aplicó en prov. a. a la 2.ª, 3.ª y 4.ª conjugación (§§ 868; 878; 924).

883. Lat. p o s s e conserva muy pocas formas antiguas (it. 1.ª *pǫsso*, 4.ª *possiámo*, 6.ª *pǫssono*); el resto pasó (sin duda a causa de la 2.ª pers. p o t e s y del perfecto p o t u i conforme a d e b e r e / d e b u i y otros) a la 2.ª conjugación bajo la forma **potére* (it. *potére*, 5.ª pers. *potéte;* esp. *podér*, 4.ª pers. *podémos*).

Lat. v e l l e pasó (sin duda a causa del perfecto v o l u i) a la 2.ª conjugación bajo la forma **volére* (it. *volére*, 5.ª pers. *voléte;* fr. *vouloir*).

884. Formas: 3.ª v e n d a t, 4.ª v e n d á m u s; rum. *víndă, víndem;* it. *venda, vendiámo;* sard. *béndat, bendámus;* alto engad. (bajo engad.) *vénda, vendáns (vendán);* sobres. *véndi,*

vendéien; fr. a. (fr. m.) *vende, vendons (vendions);* prov. a.
vénda, vendám; cat. *véngui, venguém;* esp. y port. *venda,*
vendámos.—Cf. § 871.

885. El subjuntivo s i m (de e s s e) se transforma en
*s i a m por influjo analógico de f i a m: it., sard., prov. a. *sia,*
engad. *saja,* sobres. *seigi,* fr. a. *soie,* fr. m. *sois,* cat. *sigui,*
esp. *sea,* port. *seja,* análogamente a *haja* < h a b e a m). En
rum. el infinitivo e s s e fue reemplazado por *fi* (< *f i r e :
§ 890), cuyo subjuntivo presente suena *fiu, fii, fie, fim, fiţi,*
fie. Nótese que la 3.ª y 6.ª pers. están formadas regularmente
de f i a t , f i a n t (§§ 281, 553); las restantes formas son crea-
ciones analógicas sobre las primeras.

c) IMPERATIVO (§ 886)

886. Formas: 2.ª v é n d e, 5.ª v é n d i t e; rum. *vínde, vín-*
deţi; it. *véndi, vendéte;* sard. *bénde, bendíde;* alto engad. (bajo
engad.) *vénda, vendè (vendái);* sobres. *vénda, vendéi;* fr. a.
(fr. m.) *vent (vends), vendez;* prov. a. *vẹn, vendẹtz;* cat. *ven,*
venéu; esp. *vende, vendéd;* port. *vende, vendéi.*

d) INDICATIVO DE IMPERFECTO (§ 887)

887. Formas: 3.ª v e n d é b a t, 4.ª v e n d e b á m u s; rum.
vindeá, vindeám; it. *vendéva, vendevámo;* sard. *bendíat, ben-*
diámus; alto engad. (bajo engad.) *vendáiva, vendáivans (ven-*
dáivan); sobres. *vendéva, vendévan;* fr. a. *vendoit, vendiiens;*
fr. m. *vendait, vendions;* prov. a. *vendía, vendiám;* cat. *venía,*
veniem; esp. y port. *vendía, vendíamos.*—La formación responde a la de la 2.ª conjugación (§ 873).—Para el sardo, cf. §§ 873,
934.—El imperfecto latino e r a m perdura en rum. *erám*
(< *e r á b a m con la terminación temporal de la 1.ª conju-

gación: § 808); it. *ero* (cf. § 808), engad. *eira;* sobres. *erel* (§ 905); fr. a. *iere;* prov. a., cat., esp. y port. *era.*

E) SUBJUNTIVO DE IMPERFECTO (§ 888)

888.　Formas: 3.ª v é n d e r e t, 4.ª v e n d e r é m u s; sard. *bendéret, benderémus;* port. *vendêr, vendêrmos.*—Generalidades en §§ 809-812.—En port. la forma corresponde (por el § 788) a la acentuación de la 2.ª conjugación (§ 874); así también en sardo (§ 874).

F) GERUNDIO E INFINITIVO (§§ 889-890)

889.　Formas (gerundio): v e n d e n d o; rum. *vînzînd;* it. *vendendo;* sard. *bendende / bendinde;* engad. *vendand;* sobres. *vendend;* fr. *vendant;* prov. a. *vendén;* cat. *venent;* esp. *vendiendo;* port. *vendendo.*—La formación corresponde con la de la 2.ª conjugación (§ 875).

890.　Para el infinitivo, cf. §§ 787-791, 822, 885.—En prov. a. y cat. el infinitivo de la 3.ª conjugación presenta dos formas, a saber: la 'forma normal' *-re* y la 'forma evasiva' *-er.* La forma normal *-re* aparece cuando de la desaparición de la vocal medial en los proparoxítonos nace un grupo consonántico 'corriente' (b á t t e r e [§ 149, 5] > prov. a. y cat. *batre*); en cambio, la forma evasiva *-er* (v í n c e r e > prov. a. *vénser,* cat. *vèncer*) surge para impedir que se produzcan grupos consonánticos 'no corrientes' (§ 287).—Lat. e s s e es reemplazado por *e s s e r e (it., sard. *éssere;* engad., sobres., prov. a. y cat. *ésser;* fr. a. y prov. a. *éstre;* fr. m. *être;* esp. y port. *ser*) o por f i e r i (> *fire rum. *fi*).

2. *Formas finitas del grupo de perfecto* (§§ 891-910)

A) INDICATIVO DE PERFECTO (§§ 891-905)

α) Formación débil de perfecto (§§ 891-898)

891. Formación débil de perfecto (§ 823) hay en latín clásico en 1.ª, 2.ª y 4.ª conjugación (c a n t a v i, d e l e v i, a u d i v i). Al paso que el tipo d e l e v i de la 2.ª conjugación no se mantiene en románico (§ 876), la 3.ª conjugación, estructurada igual que la 2.ª (§ 876), presenta tres tipos de formación débil de perfecto: -ẹ i (§§ 892-895), -ẹ t t i (§ 896) -u i (§§ 897-898).—El verbo p e t e r e, que formaba un perfecto débil p e t i v i, pasó en románico común (excepto en algunos dialectos italianos) a la 4.ª conjugación (§ 937): rum. *peṭí*, it. (dialectal) *peti* (al lado de *pẹ́te*), sard. *pedire*, esp. y port. *pedir* (cf. también § 926, 2 b).

1) *Tipo «vendẹ́di»* (§§ 892-895)

892. En el latín vulgar del espacio lingüístico del it., fr., prov., cat., esp. y port. el tipo de perfecto v é n d i d i se recompuso en v e n d ẹ d i (§ 149, 6). Esta formación estaba en un principio limitada a aquellos verbos que forman en latín clásico el perfecto en -d i d i (p e r d e r e, r e d d e r e, v e n d e r e, c r e d e r e), pero ya en latín vulgar se extendió también a otros verbos cuyo tema acababa en -d- (d e s c e n d e r e, r e s p o n d e r e) y, en algunas lenguas, a otros verbos de la 2.ª y 3.ª conjugación (fr. a. *rompi, suivi*).—Para el simple, cf. § 825.

Por lo que se refiere a la recomposición en sí, ésta halló una condición favorable en el hecho de que las formas con acentuación desinencial (§§ 156, 250) v e n d ĭ d í s t i, v e n-d í d í s t i s sonaban igual que el simple d e d í s t i, d e d í s- t i s (§ 250), con lo que las formas de acentuación radical (1.ª d ẹ́ d i, etc.) del verbo d a r e ocupaban los sitios corres- pondientes del tipo verbal v e n d e r e : v e n d é d i, v e n d e- d í s t i, v e n d é d i t, v e n d é d i m u s, v e n d e d í s t i s, v e n d é d e r u n t.—Este sistema de formas perdura en dos grados de reducción (§§ 893-894).

893. El primer grado de reducción consiste en la di- similación haplológica (§ 135) de la sílaba átona -d e d- en la 2.ª y 5.ª pers. (> v e n d í s t i, v e n d í s t i s). Este sistema de formas (cf. también § 895) persiste en dialectos italianos (Toscana) como formación débil de perfecto de la 3.ª conju- gación (*vendiẹ́di, vendẹ́sti, vendiẹ́de, vendiẹ́dimo, vendẹ́ste, vendiẹ́dono; rompiẹ́di,* etc.), lo que hace que también la 4.ª pers. se forme generalmente según la 5.ª (*vendẹ́mmo* según *vendẹ́ste*). Este tipo de perfecto se aplicó también con frecuencia a verbos de la 2.ª y 4.ª conjugación (*potiedi, sen- tiedi*).—En algunos dialectos corsos este tipo de perfecto se extendió incluso a la 1.ª conjugación (*cantẹ́di 'cantai'*).

894. El segundo grado de reducción (cf. también § 825) consiste en practicar la disimilación (§ 893) también en las formas acentuadas sobre el tema recompuesto -d e d-, con lo que se originó el siguiente sistema de formas : v e n d ẹ́ i, v e n- d í s t i, v e n d ẹ́ i t, v e n d ẹ́ i m u s, v e n d í s t i s, v e n d é e- r u n t.

Están de acuerdo con ese sistema formal las siguientes formas románicas : it. *vendẹ́i, vendẹ́sti, vendẹ́, vendẹ́mmo, vendẹ́ste, vendẹ́rono;* fr. a. *vendi, vendis, vendiet, vendimes, vendistes, vendierent;* prov. a. *vendiéi, vendẹ́st, vendẹ́t, ven- dẹ́m, vendẹ́st, vendẹ́ron;* cat. a. *vené, venist, vené, venem, ve-*

nest, veneren.—Además, la 4.ª pers. tomó muy pronto (§ 893)
en it. la vocal de la 5.ª pers. El nivelamiento de vocales se
puede comprobar también en otras lenguas. Así, en prov. a.
la vocal *ę* se extendió a todo el paradigma, a ejemplo de la
4.ª conjugación (para la 4.ª pers., cf. § 234).—En fr. a. la vocal *-i-* de la 1.ª y 2.ª pers. presenta una evolución fonética
regular (§§ 199, 201), y de ahí pasó a la 4.ª y 5.ª pers. La vocalización *-i-* penetra más tarde (fr. m. *il vendit, ils vendirent*)
también en la 3.ª y 6.ª pers., de suerte que toda la formación
de perfecto viene a coincidir con el perfecto débil de la 4.ª
conjugación (§ 937).—En it. la formación se aplicó también
a verbos de la 2.ª conjugación (*potéi*).

En cat. m. este tipo de perfecto se generalizó como perfecto débil de la 2.ª y 3.ª conjugación, y en algunas formas
(cf. § 824) fue influido por el pluscuamperfecto de indicativo.
En muchos verbos (*venguí* de *vendre; temí* de *témer* 'temer')
el tema acusa influjo de los perfectos en *-u i* (§ 903): *venguí,
venguéres, vengué, venguérem, venguéreu, venguéren.*

895. Al perfecto débil en *-ęi* del it., prov. y fr. (§ 894)
responde en esp. y port. un perfecto de base *-ęi*. No hay que
pensar en una continuación del tipo d e l ē v i (§ 876), muy
limitado ya en latín; más bien el perfecto pasó de la pronunciación *v e n d ę̦ i* a la pronunciación *-ę̦ i* cuando la 3.ª
conjugación v é n d e r e se fusionó en esp. y port. con la
2.ª (§ 788): al infinitivo *v e n d ē r e* (esp. y port. *vendér*) res-
pondió en adelante un perfecto *v e n d ę̦ i .*

El tipo *v e n d ę̦ i* se da en port. (así como en dialectos
asturiano-leoneses del esp.) de forma clara: *vendí, vendęsti,
vendęu, vendęmos, vendęstes, vendęram.*—Nótese que la 1.ª
pers. presenta metafonía (§ 199). La 3.ª pers. se apoya en
-a u t (§ 824), *-i u t* (§ 937).—Para el hecho de que el cambio

de conjugación es el motivo de la vocalización -ẹi, es característico el que el autónomo d ẹ d i (> d ẹ i) presenta el vocalismo antiguo (§ 825). Cf. también § 899.

En español (castellano) el tipo de perfecto -ẹi se modificó analógicamente en el sentido de que el vocalismo _i_ de la 1.ª pers. (§ 199) se aplicó a las restantes personas: ⟨vend-⟩ -i, -iste, -ió, -imos, -isteis, -ieron. El resultado, pues, fue, lo mismo que en fr. (§ 894), la identidad de este tipo con el perfecto débil de la 4.ª conjugación (§ 937). Además, la 6.ª pers. -ieron remonta todavía a -ẹ r u n t con ẹ abierta (cf. §§ 894; 937).— Pero el tipo antiguo se puede reconocer todavía en español en que la vocal temática átona -e- se conserva (*vendẹu > vendió), mientras que la vocal temática de los verbos de la 4.ª conjugación (§ 938) se armoniza en -i- (*sentíu > sintió: § 257).—Para la terminación -ió, cf. § 937.

2) _Tipo «vendẹtti»_ (§ 896)

896. Como la terminación -ẹ d i (§ 892), también la terminación -ẹ t t i del perfecto s t e t u i (§ 904) se aprovecha para la formación de perfectos débiles, y ello tanto de la 2.ª (§ 876) como de la 3.ª conjugación, en it. y engad.

1. En la 2.ª conjugación: it. _vedẹtti, vedẹsti, vedẹtte, vedẹmmo, vedẹste, vedẹttero;_ alto engad. _vzet, vzéttast, vzet, vzéttans, vzéttas, vzéttan;_ bajo engad. _vezzét, vezzéttast, vezzét, vezzéttan, vezzéttat, vezzéttan._—En it. las terminaciones de 2.ª, 4.ª y 5.ª pers. de la formación de perfecto -d ẹ d i pasaron al tema de presente (§ 894), mientras que el engad. extiende la formación -ẹ t t i a todas las personas restantes.

2. En la 3.ª conjugación: it. _vendẹtti, vendẹsti, vendẹtte, vendẹmmo, vendẹste, vendẹttero;_ alto engad. (bajo engad.) _vendét, vendéttast, vendét, vendéttans (vendéttan), vendéttas_

(vendéttat), *vendéttan*. Para la formación, cf. arriba, número 1.

3. En la 1.ª conjugación en engad. (§§ 824-825).

4. En la 4.ª conjugación como *-í t t i en engad. (§ 938).

3) *Perfecto en -úi* (§§ 897-898)

897. Los tipos *v e n d ẹ i y *v e n d ẹ t t i (§§ 892-896) son desconocidos en rum. En rum. el perfecto débil en -ú i (apoyado por el participio -u t u: § 911) alcanzó un valor equivalente en la 2.ª y 3.ª conjugación; precisamente el tipo fuerte (§ 903) 1.ª t á c u i / 2.ª t a c ú s t i (cf. e c c u i s t u > e c c ú s- t u: § 728), 1.ª v é n d u i / 2.ª v e n d ú s t i, 1.ª c r é d u i / 2.ª c r e d ú s t i (igual que en occidente el tipo v é n d i d i > v e n- d é d i: § 892), por influjo del modelo f ú i / f ú s t i (§ 905), hizo que el acento cargase en todas las formas sobre la -u- de la terminación: rum. *(vînd-, tăc-, crez-) -úi, -úşi, -ú, -úrăm, -úrăţi, -úră.*—Para la explicación de las terminaciones, cf. § 824.

Nótese que la estructura de la final temática acusa vestigios de formación más antigua, pero también numerosos fenómenos de nivelación. Cuando hay un tema de presente palatalizado *(văz* < v i d e o) y otro no palatalizado *(văd)*, entonces el tema de perfecto presenta unas veces palatalización *(văzúi)* y otras ausencia de palatalización *(vîndúi* de acuerdo con *vînd* < v e n d o, pese a la existencia de un secundario *vînz* < tipo *v e n d e o; § 878). Esta relación con el tema de presente recubre, sin duda, una más antigua motivación del comportamiento de la final temática mediante más antiguas formaciones de perfecto (v i d i > *vízi). Así, los perfectos no palatalizados *tacúi, avúi, vrúi, băúi, putúi, bătúi* continúan los perfectos fuertes latinos (§ 899) t á c u i, h á b u i, v ó l u i, *b í b u i, p ó t u i, b á t u i. Igualmente

rum. *vîndúi* muestra la existencia de un antiguo **v é n d u i*.
En cambio, las formas palatalizadas *văzúi, şezúi* permiten
vislumbrar los más antiguos perfectos v i d i, s e d i (§ 900),
de suerte que también *căzúi, crezúi* presuponen los perfectos más antiguos **c á d i, *c r é d i* (§ 375).

898. En fr. los perfectos en -u i (§ 903) de los temas verbales acabados en *-l, -r* pasaron muy pronto a la conjugación
débil, pues no podía producirse en las formas con acentuación radical una fusión de la terminación con el tema corre-
lativa a los casos d e b u i > *düi* (§ 903). Así, las formas con
acentuación propiamente radical cayeron pronto aquí bajo
el influjo de la acentuación desinencial: m o l u i > fr. a. *mo-
lúi*, fr. m. *moulus* (de m ó l e r e *moudre* 'moler') **c ú r r u i*
> fr. a. *corúi,* fr. m. *courus* (de c u r r e r e fr. a. *corre*, fr. m.
courir).

β) Formación fuerte de perfecto (§§ 899-905)

899. La 2.ª y 3.ª conjugación conocen en latín formaciones
fuertes de perfecto en -i (v i d i), en -s i (d i x i) y en -u i (h a-
b u i). En los perfectos fuertes latinos la 1.ª, 3.ª, 4.ª y 6.ª pers.
tienen acentuación radical (d í x i, d í x i t, d í x i m u s, d í x e-
r u n t; § 149, 4), mientras que la 2.ª y 5.ª pers. tienen acentuación desinencial (d i x í s t i, d i x í s t i s).
La 4.ª pers. mantiene en dialectos it. (*díssimo* < d i x i m u s)
y en rum. (*zíserăm*: para la terminación, cf. § 824) su acentuación radical, pero en el resto del románico adopta la acentuación desinencial por analogía con el tipo débil **v e n d ę́ i-
m u s* (§ 894: port. *dissęmos;* it. *dicęmmo* [cf. abajo]) o con
el tipo débil **d o r m í i m u s* (§ 938: esp. *dijimos,* fr. a. *desímes*). En port. el vocalismo de las formas con acentuación
desinencial (en contraste con los verbos débiles: § 895) se

transformó según el modelo del tipo v e n d ę d i (§ 894: con ę abierta): port. *dissęste, dissęmos, dissęstes, dissęram*. También el esp. presenta en la 6.ª pers. la antigua ę abierta (ę > *ie*) de la terminación (v e n d-) -ę e r u n t (§ 894): esp. *dijeron* (< español antiguo *dixieron*), *supieron, pudieron*. Cf. además § 825.—En it. y rum. se mantiene la acentuación radical de la 6.ª pers. (it. *díssero*, rum. *zíseră*: § 533, nota).

En it. las formas con acentuación desinencial se reorganizan sobre el tema de presente *(dicęsti, dicęmmo, dicęste)*. El impulso para esta reorganización del sistema de formas del perfecto parte de la formación de perfecto en -u i (§ 903). Aquí se formó un tema propio de perfecto solamente en las formas con acentuación radical mediante la duplicación de la consonante final del tema (§ 488): v o l u i > *volli*. En cambio, en las formas con acentuación desinencial la -u̯- se elidió ante la siguiente -í- acentuada (v o l u i s t i > *volęsti;* como i l l u i m b u t u > *l'imbuto;* § 745), siendo decisivo para la propagación de esta variante de elisión el modelo del perfecto *v e n d ę d i (§ 894), pues *vendęsti* ofrece el tema de presente *vend-*. Así pues, las formas débiles (de acentuación desinencial) de la formación fuerte de perfecto —como en general todos los perfectos débiles (§§ 894, 896)— se formaron sobre el tema de presente (aparente, pero después identificado como tal). El paso próximo consistió en transferir el tipo a las formaciones de perfecto del tipo v i d i (§ 900) y d i x i (§ 901), cuyas formas 'débiles' (de acentuación desinencial) se reorganizaron sobre el tema de presente *(vedęsti, dicęsti)*. El sistema mixto de perfecto de la formación fuerte en it. (1.ª, 3.ª y 6.ª pers., fuertes; 2.ª, 4.ª y 5.ª, débiles) muestra, pues, un éxito del modelo de perfecto débil v e n d ę d i (§ 894) frente a la formación de perfecto fuerte. Es significativo el resultado final, consistente en dejar de lado las formas fuertes (*vídi*: § 900) mediante formaciones débiles (*vedetti*: § 896).

En fr. m. las diferencias establecidas aún por el fr. a. entre formas de acentuación radical (m i s i *mis*) y de acentuación desinencial (m i s i s t i *mesis;* m i s i s t i s *mesistes*) se borraron en beneficio de las primeras (fr. m. *tu mis, nous mîmes, vous mîtes*).

1) *Formación en* -ī (§ 900)

900. Formas: v ĭ d i, v ī d ī s t i, v ĭ d ĭ t, v ĭ d ĭ m u s, v i- d ī s t i s, v ĭ d e r u n t; rum. *văzúi, văzúși, văzú, văzúrăm, văzúrăți, văzúră;* it. *vídi, vedésti, víde, vedémmo, vedéste, vídero;* fr. a. *vi, veís, vit, veímes, veístes, virent;* fr. m. *vis, vis, vit, vîmes, vîtes, virent;* prov. *vi, vist, vi, vim, vitz, viron;* cat. *viu, veres, véu, vérem, véreu, véren;* esp. (port.) *ví, víste, vió (víu), vímos, vísteis (vístes), viéron (víram).*—Esta formación fue sustituida en rum. por el perfecto débil en -u i (§ 897).— Al tipo v i d i pertenece también f e c i (it. *feci*, fr. y prov. a. *fis*, cat. *fíu*, esp. *híce*, port. *fiz;* pero rum. *făcúi*: § 897).—Para la terminación de la 3.ª pers. en esp. y port., cf. § 895.—Para la formación de perfecto en -ī es característico el alargamiento de la vocal temática (v ī d i it. *vídi*, esp. *ví*, etc.) frente al tema de presente (v ĭ d e o it. *vedo*, esp. *veo*, etc.).

2) *Formación en* -sī (§§ 901-902)

901. Formas: d í x i, d i x í s t i, d í x i t, d í x i m u s, d i- x í s t i s, d í x e r u n t; rum. *ziséi, ziséși, zíse, zíserăm, zíseră- ți, zíseră;* it. *díssi, dicésti, dísse, dicémmo, dicéste, díssero;* fr. a. *dis, desís, dist, desímes, desístes, distrent;* fr. m. *dis, dis, dit, dîmes, dîtes, dirent;* prov. a. *dis, *dissist, dis, *dissẹm, *dissẹtz, diron / dissẹron;* esp. *díje, dijíste, díjo, dijimos,*

dijísteis, dijéron; port. *dísse, disséste, dísse, dissémos, disséstes, disséram.*

En rum., la 3.ª y 6.ª pers. presentan la base de acentuación radical d í x i t y d í x e r a n t (§ 824). Esta primitiva acentuación radical aparece asimismo en la 4.ª pers., aunque con ingerencia del pluscuamperfecto (§§ 824, 899). La 1.ª pers. está formada según la 2.ª análogamente a la proporción que guardan entre sí en la 1.ª conjugación (§ 824). En rum. a. se conserva todavía la acentuación radical de la primera persona.—Para la terminación *-o* del esp., cf. § 895.—La final del tema en fr. a. *-s-* [-ẓ-] en vez de *-ss-* [-s-] se tomó de los perfectos m i s i s t i *mesis,* r i s i s t i *resis* (§ 902).

902. Al tipo en -s ī pertenecen también, entre otros: m i s i (it. *misi,* fr. *mis*), r i s i (rum. *rîséi,* it. *risi,* fr. *ris*), *p r e s i (it. *presi,* fr. *pris*), (c o n-) -d u x i (rum. *duséi,* it. *dússi,* fr. a. *dúis*), p l a n x i (rum. *plînséi,* it. *piánsi,* fr. a. *plains*).

3) *Formación en -uī* (§§ 903-905)

903. Formas: h a b u i, h a b u i s t i, h a b u i t, h a b u i m u s, h a b u i s t i s, h a b u e r u n t; rum. *avúi, avúşi, avú, avúrăm, avúrăţi, avúră;* it. *ébbi, avésti, ébbe, avémmo, avéste, ébbero;* fr. a. *ói, oús* [*oůs*], *óut* [*óu̯t*], *oúmes* [*oůmǝs*], *oústes* [*oůstǝs*], *óurent* [*óu̯rānt*]; fr. m. *eus, eus, eut, eûmes, eûtes, eurent;* prov. a. *áic, aguíst, ác, aguém, aguétz, ágron;* cat. *haguí, haguéres, hagué, haguérem, haguéreu, haguéren;* esp. *húbe, hubíste, húbo, hubímos, hubísteis, hubiéron;* port. *óuve, ouvéste, óuve, ouvémos, ouvéstes, ouvéram.*

En rum. el tipo pasó a la formación débil (§ 897).—En it. -bu̯- (-vu̯-) pasó a *-bb-* (§ 488). Para el cambio de tema en it., cf. § 899. La vocal de las formas con acentuación radical se apoyó en *s t e t u i *stetti* (§ 904).—En fr., la -u̯- se fusiona con la vocal de la sílaba precedente (§ 488). En cat. y prov.

se le antepone una -*g*- a la -ʮ- (*awwi > *agʮi). Más tarde el sistema de formas en cat. se transforma según el tipo de perfecto débil (§ 894).—La terminación -*o* de la 3.ª pers. en esp. procede de -u i t (como *cinco* < *c i n q u e: § 482). La formación fuerte de perfecto en -u i se mantuvo primitivamente viva también en sardo (cf. § 824): sard. a. *appi* < h a b u i ; pero hoy está extinguida ya.—Sin embargo, el antiguo tema de perfecto se conserva aún en los participios fuertes (§ 914).

904. Al tipo de perfecto en -u i pertenecen también, entre otros: d e b u i (fr. a. *dui*, fr. m. *dus*), t a c u i (rum. *tăcúi*, it. *tacqui* [§ 487], fr. a. *tói*, fr. m. *tus*), s a p u i (it. *seppi* con la vocal de *stętti* y *ębbi;* fr. a. *soi*, fr. m. *sus*, prov. a. *saup*, esp. *supe*, port. *soube*), *s t e t u i (rum. *stătúi*, it. *stętti*, cat. *estiguí*, esp. *estuve*, port. *estíve*). El tipo *s t ę t u i fue la base de una formación débil de perfecto (§ 896).—Para el rum., cf. § 897.

905. Merecen atención especial f ú i (que dio origen en rum. a una clase de perfectos débiles: § 897): f ú i, f u í s t i, f ú i t, f ú i m u s, f u í s t i s, f ú e r u n t; rum. *fíu, fúşi, fu, fúrăm, fúrăţi, fúră;* it. *fui, fosti, fu, fummo, fóste, fúrono;* sard. *fúi, fústi, fúdi, fúmus, fúghis, fúni;* alto (bajo) engad. *füt, füttašt, füt, füttans (füttan), füttas (füttat), füttan;* sobres. *fúvel, fúvas, fúva, fúvan, fúvas, fúvan;* fr. a. (fr. m.) *fui (fus), fus, fut, fumes (fûmes), fustes (fûtes), furent;* prov. a. *fui, fust, fo, fom, fotz, foron;* cat. *fui, fores, fou, fórem, fóreu, fóren;* esp. a. *fúi, fuste, fo, fomos, fustes, foron;* esp. m. *fui, fuíste, fué, fuímos, fuísteis, fuéron;* port. *fui, foste, foi, fomos, fostes, foram.*

Las formas de acentuación desinencial pasaron en latín vulgar a ser formas de acentuación radical mediante elisión

(cf. § 728, nota): f u i s t i , f u i s t i s > *fusti, *fustis. En la
3.ª, 4.ª y 6.ª pers. la vocal (-i-, -e-) siguiente a -ú- más consonante se perdió, en parte con alargamiento compensatorio
(§ 543, nota). El port. es el único que todavía presenta en la
3.ª pers. un diptongo (*foi* < f u i t).

La vocal -u- del sistema de formas f u i es breve; por tanto, se conserva en rum. y sard. como *-u-* (§§ 158, 161).—En
las demás lenguas la vocalización *-u-* sólo está justificada en
la 1.ª pers. (it., fr., prov., cat., esp. y port.) y en la 2.ª (fr.,
prov. y esp.) [12] por la metafonía (§ 199). En las restantes formas (2.ª-6.ª ó 3.ª-6.ª) está la vocalización originaria ǫ (§ 164).
El prov. a., cat. y port. conservan la antigua distribución de
las vocales *-u-* y *-ǫ-* en las respectivas formas, al paso que
it., fr. y esp. presentan una propagación analógica de la pronunciación *-u-*, que en fr. prevaleció por completo.

En esp. m. el sistema de formas se reorganizó según el
modelo de los perfectos en *-i* (§ 937).—El engad. muestra influjo del tipo general de perfecto *s t e t u i (§ 896) sobre la
base del vocalismo *u* propagado (como en fr.) a todas las
formas.—En sobres., que no conoce ninguna clase de perfecto simple (§ 826), las formas que hemos presentado tienen
significación de imperfecto (que puede utilizarse a voluntad
junto a *erel, eras, era, eran, eras, eran* [§ 887]): esas formas
llevan, conforme a esto, la *-v-* característica del imperfecto
(§§ 807; 873; 887; 934). El vocalismo parte de la base ǫ.

B) OTRAS FORMAS FINITAS DE PERFECTO (§§ 906-910)

906. Las demás formas de perfecto llevan todas acentuación desinencial (§ 907) en la formación débil de perfecto

---

[12] La acción armonizadora de la -ī final se limita en it. y port. al
contacto (*fui*), mientras que al interponerse una consonante la armonización no se produce (it. *fǫsti*, port. *fǫste;* cf. § 199).

(§§ 891-898). En la formación fuerte de perfecto (§§ 899-905) hay formas con acentuación radical y formas con acentuación desinencial; el pluscuamperfecto subjuntivo (§§ 908, 3; 909, 3; 910, 3) tiene siempre acentuación desinencial, mientras que el perfecto subjuntivo y el pluscuamperfecto indicativo (§§ 908, 1-2; 909, 1-2; 910, 1-2) tienen formas con acentuación radical (d í x e r i m) y otras con acentuación desinencial (d i x é r i m u s). En formas no ampliadas el prov. a. mantiene aún el desplazamiento acentual (*vira* < v í d e r a m, *virám* < v i d e r á m u s). En port., el acento se retrotrajo en la 4.ª pers. (§ 828): *víramos* < v í d e r a m u s. Por lo demás, tanto en esp. como en port. la ampliación del radical mediante las terminaciones de d ę d i (§ 895) es frecuente (esp. *dijera*, port. *dissęra*).

907. Formas de v é n d e r e (§§ 894, 897): 1, perfecto de subjuntivo y futuro perfecto (§ 827): v e n d ú e r i m > rum. a. **vîndúre;* ***v e n d é e r i m > esp. *vendiére*, port. *vendęr;* 2, pluscuam. indicativo (§ 828): ***v e n d ę́ e r a m > prov. a. *vendęra*, esp. *vendiéra*, port. *vendęra;* 3, pluscuam. subjuntivo (§ 829): v e n d u i s s e m > ***v e n d ú s s e > rum. *vîndúsem;* v e n d í s s e m / v e n d ę́ s s e m (§§ 893-895) it. *vendęssi*, engad. y sobres. *vendęss*, fr. *vendísse* (§ 944), prov. a. *vendęs*, cat. *vengúęs*, esp. *vendiese*, port. *vendęsse*.

908. Formas de v i d ē r e (§ 900): 1, perfecto subjuntivo y futuro perfecto (§ 827): v i d e r i m > esp. *viere* (-d e d e-r i m), port. *viere;* 2, pluscuam. indicativo (§ 828): v i d e r a m (§ 828) > prov. a. *vira*, esp. *viera* (-d e d e r a m), port. *vira;* 3, pluscuam. subjuntivo (§ 829): v i d i s s e m > it. *vedessi*, fr. a. *veísse* (§ 894), fr. m. *visse*, prov. a. *vis*, cat. *veiés*, esp. *viese*, port. *visse*.

909. Formas de d i c e r e (§ 901): 1, perfecto de subjuntivo y futuro perfecto (§ 827): d i x e r i m > rum. a. *dísere;* *dix-ę́erim (§ 895) > esp. *dijére*, port. *dissę́r;* 2, pluscuamperfecto indicativo (§ 828): *dix-ę́eram (§ 895) > prov. a. *dissę́ra*, esp. *dijéra*, port. *dissę́ra;* 3, pluscuam. subjuntivo (§ 829): d i x ĭ s s e m > d i x ę́ s s e m (§ 895) rum. *zisésem*, it. *dicęssi*, fr. a. *desisse* (§ 894), fr. m. *disse*, prov. a. *dissęs*, cat. *digués*, esp. *dijése*, port. *dissę́sse*.

910. Formas de h a b ē r e (§ 903): 1, perfecto subjuntivo y futuro perfecto (§ 827): h a b ú e r i m > rum. a. *avúre;* h a-b u - é e r i m (§ 895) > esp. *hubiére*, port. *houvę́r;* 2, pluscuam. indicativo (§ 828): h á b u e r a m > prov. a. *ágra;* *h a b u-ę e r a m (§ 895) esp. *hubiéra*, port. *houvę́ra;* 3, pluscuam. subjuntivo (§ 829): h a b u i s s e m > *h a b u s s e m > rum. *avúsem;* h a b u ĭ s s e m / h a b u - ę́ s s e m (§ 895) > it. *avę́ssi*, engad. *avéss*, fr. a. *oüsse*, fr. m. *eusse*, prov. a. *aguę́s*, cat. *hagués*, esp. *hubiése*, port. *houvę́sse*.

3. *Participio de perfecto* (§§ 911-917)

A) FORMACIÓN DÉBIL (§§ 911-913)

911. Una vez que b á t t u o pasó a b á t t o (§§ 149, 5; 251), el presente b á t t o (b á t t e r e) y su perfecto b á t t u i se oponían al antiguo participio b a t t ú t u s (de b a t t ú e-r e). Otro tanto se aplica al verbo f ú t t e r e. Los verbos m i-n u e r e, s t a t u e r e, t r i b u e r e, provistos de un participio en -ú t u s, no perduran en románico, pero merecen, sin duda, atención en la época del latín vulgar como paradigmas próximos al tipo b a t t e r e. Permanecen como nombres autónomos los participios m i n u t u s 'pequeño' (fr. *menu*, esp. *menudo*), t r i b u t u m 'tributo' (esp. [aragonés] *treudo*).

912. El tipo b á t t e r e , b á t t u i , b a t t ú t u s se convirtió, en una amplia zona que abarca las lenguas actuales rum., it., retorrom., fr., prov. y cat., en tipo-guía para la formación participial de los verbos (originariamente fuertes: § 903) de la 2.ª y 3.ª conjugación con la formación de perfecto en -u i (b á t t u i , s á p u i , h á b u i , t á c u i , t é n u i): b a t t ú t u , s a p ú t u , h a b ú t u , t a c ú t u , t e n ú t u > rum. *bătút, avút, tăcút, ţinút;* it. *battúto, sapúto, avúto, taciúto* (con [ć] del tema de presente: § 899), *tenúto;* alto (bajo) engad. *battíeu* (*battú*), *savíeu* (*savú*), *gíeu* (*gnú*), *taschíeu* (*taschú*: con -sch- [-ž-] del tema de presente), *tgníeu* (*tgnú*); sobres. *battíu, savíu, gíu, teníu;* fr. a. *battu, sëü, ëú, tëü, tenú;* fr. m. *battu, su, eu, tu, tenu;* prov. a. *batút, saubút, agút, tengút;* cat. *batút, sabút, hagút, tingút.*

En prov. y cat. el perfecto (§ 903) influye con frecuencia en la estructura del tema de participio (prov. *agut,* cat. *hagut*).—Como en sobres. *ü* se desredondea en *i* (§ 184), la formación participial en -u t u tiene secundariamente coincidencia fonética con la formación en -i t u (§ 945). En alto engad. -u t u evoluciona a *-üu* y después pasa al triptongo *-üeu* (§§ 99, 218-219), el cual se disimila después en *-ieu* (§ 101), con lo que viene a coincidir con el resultado de -ī t u (§ 945), y al mismo tiempo la pronunciación del femenino, que propiamente debería sonar **battüida,* se transformó análogamente en *battída.* El bajo engad. conserva las fonaciones *ü.*

En todo el espacio lingüístico citado (rum., it., retorrom., fr., prov. y cat.) la formación participial en -ú t u se aplicó también a los verbos de la 2.ª y 3.ª conjugación con perfecto débil en -ę́ i (§ 892). El rum. extrajo la consecuencia de ello y sustituyó el perfecto débil en -ę́ i por el perfecto en -ú i (§ 897), que era asimismo débil. A los perfectos v e n d ú i (rum.) y v e n d ę́ i (§ 892) responde, pues, el participio *v e n-d ū t u: *vîndút*, it. *vendúto*, alto engad. *vendiéu*, bajo engad. *vendú*, sobres. *vendíu*, fr. *vendu*, prov. y cat. *vendut*.

La formación en -u t u s representa, así, el participio regular de la 2.ª y 3.ª conjugación en rum., it., retorrom., fr., prov. y cat.—En cambio, esa formación es desconocida en sard., esp. y port. [13]; pero mientras en sardo se mantiene todavía viva la formación fuerte latina en -i t u s (§ 914), el esp. y port. reemplazaron esa formación por el participio en -ī t u s, según el modelo de la 4.ª conjugación (§ 945). Para la delimitación de las áreas lingüísticas, cf. § 920.

Obsérvese que es muy posible que la formación v é n d i-t u s, al pasar la 3.ª conjugación (v é n d e r e) a la segunda (v e n d ě r e: § 788), se transformase en v e n d ī t u s en esp. y port.: como -ě- pasa a -ē-, así -ĭ- se convierte en -ī-. En ese caso, el paso de la 3.ª conjugación a la 2.ª se habría realizado en esp. y port. en una época en que la ĭ latina todavía no había pasado a ę (§ 156) (cf. un proceso semejante en sard., § 879, 2 a α). En realidad, el § 846 a ofrece una base para suponer que en el espacio del románico sudoccidental las cantidades latinas (§ 155) perdieron su valor en una fecha relativamente tardía.

913. Con esto la formación participial débil quedó limitada, en general, en esp. y port. a dos tipos (-á t u para la 1.ª conjugación [§ 831], -í t u [§ 912] para la 2.ª-3.ª y 4.ª conjugación [§ 845]), mientras que las restantes lenguas (rum., it., retorrom., fr., prov. y cat.) prescindiendo de nivelaciones secundarias (como en sobres. y alto engad.: § 912), conocen tres tipos participiales débiles (-á t u para la 1.ª conjugación [§ 831], -ú t u para la 2.ª-3.ª [§ 912], -í t u para la 4.ª [§ 945]).

---

[13] Los participios en *-udo* del esp. y port. antiguos son galicismos literarios.

B) FORMACIÓN FUERTE (§§ 914-917)

914. La formación fuerte del tipo latino v é n d i t u s llegó a ser en sardo la formación participial regular de los verbos de la 2.ª-3.ª conjugación latina (§ 789): dialectos centrales ⌐-*itu;* logud. ⌐-*iδu*: *bénditu / béndiδu; báttitu / báttiδu.*

Además, el tema presenta frecuentemente aquí (como en prov. y cat.: § 912) la estructura que había adoptado en los perfectos antiguos fuertes en -u i (§ 903), donde lat. -p̯u̯- / -b̯u̯- habían dado -*pp*- y lat. -t̯u̯- / -d̯u̯- habían pasado a -*tt*-; así, h a - b u i > *appi,* d e b u i > *deppi*: h a b i t u , d e b i t u , c r e d i - t u sard. *áppidu, déppidu, créttidu.*—Formas parecidas ocu- rren también en sudit.: m ǫ v i t u > *muóppitu,* sard. s á p i - t u > *sáppitu.*

Fuera del sardo, los participios fuertes en ⌐-*ĭ* t u aparecen únicamente en función sustantiva (por tanto, desglosada del sistema verbal): d é b i t a > fr. *dette,* esp. *déuda;* f ú n d i t a fr. *fonte;* p é r d i t a it. *pérdita,* fr. *perte;* r é d d i t a >*r é n- d i t a (§ 138) > it. *réndita,* fr. *rente;* v é n d i t a > it. *véndita,* fr. *vente.*

915. Al paso que la formación en ⌐-*ĭ* t u s (§ 914) se siste- matizó en sardo como formación regular y, pese a su acen- tuación radical, asumió en la práctica la función de una for- mación débil, cuya tonicidad radical constituye una función del infinitivo con acentuación radical de la generalizada 3.ª conjugación (§ 789), las restantes formaciones participiales fuertes no fueron objeto de una sistematización (a pesar de ciertos desplazamientos de las esferas de aplicación léxica en románico); son ya en latín restos de formaciones parti- cipiales indoeuropeas, y, si perviven en románico, lo hacen sólo en calidad de residuos dispersos, no sistematizados.—

Estos residuos presentan dos tipos básicos: el tipo en -t u s
(§ 916) y el tipo en -s u s (§ 917), entre los cuales hay intercambio dentro de cada lengua particular, ya que uno u otro
participio pasa de uno a otro tipo.

916. Formas: f a c t u, d i c t u, c o c t u, s c r i p t u, r u p-
t u; rum. (*făcút*: § 912; *fapt* ocurre sólo como sustantivo 'el
hacer'), (*zis*: § 917), *copt* (*scris*: § 917), *rupt;* it. *fatto, detto,
cotto, scritto, rotto;* sard. *fattu, cottu, iscrittu, ruttu;* engad.
fat, dit, cot, scrit, rúot; sobres. *fatg, detg, cotg, scret, rut;* fr.
fait, dit, cuit, écrit, (*rompu;* § 912); prov. a. *fait / fach* (§§ 434-
435), *dit / dich, coit / coch, escrit / escrich* (con formación
analógica -c t u según d i c t u), *rot;* cat. *fet, dit, cuit, escrit*
(*romput*); esp. *hecho, dicho, cocho* (y *cocído*), *escrito, roto;*
port. *feito, dito,* (*cozido*), *escrito, roto* (y *rompido*).

Una formación en -s t u s era p o s t u s (§ 282, 4): (rum.
pus: § 917), it. *posto*, sard. *postu*, engad. ⟨*op-*⟩ *post*, (fr. *pon-
du*: § 912), prov. a. y cat. *post*, esp. *puesto*, port. *pôsto.*—El
participio **vísitus* (§ 914), formado propiamente sobre
v í s e r e 'visitar', fue relacionado con v i d é r e, y ocurre
como participio de v i d e r e (§ 282, 4) en it., esp. y port.
visto, prov. a. y cat. *vist.*—Como el perfecto de q u a e r e r e
sonaba **quaesī* (§ 902), en vez de q u a e s ī t u s se formó
también el participio **quaestus* (respaldado por el sustantivo verbal q u a e s t u s), que aparece en el it. *chięsto.*—El
participio a s c o n s u s > a s c o s u s (§ 917) se transformó,
respaldado semánticamente por p o s t u s, en **ascostus*
(it. *nascosto*).—En rum. (en la época del primitivo rum.) se
le creó a **fire* (*fí*) 'ser' (§ 890), por analogía con p o s t u s
(desaparecido hoy del rumano), un participio *fost* 'sido' (*am
fost* 'he sido').

917. Formas: a r s u, r i s u, v i s u, m i s s u; rum. *ars, ris,* (*văzút*: § 912); it. *arso, riso, viso* (it. a. y dialectal), *messo;* engad. *ars, ris, vis, miss;* sobres. *ars, ris,* (*víu*), *mess;* fr. a. *ars, ris, m'est vis* 'me parece' (*vëú* 'visto': § 912), *mis;* prov. a. *ars,* **ris, vis, mes;* cat.—, (*rigut*: § 912), (*vist*: § 916), *mès;* esp. (*ardido, reído*: § 913), (*visto*: § 916), (*metido*: § 913); port. (*ardido, rido*: § 913), (*visto*: § 916), (*metido*: § 913).

La formación de participios en -s u no produce analogía en sard., esp. y port. Por tanto, es una formación moribunda (sard. *infusu* al lado de *infustu* según § 916; esp. y port. *preso,* que es ya solamente adjetivo). En cambio, en rum. posee una gran fuerza analógica (*zis* de d i c e r e, *tras* de t r a h e r e, *scris* de s c r i b e r e, *pus* de p o n e r e). También el it. tiene *mosso* de m o v e r e.—En fr. se les forma a los perfectos *mis, pris, quis* (§ 902) los respectivos participios *mis, pris, quis.*

4. *Futuro* (§ 918)

918. Formas: *v e n d e r e h a b e o ; it. *venderò,* alto engad. *vendarò,* bajo engad. *vendarà,* fr. *vendrai,* prov. a. *vendrai,* cat. *vendré,* esp. *venderé,* port. *venderéi.*—Cf. § 877.

El futuro de *e s s e r e pierde su última sílaba: *e s s e r e h a b e o ; it. y alto engad. *sarò,* bajo engad. *sarà,* fr. y prov. a. *serai,* cat. y esp. *seré,* port. *seréi.*—El antiguo futuro latino e r o se conserva aún como futuro en fr. a. *ier* y prov. a. *er.* La 2.ª pers. e r i s entra en esp. en el tema de presente (§ 883) con función supletoria (§ 583).

D) CUARTA CONJUGACIÓN: D O R M I R E (§§ 919-948)

1. Formas del grupo de presente (§§ 919-936)

919. Respecto al grupo de presente de la 4.ª conjugación está dividida la Romania en dos espacios. Hay que distinguir:

1. El gran espacio lingüístico innovador (rum., it., retorrom., fr., prov. y cat.), donde se distinguen dos clases de verbos:

a) el grupo antiguo de verbos que conservan la conjugación clásica latina en el tema de presente (tipo: d o r m i-r e: § 924);

b) el grupo vivo de verbos ampliados que someten la conjugación a un proceso de nivelación acentual con ayuda del sufijo -ē s c- desfuncionalizado (tipo: u n i r e: § 928).

2. El pequeño espacio arcaizante (sard., esp. y port.), donde la conjugación clásica latina del tema de presente únicamente se aplica a los verbos antiguos, mientras que el sufijo incoativo -ē s c- conserva su función clásica.

920. La delimitación entre el espacio innovador y la zona arcaizante corresponde a las fronteras que separan la gran zona que conoce el participio en -ū t u , del pequeño espacio que no conoce ese participio (§ 912).—Estos dos fenómenos permiten, pues, vislumbrar una antigua división de la Romania (cf. § 35; cf. además § 805).—El empleo del sufijo -i d i̭-en la 1.ª conjugación, análogo al empleo del sufijo -ē s c-, está circunscrito a un espacio más reducido (§ 801).

921. El procedimiento de nivelación acentual, practicado en el espacio descrito en § 919, 1, tiene por finalidad sepa-

rar el tema de la terminación: la acentuación desinencial practicada en todas las formas garantiza un tratamiento igual del tema en todas sus formas y la claridad de las mismas. Cf. § 926, 2 b β; § 584; § 835.

El motivo del empleo del sufijo formador de palabras -ē s c- con fines morfológicos radica en la coexistencia de los verbos de movimiento en -ē r e y de los verbos incoativos en -ē s c e r e, así como en el hecho de que ambos grupos tienen común el perfecto en -u i y el mismo sustantivo o adjetivo como núcleo etimológico: f l o r ē r e / f l o r ē s c e r e (f l o r i s [§ 620], f l o r i d u s); a l b ē r e / a l b ē s c e r e (a l- b u s, a l b i d u s); c a l ē r e / c a l ē s c e r e (c a l o r, c a l i- d u s); r u b ē r e / r u b ē s c e r e (r u b r u, r u b i d u s, r u- b o r)[14].

Aquí se bifurcan los caminos de las dos zonas mencionadas en el § 919, 1-2 (cf. § 791), pues al paso que los verbos en -ē s c e r e perduran en sard., esp. y port. (1), en la zona innovadora -ē r e y -ē s c e r e se funden en un paradigma verbal (2):

1. Los verbos en -ē s c e r e se mantienen en sard., esp. y port., y ello tanto en representación de los verbos de estado en -ē r e desaparecidos a su lado (esp. y port. *florecer* < f l o- r ē s c e r e con la significación de f l o r ē r e) como también con la primitiva significación incoativa (sard. *albéskere* 'cla- rear el día' < a l b ē s c e r e; esp. *endurecerse* 'ponerse duro' < i n d u r ē s c e r e). El sufijo mantiene aún toda su vitali- dad y sirve, por tanto, para formar palabras nuevas (esp. *anochecer*, port. *anoitecer*).—No hay entrecruzamiento con la 4.ª conjugación (a la manera del paradigma mixto f l o r é s- c o, f l o r í m u s: cf. número 2).

---

[14] Más ejemplos en O. Gradenwitz, *Laterculi vocum Latinarum*, Leipzig, 1904, págs. 356-358, págs. 363-367.

2. En la zona innovadora (§ 919, 1), en cambio, los verbos de estado en -ē r e pasan a la 4.ª conjugación (-ī r e), precisamente por causa de la terminación de la 1.ª pers., que es igual en ambas conjugaciones (f l o r e o > f l o r i̯ o como m o r i̯o: §§ 251, 791). Así, pues, coexisten uno al lado del otro el tipo *f l o r ī r e como verbo de estado y el tipo f l o r ē s- c e r e como verbo incoativo. En una etapa ulterior el verbo incoativo y el verbo de estado se amalgaman en un paradigma supletorio (§ 583) con significación cambiante (ya incoativa, ya durativa), y ello de tal manera que el tipo *f l o r ī r e representa las formas de acentuación desinencial, mientras que el tipo f l o r ē s c e r e encarna las formas que tienen de suyo acentuación radical. De este modo surge un paradigma en el que el tema no está nunca acentuado; por tanto, todas las formas tienen acentuada la terminación (justo la sílaba subsiguiente al tema): f l o r ę́ s c o, f l o r ę́ s c i s, f l o r ę́ s c i t, f l o r į́ m u s, f l o r į́ t i s, f l o r ę́ s c u n t.— Este primitivo sistema de formas del espacio innovador se mantuvo invariable en las zonas marginales de este espacio (a), mientras que el vocalismo experimenta modificación en una zona central (b):

a) El sistema mantiene el vocalismo -ę s c o, -ę s c i s, -ę s c i t, -i̯ m u s, -i̯ t i s, -ę s c u n t invariable en rum., alto engad., sobres. y cat., presentando el alto engad., sobres. y cat. un fenómeno de nivelación secundaria de consonantes (§§ 928-929).

b) En it., bajo engad., fr. y prov., así como en dialectos cat., el sufijo es provisto de la vocal -i̯- [15]. El paradigma resulta, pues, en estas lenguas: -i̯ s c o, -i̯ s c i s, -i̯ s c i t, -i̯ m u s, -i̯ t i s, -i̯ s c u n t (cf. las formas en § 928). Esta vocalización es una asimilación a la vocal -i- que aparece en la terminación de la 4.ª y 5.ª pers. en la 4.ª conjugación, y en esa asimilación se ha de ver un contacto con las relaciones morfológicas, entonces vivas aún, del tipo c u í r e / c u p í s c e r e.

922. Verbos del grupo antiguo, que tanto en la zona innovadora (§ 919, 1 a) como en la arcaizante (§ 919, 2) se conjugan según el tipo d o r m ī r e en latín clásico (cf. las formas en § 924) son, por ej., a u d i r e , s e n t i r e , v e n i r e . En la zona innovadora la delimitación léxica de las dos clases (§ 919, 1 a-b) no es totalmente uniforme. Así, en la mayor parte de las lenguas de la zona innovadora pertenecen al grupo antiguo y nuclear (tipo d o r m i r e) los siguientes verbos: m e n t i r e (rum., it., fr., prov. y cat.), p a r t i r e 'partir, salir' (it., engad., sobres., fr., prov.), s a l i r e (rum., it., engad., sobres., fr., prov.), s e r v i r e (it., engad., fr., prov.), v e s t i r e (it., fr. y prov.).—En las lenguas marginales de la zona innovadora (por un lado, engad. y sobres., y por otro, cat.) la facultad de diferenciar ambas clases está debilitada, de manera que (especialmente en cat.) la clase innovadora (§ 923) prevaleció en la conjugación, por ej., de los siguientes verbos: m e n t i r e (sobres.), p a r t i r e (cat.), s a l i r e (cat.), s e r v i r e (sobres. y cat.), v e s t i r e (engad., sobres. y cat.).—En rum., los neologismos (§ 923) como *serví* 'servir' forman parte, naturalmente, de la vigorosa clase innovadora.

923. En el espacio lingüístico innovador (§ 919, 1) pertenecen al grupo de verbos ampliados ('vigorosa clase innovadora') del tipo f l o r ę s c o / f l o r į m u s (§ 921, 2 a-b) tres grupos de verbos:

1. Verbos heredados del latín, a saber:

---

[15] Por otra parte, en sobres. la *-e-* (§§ 921, 2 a; 938, 1) pudiera también proceder de una *-i-* latina (§ 166), pero esto parece geográficamente inverosímil.

a) Verbos que se desarrollaron del antiguo tipo de alternancia f l o r e r e / f l o r e s c e r e (§ 921): *florire (rum. *înflorí*, it. *fiorire*, engad. y sobres. *flurir*, fr. *fleurir*, prov. y cat. *florir*), a l b ē r e / a l b ē s c e r e > *albīre (rum. *albí* 'blanquear'); r u b ē r e / r u b ē s c e r e > *rubīre (fr. a. *rovir* 'enrojecer').

b) Verbos que pasaron directamente (sin la base de alternación -ē r e) del tipo incoativo -ē s c e r e al tipo de conjugación -e s c o, -i m u s (§ 921, 2), una vez organizado éste: g r a n d ē s c e r e > *grandīre (fr. *grandir*).

c) Verbos de la 4.ª conjugación que se anexionaron al tipo f l o r e s c o / f l o r i m u s, una vez formado éste: f i - n ī r e (it. *finire*, engad., sobres., fr., prov. y cat. *finir*), *p e- t ī r e (§ 891; rum. *peţí* 'tratar de granjearse las simpatías'). Además se enrolan en esta conjugación verbos cuya base etimológica ha de mantenerse transparente (§ 921: f i n i r e); pero también verbos que sin tal motivo se alistan en ese tipo de conjugación (*p e t ī r e).

2. Neologismos intrarrománicos creados dentro de cada lengua o grupo de lenguas: *i m b e l l ī r e 'hermosear', 'ponerse hermoso' (también transitivo: 'embellecer') it. *imbellire*, engad. *imbellir*, sobres., fr. y prov. *embellir;* rum. *numí* 'nombrar' (de *nume* 'nombre').

3. Préstamos y extranjerismos, a saber:

a) Cultismos latinos: p u n i r e (it. *punire*, engad., sobres., fr., prov. y cat. *punir*); rum. *serví* 'servir', *finí* 'acabar'.

b) Palabras de origen extranjero: rum. *iubí* 'amar' (de origen eslavo); fr. *choisir* < franco *k a u s j a n.

A) INDICATIVO DE PRESENTE (§§ 924-929)

α) Verbos del grupo antiguo (§§ 924-927)

924. Formas: d ó r m i o, d ó r m i s, d ó r m i t, d o r m í-
m u s, d o r m í t i s, d ó r m i u n t; rum. *dórm, dórmi, doárme,
dormím, dormíţi, dórm;* it. *dǫrmo, dǫrmi, dǫrme, dormiámo,
dormíte, dǫrmono;* sard. *dórmo, dórmis, dórmit / dórmidi,
dormímus, dormídes, dórmin/dórmint;* alto (bajo) eng. *dorm,
dórmast, dórma, durmíns (durmín), durmís, dórman;* sobres.
dórmel, dórmas, dórma, durmín, durmís, dórman; fr. a. (fr.
m.) *dorm (dors), dors, dort, dormons, dormez, dorment;*
prov. a. *dorm, dorms, dorm, dormẹm, dormẹtz, dórmon;*
cat. *dórmo, dorms, dorm, dormím, dormíu, dórmen;* esp.
duérmo, duérmes, duérme, dormímos, dormís, duérmen;
port. *dúrmo, dǫrmes, dǫrme, dormímos, dormís, dǫrmem.*
Cf. el cuadro sinóptico retroproyectivo del § 868.—Para el
prov. a., cf. § 882 (4.ª-6.ª pers.).

925. La -ị- latina de la 1.ª pers. de la 4.ª conjugación sólo
ha dejado, en el verbo d o r m ị o, una huella en port. consistente en la vocalización del tema. Precisamente en port. subsiste claramente la -ị- tras dentales con las que se combina:
m e t ị o / m e t i s, p e t ị o / p e t i s, a u d ị o / a u d i s > port.
meço / medes, peço / pedes, ouço / ouves [16]. También en rum.
se aprecian los efectos de -ị- sobre las consonantes: s e n t ị o,
s e n t i s, s e n t i t > *simţ* (§ 456: junto al analógico *simt;*
cf. § 926), *símţi* (§ 378), *símte.* Huellas más o menos numerosas de la -ị- de la 1.ª pers. aparecen también en otras lenguas: m o r ị o> fr. a. *muir* (fr. m. *meurs,* por analogía con

---

[16] La *-ç-* sorda de *ouço* es sustitución analógica de un antiguo
[-dz-].

las restantes formas), it. *muoio;* a u d i̯ o > prov. a. *auch.* La tendencia general, sin embargo, en la mayoría de los casos y en todas las lenguas, es la de la supresión analógica de la -i̯- y de sus consecuencias fonéticas.

La -i̯- latina de la 6.ª pers. desapareció en románico común viniendo así a resultar la base *d ó r m u n t, con la que también alternan *d ó r m e n t y * d ó r m i n t (§ 868).—Para la 4.ª y 5.ª pers. en fr., cf. § 798.

926. La 4.ª conjugación comparte la -i̯- de la 1.ª pers. (§ 925) con la 2.ª conjugación (v i d e o: § 868) y con algunos verbos de la 3.ª (f a c i o). En todas estas conjugaciones, la 1.ª pers. provista de -i̯- se contrapone a las demás formas que carecen de ella (v i d e s, f a c i s, a u d i s), mientras que en la 3.ª conjugación los verbos de esta variante flexiva (f a c i o, f a c i s) se contraponen a su vez a los verbos que no siguen esa variante de conjugación (v e n d o, v e n d i s). La -i̯- está pues, amenazada por una presión analógica que parte tanto de las formas sin -i̯- de un mismo verbo (f a c i s) como de la 1.ª pers. sin -i̯- de otros verbos (v e n d o). En románico ocurren las dos posibilidades del mantenimiento conservador del estado antiguo (1) y de la modificación analógica (2):

1. El mantenimiento del estado antiguo aparece, por ej., en v i d e o / v i d e r e > rum. *văz / vedeá,* it. *véggio /vedére* (§ 868); f a c i o / f a c e r e > it. *faccio / fare,* sard. *fatto* (§ 469) / *fághere;* d o r m i o / d o r m i s > port. *durmo / dormes* (§ 924).

2. La modificación analógica del estado antiguo puede producirse en dos direcciones (a-b):

a) La forma con -i̯- puede ser eliminada y sustituida por una forma sin -i̯-, tanto en la 2.ª conjugación (t a c e o > *t a- c o > rum. *tac;* v i d e o > *v i d o > rum. *văd,* it. *vedo:*

§ 868) como en la 3.ª (f a c i o > *f a c o > rum. *fac*) y en la 4.ª (a u d i o > *a u d o > rum. *aud,* it. *odo*).

b) La forma con -i̯- puede mantenerse; pero, no obstante, puede incrustarse en el sistema de manera distinta a la que por su origen le corresponde:

α) Puede producirse una propagación analógica de las formas con -i̯- a campos en los que dichas formas carecen de carta de naturaleza etimológica, a saber:

I. La posibilidad de crear formas con o sin -i̯- se generaliza para determinados tipos verbales (rum. *vînd* y *vînz* como *văz* y *văd*: §§ 868, 878);

II. La forma con -i̯- deviene, en general, la forma radical del verbo (v i d i̯ o, v i d i̯ e s, v i d i̯ e t: en engad. y sobres.; §§ 868-877).

β) En los verbos de la 2.ª-3.ª conjugación puede producirse en fecha temprana (ya en latín vulgar) un paso a la 4.ª conjugación, por la razón de que en ésta las formas con -i̯- permanecieron vivas más tiempo; f u g i o / f u g e r e > f u g i o / *f u g ī r e (rum. *fugí,* it. *fuggire,* sard. *fuire,* engad. *fügir,* sobres. *fugir,* fr. *fuir,* prov. a., cat. y port. *fugir,* esp. *huir*), m o r i o / m o r e r e > m o r i o / *m o r ī r e (casi románico común: rum. *muri,* it. *morire,* etc.), p e t i o / p e t e r e > p e t i o / p e t ī r e (rum. *peţi,* esp. *pedir;* § 925), f l o r i o / f l o- r ē r e > f l o r i o / f l o r ī r e (§ 921, 2); c a p i o / c a p e r e > c a p i o / *c a p i r e (it. *capire*).—El paso ulterior de la mayor parte de la 4.ª conjugación al tipo -e̯ s c o (-i̯ s c o) ha de interpretarse también como una manera de eludir las modificaciones de la final temática causadas por la -i̯- de la 1.ª pers. (*c a p i s c o en vez de c a p i o) (§§ 451; 921).

927. La -i̯- de la 6.ª pers. de la 4.ª conjugación (d o r- m i u n t, a u d i u n t) y de los verbos de la 3.ª con -i̯- (f a-

c i u n t) no subsiste. En cambio, el subjuntivo presente muestra vestigios bien claros de la -i̯- (§ 930).

β) Verbos del tipo ampliado (§§ 928-929)

928. Formas: 1, lenguas con vocalización ę (§ 921, 2 a): rum. ⟨*un-*⟩ *-ésc, -eşti, -eşte, -ím, -íţi, -esc;* alto engad. ⟨*un-*⟩ *-ésch, -éschast, -ésch, -íns, -ís, -éschan;* sobres. ⟨*un-*⟩ *-éschel, -éschas, -éscha, -ín, -ís, -éschan;* cat. ⟨*un-*⟩ *-éixo, -éixes, -éix, -ím, -íu, -éixen;* 2, lenguas con vocalismo i̯ (§ 921, b): it. ⟨*un-*⟩ *-ísco, -ísci, -ísce, -iámo, -íte, -íscono;* bajo engad. ⟨*un-*⟩ *-ísch, -íschast, -íscha, -ín, -ís, -íschan;* fr. a. (fr. m.) ⟨*un-*⟩ *-ís, -ís, -íst* (*-ít*), *-íssons, -íssez, -íssent;* prov. a. ⟨*un-*⟩ *-ísc / -ís, -ís / -íssẹs, -ís, -ẹm, -ẹtz, -íscon / -ísson.*

929. La diferencia consonántica entre las formas velares (-s c o, -s c u n t) y las formas palatales (-s c i s, -s c i t) se mantiene en rum., it. y prov. a., mientras que en engad., sobres., fr., prov. a. (regional) y cat. se nivela en favor de la variante palatal.—En fr. (y dialectos it.) la sílaba ampliada pasó secundariamente a la 4.ª y 5.ª pers. también (cf. además § 931).

<small>B) SUBJUNTIVO DE PRESENTE (§§ 930-931)</small>

α) Verbos del grupo antiguo (§ 930)

930. Formas: 3.ª d o r m i a t, 4.ª d o r m i a m u s; rum. *doármă, dormím;* it. *dǫrma, dormiámo;* sard. *dórmat, dormámus;* alto (bajo) engad. *dórma, durmáns (durmán);* sobres. *dòrmi, durmîen;* fr. a. (fr. m.) *dorme, dormons (dormions);* prov. a. *dórma, dormám;* cat. *dǫrmi, dormím;* esp. *duérma, durmámos;* port. *dúrma, durmámos.*

Un vestigio de la -i̯- aparece en la vocal radical tónica -u-del port. (§ 925), así como en la vocal radical átona -u- del esp. y port.—El it. *dormiámo* basa su terminación en *abbiamo* (§ 803).—La 4.ª pers. en rum. procede (como siempre en la conjugación) del indicativo (§ 803).—El sobres. y cat. presentan las terminaciones de la 1.ª conjugación (§ 803).—En todo el resto las bases son *d o r m a, *d o r m a m u s.

Igual que la 1.ª pers. de indicativo (§ 925), también el subjuntivo presenta con frecuencia formas con -i̯-: (3.ª pers.) port. *meça, peça, ouça;* rum. *simţă* < s e n t i a t; it. *muoia;* prov. *auja.*

β) Verbos del tipo ampliado (§ 931)

931. Formas (3.ª y 4.ª pers.): 1, lenguas con vocalismo ę (§ 921, 2 a): rum. ⟨*un-*⟩ -*eáscă, -ím;* alto engad. ⟨*un-*⟩ -*éscha, -éschans;* sobres. ⟨*un-*⟩ -*éschi, -íen;* cat. ⟨*un-*⟩ -*éixi, -ím;* 2, lenguas con vocalismo i̯ (§ 921, 2 b): it. ⟨*un-*⟩ -*ísca, -iámo;* bajo engad. ⟨*un-*⟩ -*ischa, -íschan;* fr. a. (fr. m.) ⟨*un-*⟩ -*isse, -issons (-issions);* prov. a. ⟨*un-*⟩ -*ísca, -íscam.*—En engad., prov. a. y fr. (y en algunos dialectos it.) la ampliación penetró también en la 4.ª y 5.ª pers. (cf. § 928).

c) IMPERATIVO (§§ 932-933)

α) Verbos del grupo antiguo (§ 932)

932. Formas: 2.ª d ó r m i, 5.ª d o r m í t e: rum. *dòrmi, dormíţi;* it. *dó̦rmi, dormíte;* sard. *dórmi, dormíde;* engad. y sobres. *dórma, durmi;* fr. a. (fr. m.) *dorm (dors), dormez;* prov. a. *dorm, dormę́tz;* cat. *dorm, dormíu;* esp. *duérme, dormid;* port. *dó̦rme, dormi.*—Generalidades en §§ 805-806.

β) Verbos del tipo ampliado (§ 933).

933. Formas (2.ª y 5.ª pers.): 1, lenguas con vocalismo ę
(§ 921, 2 a): rum. ⟨un-⟩ -ęşte, -íţi; alto engad. y sobres. ⟨un-⟩
-escha, -í; cat. ⟨un-⟩ -éix, -iu; 2, lenguas con vocalismo į
(§ 921, 2 b): it. ⟨un-⟩ -isci, -ite; bajo engad. ⟨un-⟩ -ischa, -í;
fr. ⟨un-⟩ -is, -issez; prov. a. ⟨un-⟩ -is, -ętz.

D) INDICATIVO DE IMPERFECTO (§ 934)

934. Formas: 3.ª d o r m i e b a t, 4.ª d o r m i e b a m u s;
rum. ⟨dorm-⟩ -eá, -eám; it. ⟨dorm-⟩ -íva, -ivámo; sard. ⟨dorm-⟩
-ía, -iámus / -ivámus; alto (bajo) engad. ⟨durm-⟩ -íva, -ívans
(-ívan); sobres. ⟨durm-⟩ -éva, -évan; fr. a. dormóit, dormiiéns;
fr. m. dormait, dormions; prov. a. ⟨dorm-⟩ -ía, -iám; cat.
⟨dorm-⟩ -ía, -iem; esp. y port. dormía, dormíamos.

La vocalización latina -i ē- no se mantuvo. La Romania está
más bien dividida en una zona con la terminación -ę v a (que
coincide con la 2.ª-3.ª conjugación: §§ 873, 887) y otra zona
con la terminación -į v a. La pronunciación -ę v a aparece en
rum., sobres. y fr.; la pronunciación -į v a ocurre en sard.,
it. y engad.; en cambio, respecto al prov., cat., esp. y port.,
no es posible decidir (pues aquí también -ęa > -ía: § 187).
En sardo (cf. § 873), los dialectos centrales (§ 373) dejan perder la -v- en las formas tónicas en -í- (1.ª, 2.ª, 3.ª y 6.ª pers.,),
al paso que en las formas tónicas en -á- (4.ª y 5.ª pers.) la conservan. En los demás dialectos la -v- desaparece en todas las
formas.

En la conjugación ampliada (§ 929) sólo el francés inter-
cala el sufijo en el imperfecto: j'unissais.

E) SUBJUNTIVO DE IMPERFECTO (§ 935)

935. Formas: 3.ª d o r m í r e t, 4.ª d o r m i r é m u s; sard. ⟨*dorm-*⟩ *-íret, -irémus;* port. *dormír, dormírmos.*—Generalidades en §§ 809-812.

F) GERUNDIO E INFINITIVO (§ 936)

936. Formas (gerundio): d o r m i e n d o; rum. *dormínd;* it. *dorméndo;* sard. *dorminde / dorménde;* engad. *durmínd;* sobres. *durménd;* fr. *dormánt;* prov. a. *dormén;* cat. *dormínt;* esp. *durmiéndo;* port. *dormíndo.*—Cf. el cuadro sinóptico del § 817 [17].—En los verbos del tipo ampliado (§ 931) sólo el fr. *(unissant)* y el prov. a. *(unissén)* intercalan el sufijo.—Sobre el infinitivo, cf. §§ 787-791; 822.

2. *Formas finitas del grupo de perfecto* (§§ 937-944)

A) INDICATIVO DE PERFECTO (§§ 937-943)

α) Formación débil de perfecto (§§ 937-938)

937. Formas: d o r m í i, d o r m í s t i, d o r m í u t / d o r-
m í i t, d o r m í m m u s, d o r m í s t i s, d o r m í r u n t; rum.
⟨*dorm-*⟩ *-ii, -işi, -i, -irăm, -irăţi, -iră;* it. ⟨*dorm-*⟩ *-ii, -isti, -i,
-immo, -iste, -irono;* alto (bajo) engad. ⟨*durm-*⟩ *-it, -ittast,
-it, -ittans (-ittan), -ittas (-ittat), -ittan;* fr. a. (fr. m.) ⟨*dorm-*⟩ *-i
(-is), -is, -it, -imes (-îmes), -istes (-îtes), -irent;* prov. a. ⟨*dorm-*⟩
-i, -ist, -i / it, -im, -itz, -iron; cat. ⟨*dorm-*⟩ *-i, -ires, -i, -irem,
-ireu, -iren;* esp. *dormí, dormiste, durmió, dormimos, dormisteis, durmiéron;* port. ⟨*dorm-*⟩ *-i, -iste, -iu, -imos, -istes, -iram.*

---

[17] En sobres., la base pudiera ser también -i n d o (§ 166).

Lista retroproyectiva (cf. § 824): **1.**ª -í i (rum., it., fr., prov., cat., esp. y port.), -í t u i (según s t e t u i: § 896) (engad.); **2.**ª -í s t i (it., prov., esp. y port.), -í s t i̯ + vocal (rum.), -í s (fr.), -í r a s (cat.), -i t u í s t i > -í t u i s t u (engad.); **3.**ª -í u t (esp. y port.), -í i t (rum., it., fr., prov. y cat.), -í t u i t (engad.); **4.**ª -í m m u s (it., fr., prov., esp. y port.), -i r a m u s (rum. y cat.), -í t u i m u (engad.); **5.**ª -í s t i s (it., fr., esp. y port.), -é s t i s (prov.: § 882), -í t u i t i s (alto engad.), -í t u i t e (bajo engad.), -í r a t i s (rum. y cat.); **6.**ª -í r u n t (it., fr. y prov.), -í r a n t (rum., cat. y port.), -ę̣ r u n t (esp.: § 895), -í t u u n t (engad.).

938. La desaparición de la -v- en las formas de perfecto (§ 824) arranca de la 4.ª conjugación, pues en latín la -v- entre vocales iguales desaparece (s i v i s > s ī s 'por favor, sírvase...'). De aquí se propagó la desaparición a la 1.ª conjugación (§ 824).—En la 3.ª pers. la forma -í i t (con desaparición de la -v-) se contrapone a la forma vocalizada -í u t (§ 824).— En engad. la formación s t é t u i (§ 896) se transfirió al perfecto de la 4.ª conjugación, con lo que se conservó la vocal de -í i. — Para el alargamiento compensatorio -í i m u s > *-í̦m m u s cf. §§ 543, nota; 824.—El esp. -*ió* procede de *-í u t (port. -*iu*): §§ 151, 895.

Entre las formas de la cuarta conjugación y las formas del perfecto en -*dę̣di* (§§ 892-895) hay intercambio. Así, la terminación de la 6.ª pers. *durmieron* en esp. proviene del perfecto en -*dę̣di* (§ 895), mientras que, inversamente, en francés las terminaciones de la 4.ª conjugación irrumpen en las del perfecto en -*dę̣di* (§ 894).

β) Formación fuerte de perfecto (§§ 939-943)

939. En la 4.ª conjugación hay, como en la 2.ª-3.ª (§ 899), formaciones fuertes de perfecto en -i (v ē n ī), en -s i (s ē n s ī)

y en -u i (a p e r u ī).—Generalidades sobre acentuación radical y desinencial, así como sobre la estructura del tema en § 899. En rum., engad. y cat. la formación fuerte de perfecto fue reemplazada por la débil; en rum. y cat., por la formación en -íi (rum. *venii,* cat. *venguí:* § 937); en engad., por la formación en -ítui (*gnit* 'vine': § 938); cf. § 937.

1) *Formación en* -ī (§§ 940-942)

940. Formas: v é n i, v e n í s t i, v é n i t, v é n i m u s, v e- n í s t i s, v é n e r u n t; rum. *venii, venişi, vení, venirăm, veni- răţi, venínă;* it. *vẹnni, venisti, vẹnne, venímmo, veníste, vẹn- nero;* alto (bajo) engad. *gnit, gníttast, gnit, gníttans (gníttan), gníttas (gníttat), gníttan;* fr. a. *vin, venis, vint, venímes, venís- tes, víndrent;* fr. m. *vins, vins, vint, vînmes, vîntes, vinrent;* prov. a. *vinc, venguist, venc, venguém, venguẹtz, vengron;* cat. *vinguí, vinguéres, vinguí, vinguírem, vinguíreu, vinguíren;* esp. *víne, viníste, vino, vinímos, vinísteis, viniéron;* port. *vim, vięste, véio, vięmos, vięstes, vięram.*

941. Respecto a las formas presentadas en el § 940, hay que hacer las siguientes puntualizaciones:

1. El paradigma latino pervive únicamente en fr., esp. y port.; pero nótese que el perfecto en -*dẹdi* (§ 895) influye so- bre la 6.ª pers. en esp. (§ 937) y sobre la 2.ª, 4.ª, 5.ª y 6.ª pers. en port.—En fr. el tema metafónico v ē n ī > *vin* (§ 199) se aplicó a las demás personas (en fr. a. a la 3.ª y 6.ª pers.).

2. El rum. presenta la formación débil de perfecto *v e- n í i (§ 939).

3. En it., prov. y cat. encontramos la formación v ē n u ī (§ 942), analógica de t é n u ī, la cual más tarde el cat. igualó a la formación débil en -*i* (§§ 937; 939).

4. En engad. hallamos la formación débil *v e n í t u i
(§§ 937; 939).

942. Los dos verbos v e n ī r e (4.ª conjugación) y t e n ē-
r e (2.ª conjugación) se han influido recíprocamente en románico respecto a la creación de las formas por la razón de la
semejanza de sus temas. El influjo abarca las siguientes esferas formales:

1. La clase de conjugación, y ello en una doble dirección:
a) En sardo, el verbo v e n ī r e, por analogía con t e n ē-
r e (sard. *ténnere*: § 789), pasa a la 3.ª conjugación (sard.
bénnere).

b) En fr., prov. y cat., el verbo t e n ē r e, por analogía
con v e n ī r e, pasa a la 4.ª conjugación (fr., prov. y cat. *tenir*).

2. La formación de perfecto, y ello en una doble dirección:

a) En it., prov. y cat., el perfecto *v e n u i (it. *vęnni*,
prov. *vinc*, cat. a. *venc*, cat. m. *vinguí*) se forma según el
modelo t e n u ī (it. *ténni*, prov. *tinc*, cat. a. *tenc*, cat. m.
tinguí). Para la aplicación secundaria de las terminaciones
débiles en cat., cf. § 941.

b) El fr. formó el perfecto *t ē n i (fr. a. *tin*, fr. m. *tins*)
según el modelo v ē n i (§ 940).

2) *Formación en* -sī *y en* -uī (§ 943)

943. El románico no conserva formaciones antiguas en -s ī
y en -u ī de la 4.ª conjugación. El perfecto s e n s ī es sustituido por el perfecto débil s e n t í i (it. *sentii*, fr. *sentis*, etc.;
§ 937), el perfecto a p e r u i por el perfecto débil a p e r í i
(it. *aprii*, fr. *ouvris*, esp. *abrí*, etc.) o por el perfecto fuerte
*a p e r s i (it. *apersi*), respaldado por el participio a p e r t u.
Para *v e n u i, cf. § 942, 2 a.

B) OTRAS FORMAS FINITAS DE PERFECTO (§ 944)

944. Tienen análoga aplicación aquí las observaciones del
§ 906.—Formas: 1, subjuntivo perfecto y futuro perfecto
(§ 827): d o r m í e r i m > rum. a. *dormíre*, esp. *durmiére*,
port. *dormír;* 2, indicativo pluscuamperfecto (§ 832): d o r-
m í e r a m > prov. a. y port. *dormíra*, esp. *durmiéra;* 3, subjuntivo pluscuamperfecto (§ 829): d o r m í s s e > rum. *dor-
mísem*, it. *dormíssi*, engad. *durmíss*, sobres. *durméss*, fr. *dormísse*, prov. a. y cat. *dormís*, esp. *durmiése*, port. *dormísse*.
Existe intercambio entre las formas del perfecto en *-dẹdi*
(§ 938) y las de la 4.ª conjugación. Así, las formas esp. de la
4.ª conjugación derivan del perfecto en *-dẹdi* (§ 907), mientras que el fr. *vendísse* (§ 907) procede de la 4.ª conjugación.

3. *Participio de perfecto* (§§ 945-947)

A) FORMACIÓN DÉBIL (§ 945)

945. Formas: d o r m i t u; rum. *dormít*, sard. *dormídu /
dormítu* (dialectos centrales), alto engad. *durmíeu*, bajo engad. *durmí*, sobres. *durmíu*, fr. *dormí*, prov. a. y cat. *dormít*,
esp. y port. *dormído.*—En alto engad. y sobres. la pronunciación coincide secundariamente con el participio en -ū t u
(§ 912).

B) FORMACIÓN FUERTE (§§ 946-947)

946. Se conserva a p e r t u (it. *aperto*, alto engad. y sobres. *aviert*, bajo engad. *avért*, fr. *ouvert*, prov. a. *ubert*, cat.
obert, esp. *abierto*, port. *aberto*).

947. El participio v e n t u de v e n ī r e se extinguió, siendo sustituido por:

1. Un participio débil *v e n ī t u en dialectos sardos: *bennídu* (a pesar del infinitivo *bénnere*: § 942);

2. Un participio fuerte (§ 914) *v é n i t u, que perdura en sardo *bénnidu* (Bitti *vénnitu*) y que en esp. y port. se transformó, conforme al § 912, en *v e n í t u (esp. y port. *venído*);

3. Un participio débil *v e n ū t u formado por analogía con *t e n ū t u (§ 912). Nótese además que *t e n ū t u remonta ya a la época en que el perfecto sonaba en todas partes t e n u i (incluso en fr.: § 942, 2 b). El participio *v e n ū t u según *t e n ū t u no se halla ligado a un perfecto *v e n u i según t e n u i (§ 932, 2 a), pues el participio ocurre en una zona más amplia que el perfecto.

Formas: 1, t é n t u / v e n í t u (sard. *tentu / bennídu*); 2, t é n i t u / v é n i t u (sard. *ténnidu / bénnidu*); 3, t e n ú t u / v e n í t u (rum. *ţinút/venít*); 4, t e n ú t u/v e n ú t u (it. *tenúto / venúto;* alto engad. *tgníeu / gníeu;* bajo engad. *tgnü / gnü;* sobres. *teníu / vegníu,* fr. *tenu / venu;* prov. a. *tengút / vengút;* cat. *tingút / vingút*); 5, t e n í t u / v e n í t u (esp. *tenído / venído;* port. *tido / vindo*).—Para el influjo del tema de perfecto en prov. y cat., cf. § 912.

4. *Futuro* (§ 948)

948. Formas: d o r m i r e h a b e o: it. *dormirò,* alto engadino *durmirò,* bajo engad. *durmirà,* fr. y prov. a. *dormirai,* cat. y esp. *dormiré,* port. *dormirei;* v e n i r e h a b e o it. *verrò,* alto engad. *gnarò,* bajo engad. *gnarà,* fr. a. *vendrai,* fr. m. *viendrai* (influjo del tema de presente), prov. a. *venrai,* cat. *vindré,* esp. a. *verné,* esp. m. *vendré,* port. *virei.*—El futuro

más frecuente de v e n i r e muestra en todas partes desarrollo fonético autónomo (independiente del infinitivo), pues el futuro estaba grabado en la memoria como forma autónoma (§§ 583; 755). En cambio, el futuro menos frecuente de d o r- m i r e se apoya en todas partes en la estructura fonética del infinitivo en cada lengua respectiva. Cf. §§ 293, 295, 837-846, 877, 918.

ÍNDICE GENERAL